まえがき　7

序章　「偽日本人」と「偽ユダヤ人」——あるいは「本来的国民」の作り方　13
イスラエルの「帰還法」とユダヤ人……日本の「帰還法」と日本人……国民とは誰か

I ◉ 「イスラエル」の原点　普遍性と特異性のアポリア

第一章　ユダヤ人国家か国民国家か——二つの独立宣言　43
二つの「独立宣言」……デリダの「アメリカ合衆国独立宣言」分析……イスラエルの「国家独立宣言」

第二章　ユダヤ人国家か二民族共存か——歴史としてのバイナショナリズムの挑戦　67
アーレントの二民族共存国家論……ブーバーの二民族共存国家論……二民族共存国家論のコンテクスト

第三章　マルティン・ブーバーの共同体論と国家　97
ブーバーの共同体思想……経済と血と土地のイデオロギー……普遍性と特殊性

第四章　ハンナ・アーレントと国家創設のプロジェクト　121
ヘブライ大学……デリダとハイデガー……「ヨーロッパ」の問い直し

ユダヤとイスラエルのあいだ◉目次

ユダヤとイスラエルのあいだ

民族／国民のアポリア

青土社

II ◉「イスラエル」の現在　リベラリストたちの葛藤

第五章　ハンナ・アーレントの「沈黙」　155
アーレントの国民国家観——『全体主義の起源』……アーレントのアメリカ観——『革命について』……アーレントにおける中庸の理念——『人間の条件』、『共和国の危機』

第六章　ジュディス・バトラーの「躊躇」　183
ジュディス・バトラーのイスラエル批判……ユダヤ「人種」の矛盾とディアスポラ主義……パレスチナ人からの応答

第七章　アイザイア・バーリンの「矛盾」　207
リベラリズム／ナショナリズム／シオニズム……シオニズムにおいて「左派」で「和平派」であること……シオニストの自己矛盾

第八章　エドワード・サイードの「格闘」　237
サイード／ウォルツァー論争……ボヤーリン兄弟との論争……「非ユダヤ的ユダヤ人」とバイナショナリズム

＊　＊　＊

終章　イスラエル／パレスチナにおける国家理念の行方　277
パレスチナ国家の行方……バイナショナリズムの諸相……内部矛盾を深めるイスラエル

註　303
新装版あとがき　338
索引　(1)

ユダヤとイスラエルのあいだ——民族／国民のアポリア

まえがき

本書は、「イスラエル／パレスチナ問題」を直接的に論ずるものではない。私自身の専門分野は、あくまでヨーロッパ思想史である。だが、とりわけイスラエル国家の存在にこだわっているのは、近代世界における「国家」や「国民」や「民族」といったものを理論的かつ歴史的に、根底から問い直そうと試みたとき、必然的にヨーロッパ世界の「ユダヤ人問題」にぶつかり、またその延長線上に生じたイスラエル建国という出来事について考えざるをえなくなったためである。

だがあくまで私自身のこだわりは、日本国家や日本人をも含めた、近代世界における国家や国民という存在にあることは強調しておきたい。

フランス革命とヘーゲル哲学の時代に、市民社会の確立とユダヤ人解放に関する論争は始まった。信仰の自由のもと、宗教を問わずに市民権の平等を保障するべきであるというヘーゲル左派の主張は、しかしながら、ヨーロッパ各地で起こった一八四八年革命の挫折と反動化を経て、その内部からシオニズムとのちに言われる思想運動を生み出した。一八六二年のモーゼス・ヘス（四八年革命までマルクスとともにヘーゲル左派の中心的役割を担った）による『ローマとエルサレム』はその画期をなす著作であった。すなわち、ユダヤ教徒のフランス国民、ユダヤ教徒のドイツ国民という存在を認めようとしない偏狭なナショナリズムは、その居場所を奪われたユダヤ教徒に対して、ユダヤ民族を立ち上げるもうひとつのナショナリズムへと促したのである[1]。

しかもこの時期に流布しつつあった科学的実証主義は、民族を生物学的人種主義によって説明しようとした。この思想潮流は、ユダヤ教徒を「ユダヤ人種」へと転換させ、ユダヤ人をヨーロッパから排除する側も、ユダヤ・ナショナリズムを標榜する側も、ともにそうした人種主義を進んで受け入れた。あるいはむしろ、人種主義は無意識に吸い込まれた時代の空気であったというほうが正確かもしれない。

ともあれその後、一方で人種主義的反ユダヤ主義は、ナチスによるホロコーストによって頂点を極め、他方でユダヤ・ナショナリズムは、テオドール・ヘルツルらが主導する領土主義的なシオニズムへと発展し、ヨーロッパの外の地での建国運動となり、ハイム・ワイツマン（初代大統領）やダヴィッド・ベン＝グリオン（初代首相）らによって一九四八年にイスラエル建国という形で、その一定の実現をみる。この両者が相補関係にあるということは、思想上もまた現実の国際政治においても必然的である。

本書は、第一部において、このイスラエル国家の建国期を取り扱い、第二部においては、イスラエル建国後の現代を取り扱う。とはいえ、イスラエルの建国運動それ自体や、あるいは国家思想そのものを対象とするわけではない。むしろそうではなく、ユダヤ人国家としてのイスラエル国家という存在に対して、その中心・主流派の思想運動ではなく、その周辺にありつつ批判的な距離をとっている思想家たちの議論をおもに検討している。そうすることによって、かえって、イスラエルという国家の問題の輪郭を鋭く抉りだすことが可能になると考えたからである。

　第一部においては、イスラエルを純粋なユダヤ人だけの国家とすることには反対していたハンナ・アーレントとマルティン・ブーバーの二人をおもに取り上げた。二人は、ともに建国期において、国土をユダヤ人国家とアラブ人国家とに分割することに反対し、具体的な運動をそれぞれに展開した。その内実に差異はあれども、二人は「二民族一国家共存」をかかげるバイナショナリズム運動に加わっていた。その試みと挫折とを検討することによって、イスラエル建国問題とは何だったのかを考えたい。

　第二部においては、リベラルなユダヤ人思想家らのイスラエルに対する批判的な距離について考察する。それぞれが自らの哲学的基盤に立脚し、確立されたイスラエル国家のあからさまな暴力性には批判を加えつつも、しかしながら国家そのものについては必ずしも否定できないというアンビヴァレントな姿勢が見られる。イスラエルの軍事占領は批判できてもシオニズムは批判できないとすれば、その一線とは何か。その検討によって、国家そのものの存在に迫りたい。

　近代世界における国民国家というシステムについて、そしてその国民について考えるとき、私自身、日本国家について、日本人について考えるということから逃れるわけにはいかない。事実、ヨーロッパで先行していた国民国家の発展との強い影響関係において、急速に近代国家建設を進めたという点で、イスラエルと日本とは類比すべき点が多い。どちらもヨーロッパを頂点と仰ぎ、そして周囲に植民地や占領地を保持することで階層構造をつくり、その内部において国民化の圧力を強めてきた。ヘス『ローマとエルサレム』（一八六二年）からヘルツル『ユダヤ人国家』（一八九二年）にいたるシオニズムの発生期[2]は、日本においては、江戸幕府および明治政府が奥羽（東北地方）、アイヌモシリ（北海道）、琉球（沖縄）を次々と侵攻、占領、併合していった時期にちょうどあたる。

一九四七年に国連はイギリス委任統治領パレスチナの分割決議を行ない、翌四八年にイスラエルが建国され、四九年に第一次中東戦争が休戦することで、現在のイスラエル国境と休戦ラインの大枠が確定された。同時期の東アジアにおける重大事件を見ただけでも、四七年には台湾で二・二八事件があり、四八年には南北朝鮮の分断、四九年には中華人民共和国建国があった時期だ。いずれもが日本による植民地支配や侵攻・占領の影響とその終結のあおりのなかで起きた出来事である。対日戦争のために備蓄されていたアメリカ合衆国の兵器が第一次中東戦争下のイスラエルに提供されたことも思い起こすべきだろう。

そして現在、イスラエルと日本はともに、アメリカの同盟国として軍事戦略上の重要な前哨基地をなしている。ガーヤットリー・スピヴァックがこの二国を指して、「ユーラシア大陸の両端にある二つの不条理[3]」と称したのもうなずける。

したがって、序章においては、日本国家や日本人への問いを前面に押し出した議論を展開している。

その後の本編でその問題が直接的に展開されるわけではないが、本書を貫く問題意識であることは強調しておきたい。

序章

「偽日本人」と「偽ユダヤ人」

——あるいは「本来的国民」の作り方

はじめに

「国民国家」体制において、たんなる「住民」ではなく、正規の構成員とされる「国民」は、いかなる資格のもとに定義されるのだろうか。これが本書を貫く問いである。

これは概念規定の次元にとどまる問いではなく、現実的に生身の人間がどのようにして「国民」として認められるのか、あるいは認められずにそこから排除されるのか、という問いでもある。

なにもこれは、一九四八年に新しく誕生したイスラエル国家に固有の問題ではないのはもちろんだ。この問題は、国民国家の原理に直接に関わるものである以上、国民国家が存在するかぎりはつねにそこにつきまとう問題であると言っていい。「歴史の古い」日本も例外にはなりえない。なぜなら、国民国家とは近代の産物にすぎず、国家がその正統性を伝統や神話に依拠することなど、よくあるロジックだからだ。

国民国家やナショナリズムに関する研究が際限なく重ねられている今日、そうした「国民」が、人種論的含意においてであれ文化論的含意においてであれ、実体的な「民族」ではありえないことなど、学問的にはもはや常識の部類に入っていると言える。[1] 国民という統合された存在を民族的同一性に基づかせようとすることは、およそどんな国家についてももはや神話とみなされている「単一民族国家」に固執することに等しい。だからこそ、国民の範疇は固定された自明のものではなく、絶えず改訂されうる法によって、つまり政治的決定によってそのつど線引きせざるをえないのである。ときには植民地の領有やその放棄によって、ときには移民政策の変更によって、国民の線引きの変動が可視的になることもある。

だがそれにもかかわらず、「国民」は法的な存在にはなりきれず、民族的な実体であるという幻想は根深い。どれだけ今日の世界において「多文化主義」という思想が表面的には普及しようとも、それが根本原理になることはなく、市民権はあくまで政治的裁量の寛容さの度合いという恣意性に委ねられてしまう。植民地下におかれた人びとや移民に対して国籍が附与されたとしても、そうした人びとがそのまま「真の国民」として十全に受け入れられるわけではない。それはあくまで「本来的な国民」という理念的存在が前もって想定されたうえで、新規国民も「本来性」を身につけるべく努力を重ね、その「本来性」に従属させられる、ということを意味する。だが、「本来性」とは、定義的に

「本来的な国民」のみがもちうるものである以上、「非本来的な新規の国民」はどこまで本来性を模倣しようとも、完全に同一化することは不可能であり、無限の同化過程におかれることになる。

本来的なものは本来的、非本来的なものは非本来的という、この定義的に自家撞着でしかない区分は、絶対的なものであることを装いながら、しかし逆説的にも、その恣意性によって自己破産せざるをえない。というのも、政治的な要請によって国民の法的な線引きを変更することが、いや、変更が生じなくともつねに法によって線引きを保っているということ自体が、国民／非国民の区分の交渉を発生させ、国民がつまるところ法なしには規定不可能であり、法と無関係の何らかの実体にのみ基づかせて存立することができないということを露呈させるからである。

その綻びが現れる瞬間を、二つの典型的な事例に沿って見ていこう。

日本とイスラエルは、ひじょうに類似した「帰還法」をともにもっている。帰還法とは、つまり、日本人であれば日本に「帰る」ことが、ユダヤ人であればイスラエルに「帰る」ことができる、そういう法的権利を有するという法律である。この単純明快な規定も、しかし、その一言一言はひじょうに問題含みである。「日本人」とは誰のことか、「ユダヤ人」とは誰のことか、そしてそう定義された人が「帰る」とはどのような意味か。

1.　イスラエルの「帰還法」とユダヤ人

1-1 「ユダヤ人」の定義

イスラエルにおけるユダヤ人の帰還法は、国民を規定する基本法の核をなしている。イスラエル国家には憲法が存在せず、「独立宣言」やこの帰還法をはじめとする基本法体系によって「ユダヤ人国家」であると規定されている。ユダヤ人のみが本来的な国民であり、アラブ系住民（パレスチナ人）は、国籍はあれども、「二級市民」つまりは非本来的な国民とされているのだ（独立宣言については本書第一章で、基本法の問題については終章で論じる）。

ところで「ユダヤ人」とは誰か。この問いほど、人種主義とナショナリズムをめぐる議論のなかで激しく争われたものはない。ユダヤ人を規定するのは、人種か、宗教か、文化か。第一義的には、「ユダヤ教を信仰する者」であり、宗教だということになるが、事はそう単純ではない。「二千年の離散と帰還」という建国を支えたシオニズムの政治神話のなかでは、すべてのユダヤ人が古代イスラエルの地にルーツをもち血筋を継いでいるという人種主義的信念はいまなお根深い。また、母系主義であるユダヤ教においては、「母をユダヤ人にもつ者」というのが原則的にユダヤ人の定義となっており、したがって宗教自体が人種主義的規定を免れてはいないのだ。他方で、敬虔でない世俗的なユダヤ人について宗教的に規定することに伴う困難ゆえに、文化論的に広く緩くユダヤ人を規定することも多い。つまり、「人種／宗教／文化」による定義は、いずれも曖昧である。

そうしたなかで、イスラエルの現実政治における線引きは、四祖父母のなかにユダヤ人が一人でもいる者は「ユダヤ人」として帰還する権利を有する、というものである。帰還法が定めたこのユダヤ人の定義は、ナチス政権が権利を剥奪する対象としてユダヤ人の範囲を法的に明確に定めたニュルンベルク法と同じものだ。つまり、四祖父母のなかにユダヤ人が一人でもいれば、本人の宗教がキリスト教であろうと、またユダヤ人であるという自己認識がなかろうと、「ユダヤ人」として排斥・虐殺をされたという歴史的経緯をふまえ、そうした人びとを救済するという意図がそこにはある。しかしそれは同時に、イスラエルもまたナチスと同じ「血のナショナリズム」という神話を共有しているということでもある。さらに言えば、対アラブ・パレスチナ人との人口比において圧倒的優位を獲得・維持するためには、緩くユダヤ人を定義し、できるだけ多くの人びとを「ユダヤ人」として迎え入れ国民化しなければならないという政治的要請こそが根本にはある。

この「本来的な国民はユダヤ人でなければならない」という純粋主義は、しかしながら、その恣意的・政治的運用によって、かえって不純化を深めてもいる。つまり、「人種／宗教／文化」による定義ではユダヤ人と言えない人びとも、法が許容するかぎりにおいて、「ユダヤ人」であり、政治的要請によって「帰還」が認められる。いや帰化が認められる以上は、政治的に「本物」のユダヤ人がつくられる、と言うべきだろう。

1-2　エチオピアからの「ユダヤ人」移民

こうしたことがもっとも先鋭的な形で現れているのが、エチオピアからのユダヤ人移民問題だ。エチオピアでは四世紀にキリスト教を国教化して以来、独自のエチオピア正教が広く信仰されている。それ以前の古代エチオピアで、実際にユダヤ教が信仰されていたのかどうかは、定かでないどころか、宗教史的には古代ユダヤ教が存在していたことは立証されていない。だが、エチオピア正教は旧約聖書を重んじた食物規定（コシェル）をもっており、そうしたユダヤ教にも共通する文化習慣と、独自の建国神話とがあいまって、ユダヤ教起源が信じられている。[2]

その建国神話というのは、「シェバの女王」伝説に基づいている。旧約聖書にも登場し、ソロモン王との親交が描かれているシェバの女王は、アラビア半島と言われる出自はおろか、その実在性も定かではないのだが、エチオピアにおいては、この女王はエチオピア出身であることになっている。この伝説によると、エルサレム訪問のおり、シェバの女王はソロモン王とのあいだに懐妊し、エチオピアに戻りソロモン王の子どもを出産した。この子が成人したときにソロモン王を訪れ王の寵愛を受け後継指名をされたが、それを辞し、エチオピアに戻る。その際に、モーセが神ヤハウェから授かった十戒が収められた聖櫃（アーク）をエチオピアに持ち帰り、第二のイスラエル王国としてエチオピア王国を建国し、自らが建国の祖メネリク一世として即位した、という。[3]

これは、有名な「失われたアーク」伝説の有名な一変奏で、この石版を入れた聖櫃の行方は実際には不明であり、聖書関係の文書においても唐突に言及がなくなり、奪われたとか破壊されたといった記述もない。これがエチオピアでは、エチオピアに持ち込まれたと信じられているのである（とはいえ、聖櫃は完全に非公開となっている)。[4]

こうした背景も手伝い、エチオピアのなかでもとりわけ旧約聖書を重んじている地域の人びとは、キリスト教への改宗を拒み古代のユダヤ教を遵守しているユダヤ人なのではないかと言われ(「ファラーシャ」と呼ばれる)、現代イスラエル国家建国後まもなくの一九五〇年代から、帰還法に基づくイスラエルへの移民の可能性が論じられてきた。このファラーシャたちが「ユダヤ人」であると公式に認定されたのが七五年、そして八〇年代と九〇年代に二度にわたって、大規模に進められた移送作戦(「モーセ作戦」と「ソロモン作戦」と名づけられた)[5]によって、約二万二千人の「ユダヤ人」をイスラエルに移民させた。これは貧困や政情混乱からユダヤ人を「救出する」という「人道的見地」から正当化され、当時イスラエルは、「すべてのユダヤ人を救い出した」と豪語し、住居、教育、就職などを全面的にサポートし、イスラエル社会に十全に受け入れられると誇っていた。

だが現実には、エチオピアからの「ユダヤ人」移民は終わることなく、次から次へと「ユダヤ人」を自任する者が帰還法に基づく移民の権利を主張してきている。イスラエル政府は慎重に審査をしながらも、結局のところ毎年数千人を受け入れ続け、イスラエルにおけるエチオピア出身者の人口はすでに一〇万人を越えている。他方イスラエル国内では、こうしたエチオピア移民たちが社会のさまざまな場面での差別に苦しめられており、申し入れやデモやピケなどの抗議活動は絶えることがない。いったいどういうことなのか。

1-3　エチオピアの建国神話とユダヤ教伝説

先述のように、エチオピアにはかつてユダヤ教があったと前提すれば、すべてのキリスト教徒も論理的にはユダヤ人であると言いうる。しかも、エチオピア憲法にまで書かれたことのあるメネリク一世の建国神話に基づくのであれば、エチオピア国民はダビデ王、ソロモン王の直系であることになる。それは、ユダヤ人移民を一人でも増やしたいイスラエル政府にとっては一面で好都合な神話でありつつも、シオニズム運動を担いイスラエルの建国を導き、いまなお社会の支配層・上流階級を占めるヨーロッパ出身のユダヤ人（アシュケナジーム）たちと、彼らを頂点とする階層的社会体制にとっては、「アフリカ人」でもあるエチオピア系「ユダヤ人」を無際限に受け入れるには、抵抗感つまり人種主義的な差別感が根強い。一方では、エチオピアから無際限に出てくる自称「ユダヤ人」と、家系が昔はユダヤ人だったとするキリスト教徒（「ファラーシャ」と区別して「ファラーシャムラ」と呼ばれる）[6]が、イスラエルへの帰還権を主張し[7]、もう一方では、イスラエル政府が、イスラエルへの年間移民総数の低下傾向と総人口に占めるユダヤ人口比率の低下傾向のために、どんな形であれ「ユダヤ人」を増やそうと望み[8]、そしてさらに一方で、イスラエルの正統派ユダヤ教徒たちは、ファラーシャであれファラーシャムラであれ「ユダヤ人」と定義することに疑念をもち、かつアフリカ系の人びとを受け入れられない。この三要素が政治的駆け引きを繰り広げるなかで、毎年数千人の移民を受け入れるところで妥協がはかられているのだ。

だが、近年のエチオピア史の研究やアーク（聖櫃）研究では、シェバの女王やアークなどの神話が歴史的に根拠のないものであることはもちろんのこと、古代エチオピアにおいてユダヤ教が信仰されていたということ自体が否定されていることは注目に値する。すなわち、そもそもエチオピアにユダヤ教徒は存在しなかったのだ。スチュアート・ムンロ＝ハイらの研究によると、古代エチオピアに実際にユダヤ教文化があったという文献的証拠はなく、アーク伝説をはじめとするユダヤ人伝説は、事後的に発生した神話にすぎないという。[9] あくまでキリスト教社会における復興運動のなかで、旧約聖書への回帰が生じた。

自分たちはヘブライ人の子孫であるという主張が、キリスト教世界のあちこちでさまざまな形で熱心に叫ばれたことは、エチオピア正教のもつ旧約聖書的性質はエチオピアにユダヤ教徒が存在したからだ、と主張する前に、十分に注意しなければならないことを意味する。[10]

新約聖書を信奉する社会で旧約聖書に強い関心が向けられるのは、極端な危機に直面したときである。[11]

古代イスラエルとその遺産についての強い関心は、ユダヤ人である人びとの活動に基づいたものではなく、キリスト教徒が旧約聖書を熱心に読んだ結果生まれたものであった。[12]

こうしてムンロ＝ハイらは、エチオピアで語られているアーク伝説が、旧約聖書よりも後世の新約聖書の、つまりキリスト教の言葉や象徴で表現されていることなどを、文献考証的に綿密に示しつつ主張する。およそ一四世紀から一六世紀にかけて執筆・編纂された文献などにおいて、あるいはそれ以降の記録において、アーク伝説のさまざまな変奏が読まれるが、古代王朝においてユダヤ教文化があったことを示すものは存在しておらず、建国神話の根幹をなす叙事詩『ケブラ・ナガスト（王たちの栄光）』も、一四世紀に編纂されたものである。すなわち、中世から近世にかけて、社会変動期などに、原点に立ち返ろうとする復興運動があり、旧約聖書が熱心に読み込まれるなかで、古代イスラエルに自らを直結させるような自己投影が行なわれ、「紀元前から古代ユダヤ文化があった」という認識が、遡及的な効果によって創造された、というわけだ。そしてこの効果によって、新しくも古い「ユダヤ人」（ファラーシャ）が誕生し、また、祖父母や祖先にユダヤ人をもつ「改宗」キリスト教徒（ファラーシャムラ）がつくり出された。

ムンロ＝ハイが、「アークは神秘的な願望だけでなく、政治的な願望が具現化されたもの」[13]と言うように、「エチオピアのユダヤ人」は、シオニズム以降の移民政策に強く動機づけられた神話の政治的利用である、というのが実状であろう。ちなみに、一九九一年の「ソロモン作戦」を指揮した人物が、「ファラーシャの話は、シオニズムを人種差別と同等に扱う、ひどい国連決議を失くそうとする私たちのキャンペーンで、よい証になるでしょう」と発言をしている。[14]実際、「シオニズムは人種主義の一形態であり人種差別である」とした七五年の国連決議三三七九号は、ソロモン作戦の直後、国連決議四六八六号によって覆された。アラブ人との人口競争やこうした国際政治のために、新しい「ユダヤ人」が創出されたと言っても過言ではない。

イスラエルの宗教者と政治家が公的に「帰還権が認められるユダヤ人である」と認定した以上、ファラーシャであろうと、ファラーシャムラであろうと、「本物のユダヤ人」であるとも同時に言いうるのだ。すなわち、「偽物のユダヤ人」と「本物のユダヤ人」を峻別することは、不可能と言っていい。

2. 日本の「帰還法」と日本人

2-1 改訂入管法と天皇制

次に日本国家と日本人について考えよう。日本にも「帰還法」がある。日本も同じく、四祖父母のうちの一人でも「日本人」である海外在住者については、血統主義的に「日系人」とみなし、日本に「帰還する」権利を有する、という法律があるのだ。一九九〇年の「改訂入管法」がそれだ。八〇年代に労働力不足が深刻化し、海外からの出稼ぎ労働者が非正規の形で増加していたが、そうした事態に対応して加えられた法改訂である。

出入国管理及び難民認定法第七条第一項第二号の規定に基づき、同法別表第二の定住者の項の下欄に掲げる地位であらかじめ定めるものは、次のとおりとする。[15]

一、二、（略）

三、日本人の子として出生した者の実子に係るもの

四、日本人の子として出生した者でかつて日本国民として本邦に本籍を有したことがあるものの実子の実子に係るもの

五、以下、（略）

すなわち、「日本人」の子か孫であれば日本に入国し、「定住者」という就労活動に制約のない在留資格を有する、と定めたのだ。もちろんここで言う「定住者」は即「国民」ではない。だが、「日本人の子か孫」つまり「日系人」であれば「定住者」になれるということは、それ以外の外国籍者が日本に入国・在留するのとは決定的に一線を画する。日系人「定住者」は入管法規定により簡易的な手続きで「永住者」となることができ、日系人であればそこから国籍取得、いわゆる「帰化」へも道が開けている。

しかし「日本人の子か孫」と言った場合、そもそもその「日本人」とは誰のことなのか。改訂入管法には「本邦に本籍を有したことがあるもの」とあり、結局のところそれを証明するものは「戸籍」になる。だが、戸籍制度は、世界に類例がないきわめて独特なものだ。[16]「国籍」を意味するものでな

ければ「住民登録」でもない。本籍は現住所とも出生地とも無関係な場所にもありうるし、また戸籍謄本は国籍証明書ではない。戸籍研究者の佐藤文明によれば、それは端的に「天皇教徒名簿」あるいは「皇民簿」だ。[17]なぜならば、天皇および皇族は、「皇民」たちが帰属する対象であるため、戸籍には入らないからだ。したがって、戸籍は、厳密には国家への帰属ではない。

天皇制社会を支配する者は除外され、天皇制の支配に服さない者（まつろわぬ者）も除かれる。そして、天皇制の支配に服すもの（まつろう者）だけの登録簿、それが皇民簿なのである。皇民簿は皇民としての所属組織登録を最優先にするので、居住関係登録の原則や身分関係登録の原則をあっさりと突き破ってしまうのだ。[18]

こうして日本における皇民簿たる戸籍は、エチオピア版皇国神話がメネリク一世を経てソロモン王まで三千年を遡るのと同様に、神武天皇に始まる万世一系の天皇制の神話のもとに縛られているのである（三千年には及ばないが皇紀は二七〇〇年近い）。とはいえ、「日本人の子として出生した者の実子に係るもの」という形で「日本人」を遡ると、その親、その親というように無限に遡り、理屈のうえでは、それこそすべての日本人が神話界の神武天皇の直系の子孫だということになりかねない。

2-2　戸籍と「日本人」

だが同時に、国家、国籍、国民といった概念と同様に、天皇制や戸籍といったものも近代以降の制度であることに注意を向けなければならない。近代国家が明治に発足するのに合わせ、近代的戸籍は明治五年、一八七二年の壬申戸籍によって始められた。その後何度かの改訂を経ているが、全土的に戸籍登録を始めたのはこの壬申戸籍によってだ。

ここで注目すべきことが二点ある。一つは、戸籍登録を促すために、布告の前文において、「戸籍に入らなければ国民とはみなさない」と宣言されたことだ。

人民ノ安康ヲ得テ其生ヲ遂ル所以ノモノハ政府保護ノ庇蔭ニヨラサルハナシ去レハ其籍ヲ逃レ其数ニ漏ルルモノハ其保護ヲ受ケサル理ニテ自ラ国民ノ外タルニ近シ此レ人民戸籍ヲ納メサルヲ得サルノ儀ナリ

（明治四年四月四日太政官布告第一七〇号前文）

これは、戸籍に入らなければ「国民ノ外」つまりは「外国人」とみなされて「保護を受けられなくなる」という「脅迫」であり、また、こうした強制は、外国人を差別するというよりも、戸籍をもたない者（登録を拒む者）、戸籍をもてない者（北方諸先住民など戸籍から排除された者）を「非国民」として蔑む風潮をつくりだした、と佐藤は指摘している。[19] これが強力に戸籍登録を押し進めたと同時に、「日本人」／「外国人」の区分を絶対的に設けたうえに、「外国人」は「保護しない」という差別を生み出した。テッサ・モーリス゠スズキは、国籍法が成立した年号から「一八九九年体制」と名指し、その排他的血統主義に批判を加えている。[20]たしかにそれも重要な指標ではあるが、国民／非国民、あるいは、日本人／外国人に確たる差別を設けた体制としては、それを四半世紀ほど遡る壬申戸籍のほうが重大な画期をなしている。

注目すべきもう一点は、ここに初めての「日本人」、いわば「原日本人」が誕生したことである。これは「真なる日本民族」的実体を意味するのではない。むしろ正反対に、民族的実体とはまったく無関係に、壬申戸籍発足時において「日本」に「居住」していた人間がすべからく登録対象となったのだ。つまり、多くの「海外出身者」（つまりは朝鮮半島や中国大陸やその他の東南アジアや南アジアなどから渡来し居住していた人びと）とその子孫も無差別に登録を迫られたのであった。[21]除外されたのは、アイヌ民族をはじめとする北方諸先住民や出島など特定の居留地在住の「外国人」である（なお琉球処分は壬申戸籍の七年後の一八七九年であり、戸籍編制はさらにその後）。すなわち、壬申戸籍以前には、あるいは明治以前には「日本人」は存在せず（そうした概念がなかった）、壬申戸籍によって誕生した「日本人（原日本人）」の規定は民族的実体や出自・出身とは無関係に「居住者原則」であった。その後の戸籍の継続は血統主義ではあるのだが、その起源においては血統を裏切っていたのだ。

2-3　「偽日本人」

日本版「帰還法」の話に戻る。「本邦に本籍を有したことがあるものの実子の実子に係るもの」は、

「日系人」として日本に「帰還」し、「定住者」となり、制約なしに就業活動ができる。四祖父母のうちの一人でも「戸籍」をもっていたことが証明できるということが、いわゆる「日糸人証明」となるのだ[22]。あからさまに血統主義が貫かれているが、しかし事はそう単純ではない。というのも、これは形式的にとれば、戸籍謄本の写しさえ入手できれば誰であれ「日系人」として認められ、日本に定住する権利が得られるということを意味するからだ。戸籍の写しなど紙切れにすぎないのだから、いくらでも売買は可能である。そして提出された戸籍が直接の親族から送ってもらったものなのか、買い取ったものなのかを判別することは、事実上不可能である。こうして買い取った戸籍によって日本に定住する資格を得て就労している「偽日系人」は、入管法改訂からわずか二年後、一九九二年の段階で、ペルー出身者だけで三万人とも言われていた[23]。それから一五年後の現在、そして中南米全体の出身者で、あるいはその他地域の出身者も加えて、こうした「偽日系人」として日本に定住している人数、そして国籍取得をして「(偽)日本人」になった人数は、何万人あるいは何十万人に達するのかは、推計すら不可能だろう。その「三万人」ですら大雑把な推測にすぎなかったのだから。

しかし問題は、その数を突き止めることではない。繰り返すが、それは絶対に不可能だ。日本政府の側が「日系人証明」を戸籍に求めた以上、なんであれ戸籍を提出した者は「日系人」として定住が認められるし、帰化申請が認められれば「日本人」になるのだ。政府は人種差別的に血統主義を振りかざすが、皮肉なことに、血統主義を守るために政府が固執した戸籍至上主義は、結果的に事実としての血統主義を裏切っていく。それは、直接的には一九九〇年の入管法改訂によってもたらされたものかもしれないが、しかし改めて現時点から戸籍制度の歴史を振り返ったとき、戸籍に基づく血統主義は、起源たる壬申戸籍において一三〇年以上も前にあらかじめ裏切られていたのだ。いまさら「本物の日本人」と「偽物の日本人」を「血」によって峻別することなど不可能である。その不可能なことに醜くもしがみついているのが、「皇民簿」としての、つまりは人種主義としての戸籍制度と言える。

高橋秀実の『にせニッポン人探訪記』は、こうした矛盾を抉りだした貴重なルポルタージュである。高橋は、入管法改訂以降、売買された戸籍によって入国している出稼ぎ労働者が数多くいるという「噂」を確かめるために、日系人労働者を雇用している工場で自ら労働者として働きながら取材をした。あらたまったインタヴュー調査によってではなく（そんなことで「私は偽です」などとは誰も言わない）、会社の寮に住み工場で働きながら、「誰々は日系度〇〇％」といった噂が飛び交うなかで、労働者たちに聞いて回った。このルポが優れているのは、綿密な調査で「にせニッポン人」の真相を突き止められたことではない。それが不可能だったというところで行き詰まってしまったことを、自分自身の動揺とともに赤裸々に描いていることが、このルポを際立たせている。探訪記の最後の部分で、「日系人」労働者の一人（＝ドクトルとあだ名されている）から逆に著者が追及されている場面を長めに引用する。

「ニセ者をさがしているのか？」

（……）


「民族って何だ？　血って何だ？」

　ドクトルがさえぎった。

「教えてやろうか、つまりこういうことだ」

　ドクトルは両手を返した。

「たとえば、お前におじさんがいたとしよう。そんなおじさんがいるなんて知らなかったんだけど、ある日突然現れたんだ。そのおじさんは大金持ちだった。さあ、その人はお前の親戚か？　お前は言うだろう、そうです。この人は私の血のつながった大切なおじさんです、とな。そう言うだろ？　じゃあ、もし、それが借金取りに追われたおじさんだったら、その人はお前の親戚か？」

「……」

「見ず知らずの他人だろ」

「まあ……」

「血や民族なんてのはそんなもんだよ。血なんてのは、都合《コンベニエンテ》ってことなんだよ」

「都合《コンベニエンテ》？」

「そう、ペルー人でいた方が都合がよけりゃペルー人。ニッポン人でいた方がよりりゃニッポン人。それだけのことなんだよ……」

「でも、どこかに共通点のようなものがあるような気がするんですけど……」

　私はかろうじて反論した。

「お前、あいつら〔＝日系人労働者〕が同じニッポン人に見えるのか？」

「まあ、なんと言うか、にじみ出る雰囲気というか存在感というか、ニセ者の話にしたって、瞼の腫れとか、顔のちょっとしたちがいですぐ差別する。なんでも民族の話にすりかえる。ペルー人を卑下することで自分を守る。そうでもしていないと、アイデンティティを維持できない核のなさ、陰湿さはこりゃあ百年前からの伝統的ニッポン人体質そのものだと思う」

　私は力をこめて言った。

「それはお前だよ」

　爪のまわりに垢がたまり、ささくれだった指でドクトルは私を指した。

「えっ」

「みんな、お前に合わせてんだよ」

　私は目が回りそうになった。たまらずドクトルの視線をはずして、手もとのコーラをすすった。コーラはぬるくて気がぬけていた。ドクトルはじっと私を見つめた。長い間で私を追いつめているようだった。

「いいか、ニセ者をつくってるのは、お前なんだよ」

「いや、おれは……」

私は必死に否定しようとしたが、うまく弁解できなかった。

「お前がニッポン文化がどうしただの、ホンモノどこだニセ者どこだって聞いて回ってるから、みんなその期待に応えようとしているんじゃないか」

「いや……おれは別に期待はしてないけど……」

「いいか、百年前を思い出してみろ。百年前、貧しかったニッポン人労働者をペルーが受け入れた時、ペルーの戸籍が必要だったか？　ペルー人のホンモノの血が必要だったか？　ペルーは、血の選別をしたか？」

「……」

「なんで今、日本は血で人を選ぶんだ？　おじいさんの戸籍が必要なんだよ？　えっ」

「やはり、血が大切なんだろう……」

私は他人事のように言った。

「いいか。ペルーから来ている連中はな、必死にその期待に応えようとしているんじゃないか」

「……」

「いいか、あいつらは他に何もないんだよ、ニッポン人ってことしかないんだよ。ニッポン人にしがみついてんだよ。だから一生懸命、お前に合わせようとしているんじゃねえか」

「……」

「お前はね、鏡に映ったお前自身を見てるんだよ」

私は何も言い返せなかった。口ごもるフリもできず、ただ毛細血管が網のように浮き上がったドクトルの目をみて、時の流れるのを待った。そうしていればどうにかなるだろうと考えている自分が情けなかった。[24]

3. 国民とは誰か

3-1 キャッチフレーズとしての「多文化主義」

国民国家は、国民統合を守りつつ政治経済的な要請に沿って差別的な移民政策を行なう。それは、不承不承の多民族化を、いや多「民族」化という言い方が受け入れられないのであれば、多文化化をもたらす。そのことは、政府やマジョリティを自任する人びとにとっては積極的に歓迎されることではないが、否応なしに移民政策が必要であるならば、できるだけ同質性を失わないような、つまり一方的に自分に都合のいいような移民管理を、国家の側は試みるのだ。それが端的に表れていたイスラエルと日本についてこれまで見てきたわけだが（それ以外にも多くの国家について当てはまることではある）、その管理の恣意性と同時に確認できたことは、いずれの場合も、その人種主義的な管理の試み（その言い方が受け入れられないのであれば「国民主義的な」と言ってもいいのだが）が自己破産しているということであり、さらにはそもそもの起源に想定された「ホンモノさ」、「本来性」が最初から擬制であったということであった。

だが、それでもイスラエルは、純粋なユダヤ国家という理念を、つまりシオニズムを放棄しようとはせず、日本は天皇制と戸籍制度を捨てようとはしない。一方で多民族化が進み、文化的多様性の拡大が否応なしに進むなかで、いかにしてシオニズムや天皇制を（レイシストとして非難されないよう注意しつつ）護持するのか。そのとき為政者が語る＝騙るのは、「多文化主義」だ。イスラエルにおいても日本においても、政府・行政やマジョリティが多文化主義を意識しつつある。だが問題は、さまざまな文脈でキャッチフレーズ的に語られている多文化主義の意図と内実を看取することだ。

3-2 在日朝鮮人の法的地位の「日本人」化

在日朝鮮人の法的地位について論じた「坂中論文」（一九七七年）で知られる元・入国管理局長、坂中英徳もまた、行政の立場から多文化主義を唱える一人である。彼こそが、一九九〇年の入管法改訂を具体的に方向づけた人物であり[25]、そしてまた、「坂中論文」においても近著においても変わらず在日朝鮮人が「朝鮮系日本人（日本国民）」になる道筋について論じている人物でもあるのだ[26]。「坂中論文」が引き起こした社会的影響の大きさや、坂中本人のこだわりから言っても、在日朝鮮人の法的地位と「朝鮮系日本人」という国民化に関する議論は避けることのできない重要な問題である。この問題について考察を深めたものとしては、宋安鍾による本質的かつ直接的なイデオロギー批判[27]と、金泰明による多文化主義と在日朝鮮人マイノリティとの関係についての理論的な分析[28]がある。両者の研究がともに指摘するのは、一見在日朝鮮人や韓国文化への寛容さを増したように見える日本社会が、しかし同時に、朝鮮民主主義人民共和国への偏見や、同化主義や血統主義といった自らに内在する差別構造をまったく克服していないし、しようともしていないという現実が並行していることだ。そうしたなかで唱えられる行政主導の多文化主義は、「ネオリベラル多文化主義」や「コスメティック多文化主義」とでも言うべきものであり[29]、多様性や他者性や差異を肯定するという意味での多文化主義にはなりえていないという。

もちろん、坂中が、差別が存在するという現実や移民増加が避けえないという現実を受け止めていることも、善意から発言し行動をしていることも事実だろう。そしてまた、たんに寛容の度合いを多少とも広げるという程度の意味に換骨奪胎されてしまったものであれ、「多文化主義」が社会に受け入れられていくこと自体も、全面的に否定されることではないだろう。この意味でも多文化主義の批判は慎重さを要する。

だが、現実政治から見ても哲学思想から見ても、問題はそこにはない。「善意」や「寛容さ」が問われているのではないからだ。善意や寛容さは、国民／外国人の区分、ないしは本来的国民／非本来的国民の区分を前提としたまま、あくまでその前者による後者の管理（排除か包摂かのさじ加減）という構図を不問に附している。しかしながら、「偽日本人」や「偽ユダヤ人」の問題が突きつけていたのは、「本来性」そのものへの問いではなかったか。

3-3 三人のユダヤ人女性による提起

国民の本来性の問題を、その対極である「無国籍者」の側から考察したのはユダヤ人としてナチスから迫害を受けアメリカに亡命したハンナ・アーレントであった。『全体主義の起源』のなかでアーレントは、第一次世界大戦を契機に大量の「無国籍者」が発生し、その問題は戦争「難民」としての無国籍だけではなく、「国民」からの「国籍=市民権」の剥奪という問題にまで発展していったと論じている[30](本書第五章参照)。

アーレントが提起したこの問題を思想的に引き受けつつ、現実政治への介入を試みたのは、やはりユダヤ人としてのルーツをもつセイラ・ベンハビブの『他者の権利――外国人・居留民・市民』である[31]。ベンハビブは、アーレントによる国民国家の批判と市民的権利の擁護の分析に一章を割き、アーレントの限界を見定めながら、特定の領土国家の主権と普遍的人権とのジレンマの調停可能性を論じている。カント的コスモポリタニズムに依拠しつつも、ベンハビブが主張するのは国家の終焉(開かれた国境)などというお題目ではなく、「入りやすい国境」である[32]。世界人権宣言(一九四八年)で、国境を越えた移動の自由が謳われていても、具体的に無条件に認められているのは出国の権利のみであって、入国の権利は保障されていない。ベンハビブはその壁を打開するために、国家の「成員資格」を、民主主義的実践の反復によって流動的な交渉のもとにおき、「市民」と「外国人」、「われわれ」と「彼ら」といった区分を削り落としていくプロセスに可能性を見いだそうとする[33]。

アーレントの提起を直接受けたものではないが、アーレントの評伝・思想家論[34]を著わすほど強い影響を受けているジュリア・クリステヴァによる『外国人——我らの内なるもの』は、より哲学的なエッセイであり、政治的介入という点においてはアクチュアリティに欠けるものかもしれないが、「われわれ国民」の本来性そのものを問いに附す作業にとって絶えず参照すべき繊細な事柄を示している。「外国人」があらかじめ存在するのではなく、法が「外国人」をつくり出している、にもかかわらず、外国人がいるから法が必要なのだとされる「悪循環」に世界は陥っている。[35] この悪循環から脱するために、クリステヴァは、「外国人《エトランジェ》」の「異邦性《エトランジュテ》」そのものを多面的に凝視することによって、それが「われわれ」の生活空間、政治空間、歴史空間のなかに遍在する様を描き、「われわれ」という観念自体を揺るがそうとする。

政治面でも経済面でも世界規模の統合が進んでいる今日、われわれは改めて問いかけられている、主体性を失わずに心から他人と共存できるだろうか、他者を生きうるだろうか、互いに排斥することもなく、かといって皆が一様に平らにならされることもなく、と。(…)どんな《国籍法》も用をなさないだろう、この問いが考えつくされないかぎりは。ゆっくりと、一人ひとりの内面で、一人ひとりのために。[36]

クリステヴァも、ベンハビブとは異なる次元においてではあるが、ともに「本来的な成員」を揺るがそうとしている。そして、アーレント、ベンハビブ、クリステヴァの三人がともに、マイノリティ性を強く帯びる「ユダヤ人女性」であったことは、（そこにすべてを還元することなどできないのはもちろんだとしても）偶然ではないだろう。ただし問題は、なおも「われわれ」の中心性と確実性を信じて疑わないマジョリティの内部においてこそ、この問いを発することなのだが。

おわりに

ナチズムとハイデガーとの関わりを考察するなかで、『本来性という隠語』を著わしたのはテオドール・アドルノであった。アドルノにとって「本来性」とは、「中産階級の人間からなる統一的な国民」という幻想を「統一的言語によって確信する」ようなイデオロギーである[37]。そして、「本来性」の対極としての「居所喪失」が、「《永遠のユダヤ人》的なもの」として呪詛の対象となってしまったことを指摘している。「《根無し草の知識人》は、哲学では既に一九二七年に、《危険分子》の黄色い布片［＝ユダヤ人の目印］を身につけている[38]」、と。

ちなみに一九二七年とは、日本では戸籍に基づく徴兵法が公布された年である。この徴兵法は前身たる徴兵令を引き継ぐものであったが、徴兵令の詔が出されたのが一八七二年、つまり壬申戸籍開始によってであった。要するに、戸籍制度は最初から徴兵制度とともにあったのだ。一九二三年には、ドイツではナチスが独裁政権を握り、ユダヤ人を「非国民」として兵役から除外すると同時に多くの市民的権利を剥奪したが、同じ年に日本では樺太アイヌに対し兵役を導入するために、彼らを初めて戸籍に編入し「国民化」をはかった。表面的には正反対の動きに見えようと、いずれもが「国民的本来性」を軸に動いているのは同じであった。

三三年以降、ナチスがホロコーストに極まる反ユダヤ主義政策を強化させたことは周知のとおりだ。そして「はじめに」でも触れたように、それと表裏の関係で、ユダヤ人の「国民化」が押し進められ、それは四八年のイスラエル建国に具体化される。他方で日本は、四五年の敗戦によって、一挙に植民地と占領地を失い、そのことで「五族協和」や「内鮮一体」といったスローガンに象徴される拡大主義から、一転して本土主義的でかつ血統主義的な純日本人イデオロギーへと転換していった。本質主義的な国民主義はむしろ強化されたと言っていい。戦中から戦後へという転換のなかで、「本来的国民」という思想はいささかも揺らぎはしなかったのだ。

以下、第一部においては建国期のイスラエルに、第二部においては建国以降のイスラエルに焦点を当てていくことになるが、それが日本における民族問題と決して無関係なものではないということは、繰り返して確認しておきたい。

第Ⅰ部　「イスラエル」の原点

普遍性と特殊性のアポリア

第一章

ユダヤ人国家か国民国家か——二つの独立宣言

われわれイスラエル国民評議会のメンバーは、パレスチナのユダヤ人社会と世界のシオニスト運動を代表し、パレスチナに対するイギリスの委任統治の終了する日に、ここに集い、そしてその自然的、歴史的権利に基づき、また国際連合総会の決議に従い、パレスチナにおけるユダヤ人国家つまりイスラエル国の建設をここに宣言する。

（イスラエル国家独立宣言）[1]

こうしてイスラエル国家は、初代首相となるダヴィッド・ベン＝グリオンによって読み上げられ、ベン＝グリオンをはじめとする三七名の署名を付された文書によって独立を宣言した。

この独立宣言文は、のちに検討するように、イスラエル国家の性格――ユダヤ人国家なのか国民国家なのか――を考えるうえで、ひじょうに重要な素材を提供している。また、憲法をもたない（その理由は本書終章で論ずる）イスラエル国家において、独立宣言は憲法の代わりとなる基本法体系の一部をなしている。その意味でも、独立宣言の分析は重要な意味をもつ。

はじめに

イスラエル建国問題について考察する前に、ここで若干予備的な確認をしておこう[2]。

そもそもユダヤ人の郷土ないしは国家をつくる思想運動としてのシオニズムは、ヨーロッパ世界のなかでも、ユダヤ人の差別や迫害が激しくなった東欧地域から始まった。イギリスやフランスなどで先駆けて形成されていった「国民国家」の影響を受けながら、急速に国民形成を進める過程で強化されたナショナリズムは、排他的な反ユダヤ主義を強めた。すなわち、形式や制度としての国民国家というよりも、具体的な「民族」的同質性が前面に押し出された。ハンナ・アーレントの言葉で言えば、「国民国家が民族に乗っ取られた」のだ。国民国家が、民族的同質性と土地との結びつきによって形成される「血と土の共同体」と化した。

この反ユダヤ主義によって東欧から西欧へと流入したユダヤ人の移民や避難民は、西欧社会とすでに同化傾向にあった西欧に居住するユダヤ人に対しても影響を及ぼし、同化を妨げる要因となった。東欧の反ユダヤ主義とそこからの移民は、ユダヤ人ナショナリズムを生じさせただけでなく、同化しつつあった西欧のユダヤ人にも同化の不可能性を知らしめたのだ。

西欧において先駆的に形成されていた国民国家と国民意識を身につけた西欧ユダヤ人は、東欧ユダヤ人の民族意識に対して強い影響を与え、一方で東欧に及んだ国民国家思想が、反動的に反ユダヤ主義をいっそうかき立てる。このような相互的な影響関係のなかで、反ユダヤ主義が強くなったヨーロッパを脱出して、安住できる郷土を自らの手でつくるという運動は、一九世紀末には「シオニズム運動」として大きな一つの勢力を形成する。その他にもいくつかの要因（ナチスによるホロコーストや欧米各国の政治的駆け引きなど）が重なりつつ、結果的には、このシオニズム運動が、現在のイスラエル国家を建国させるにいたる。

以上の背景から、本書第一部を貫く問題意識を、三点にわたって確認しておく。

第一に、中東地域にあるイスラエルという国家は、ヨーロッパ出自の人びととヨーロッパの思想がつくりだしたものだと言いうること。ここに、イスラエルという国家を考えるときにヨーロッパ思想史から見直す必然性がある。

もちろん現在のイスラエルは、「ユダヤ人国家」であるとはいえ、その出自は建国直後のように、ヨーロッパ出身者（アシュケナジーム）ばかりが中心ではなく（政治・経済上の立場においては支配的な地位を占めるが）、北アフリカをも含めた中東・アラブ地域からの東洋系ユダヤ人（ミズラヒーム）や、ソ連邦崩壊後に大量に流入してきたロシア系ユダヤ人などが人口の多数を占めるようになっている[3]。また、イスラエル国内の人口の約二割はアラブ・パレスチナ人である。このように実態においては、イスラエルが多民族・多文化国家であることは否定しえない。

だが、まさに「建国」という出来事を考えると、そこには圧倒的にヨーロッパの思想運動が働いており、とりわけ国民国家の台頭とその変質が及ぼした影響は決定的である。

第二の問題意識は、そういったシオニズム思想のなかにも、対立・矛盾を引き起こす複数の潮流が存在したことにある。さまざまな思想運動が複雑に絡まりあい、影響しあいながら発展を遂げていったという側面は無視しえない。かならずしも、現在のような形態のイスラエル国家が最初から一丸となって目指されていたわけでもなければ、逆にそれに公然と反対する立場さえもが、シオニズム運動の内部にはあった。

結果としてイスラエルはパレスチナの地に建国され、先住民であるパレスチナ人らは住居や土地を奪われ、また虐殺されさえもしている。追放されたパレスチナ難民は帰還を望みつつも、いまだに彼方の地に残されたままである。シオニズム運動を担い、実際に建国に携わったユダヤ人らは、あからさまにそうしたアラブ人の存在自体を黙殺して入植活動と建国を正当化してきたのだが、しかしそうした姿勢を明確に批判しつつ、アラブ人との共存を目指した人びとが少なくとも存在していた。もちろんこの立場の政治グループあるいは個人も多様であった。

たとえば、一九二〇年代から三〇年代にかけては、アラブとの共存を目指すパレスチナ共産党の活動があった。[4] だが、四八年の建国期までには分裂や挫折を繰り返し、イスラエル単独の建国を容認するにいたる。また、ゲルショム・ショーレムは、ヨーロッパ知識人のなかでは、いち早くパレスチナに移住し、その後ヴァルター・ベンヤミンなどの友人らにパレスチナへの移住を呼びかけていたが、二〇年代においてはやはりアラブ人との共存を目指す運動に参加していた。マルティン・ブーバーらとともにつくった「ブリット・シャローム」(平和同盟)というグループがそれである。だが、三〇年代のナチズムの台頭以降、ユダヤ人の大量移民とそれが引き起こす摩擦のために、この運動はいったん挫折する。ショーレムはその後ユダヤ人のみによる排他的なシオニズムに傾いていく(ベンヤミンは政治運動としてのシオニズムにはつねに距離をおいていた)。

他方でブーバーは、イスラエル建国以前から建国後にいたるまで、終生アラブ人との共存を訴え続けた。本書第二章で検討するが、ブーバーは四〇年代にはユダ・マグネスとともに「イフード」(統一)というグループを結成し、継続して共存国家を目指した。また、同じく四〇年代に突出したシオニズム批判を行ない、やはり共存を訴えた思想家としてハンナ・アーレントがいる。この二人は抜んでてヨーロッパ型国民国家の限界を見つめ、その反復になりかねない「ユダヤ人だけの国家」という発想を徹底して批判し、その上での対案をそれぞれ訴えていた(この対案を「バイナショナリズム(Bi-nationalism)」=二民族共存国家論という)。しかしそれと同時に、まさに自らユダヤ人としてのアイデンティティを保持し、その郷土の必要性については譲れないものとして強く主張していた。つまり、「国民」という概念に対してアンビヴァレントな態度をとりつつ国民国家批判を行ない、他方である形態のユダヤ人の郷土は求めていた。こうした微妙かつ困難な政治バランスを保ちつつ、またいくつかの矛盾・アポリアを抱え込みながら、ブーバーとアーレントの二人は、自らの主張をそれぞれ展開した。

本書第一部でとくに焦点を当てたいのは、思想史的文脈であると同時に、この矛盾・アポリアである。ヨーロッパで破綻した、特定民族のための国家というイデオロギーに基づく民族国家を乗り越えて新たな国家を構築するというユダヤ人たちの試みは、別の民族国家「ユダヤ人国家」をつくるだけなのか。あるいは、多民族をすべて形式的に国民とみなす制度としての国民国家を目指すのか。しかしそれであれば、ヨーロッパ諸国を形式的な国民国家として徹底化し、そこにユダヤ人も国民として共存すればいいということになり、外部に新たな建国をする必然性がなくなってしまう。

このように新国家創設という、それ自体がある種の困難を含み込まざるをえない出来事に対して、この二人の思想家が行なった主張も、またその矛盾を反映せざるをえなかった。また、彼らの時事的な諸発言は、思想家としてのそれぞれの中心的な思想とも無関係ではない。いや、むしろ密接な関係があったのだが、同時に単純に一貫していたわけでもない。のちに、この二人についてそれぞれ主題的に論じる。

第三の問題意識は、思想史的考察を行なう現代的意義である。一九九三年のオスロ和平合意は、イスラエル領外に残されたパレスチナにアラブ・パレスチナ人の独立国家をつくることで問題解決をはかる、という方向を目指すものであった。それ以降、あらゆる国際社会での介入の動きは、パレスチナ独立による二国家解決を前提している。だが、実際にはその後かえって混迷を深め、独立国家の可能性などまったくないに等しい状態になっている。さまざまな問題の発端の大きな部分が一九四八年のイスラエル建国に存するとはいえ、それがもう一つの独立国家をつくることで解決されるなどというのは、まさに空論と化している。

この点についてオスロ合意当時から一貫して異議を唱えていたのが、エドワード・サイードであった[5]（本書第八章参照）。サイードは、オスロ合意批判を繰り返すなかで、ブーバーやアーレントの四〇年代の主張をいま一度想起することを提案していた。彼らの提起はたしかに四八年で敗北したわけだが、問題が何も解決していない以上、そして二つの別々の国民国家によっても解決されないとすれば、イスラエル建国前後に、「二民族共存の一国家」を目指して議論がなされたことを改めて検討することには、現在的な意味があると言える。これが現実的であるか否かの判断は、また別の問題になるが（これについては本書第二章ならびに終章を参照）、サイード、あるいは二民族共存国家論者《バイナショナリスト》の立場からは、オスロ和平合意の方向では何も問題が解決しなかったのであれば、二国家分割案はそれこそ文字どおり非現実的である（実態にそぐわない）ということになろう。二民族を一つの枠組みで共存されることを目指した具体的な思想運動の遺産は、いまこそ参照されるべきである。

なお、「国民国家」と言った場合に、その含意は文脈によって、民族的実体を想定した国家と、いかなる住民をも国民とする国家とを指す場合が、それぞれにある。本書「まえがき」で述べたように、フランス革命を契機に誕生した「ネイション」は、一方で国家の成員をすべて「国民」とみなす形式性をもっていたが、それへの反発として、民族的実体に基づく排他的なナショナリズムも同時に台頭させた。その両者の軋轢は、一八四八年のヨーロッパ各地での革命「諸国民（諸民族）の春」とその後の反動化によって、排他的ナショナリズムへの傾斜にいたるが（反ユダヤ主義はその典型）、「国民国家」は、歴史上も定義上も、両義的なものとなる。本書ではその両義性のはざまで葛藤する思想家らの軌跡をたどる。

第一部では、本章において独立宣言の分析を行ない、第二章においては建国期におけるバイナショナリズム運動を検討し、第三章と第四章ではブーバーとアーレントそれぞれの建国期前後の共同体論を振り返る。

1．二つの「独立宣言」

イスラエル国家には「独立宣言」の文書がある。本章冒頭に引いた一節はその一部だ。一九四八年五月一四日の日付をもつこの文書は、初代首相となるダヴィッド・ベン＝グリオンによって読み上げられ、ベン＝グリオンをはじめ、国民評議会委員三七名の署名がなされた。一つの国家の独立を宣言するという行為は、その国家のまさに「起源」であり、その国家が建国されるにいたった歴史的な経緯や建国の目的、目指すべき国家の理念などが書き込まれる。それは、のちにアメリカの例と比較しつつ詳しく検討するように、新しい国家という存在をつくりだすその行為と、つくりだされたその存在をいかに正統化、あるいは正当化するのかという問題があるからである。だが、この問題を解決することは原理的な困難、あるいは不可能性、アポリアを伴う。繰り返すが、それは原理的にそうなのだ。しかし同時に、その困難あるいはアポリアは、それゆえにかえってその国家の性格をもっともよく表現しもする。

その意味で、こうした「独立宣言」文書は、「国家」について、「建国」について思考するには、きわめて重要な材料であることは間違いない。その検討をとおして、「イスラエル」という国家について考察していくこととする。

すでに述べたとおり、イスラエルという国家は、ヨーロッパの国民国家体制の産物としての反ユダヤ主義に端を発している。その思想的背景も、また建国を実際に担った人びとの出自もともにヨーロッパである。移民運動の組織化としての入植活動がパレスチナの地で行なわれ、既成事実が積み重ねられると同時に、さまざまな思想によって正当化の論理が組み上げられていった。そこには大きく二つの方向性が存在した。ひとつは、ヨーロッパと同様に民族的同質性を（フィクションとしてであれ）前提とする国家を自分たちも手にしようという志向。もうひとつは同時にそうしたヨーロッパの思想が反ユダヤ主義を生みだした以上、それを超える新しい原理あるいは普遍的な原理をつくりだそうという志向である。

また、ヨーロッパ的な国民国家を超克する原理を、国家の「内実」としてもちえたかという問題に関しても、次のことは考慮に入れておくべき背景としてある。まず、ヨーロッパ的な国民国家の限界がユダヤ人への排除と差別という形で露呈したこと、そしてその極限的な経験としてナチスによるホロコーストがあったこと、また、その限界を超える原理の探究として、かつてのアメリカの建国原理が思想史的にしばしば参照されることである。

なぜならば、ヨーロッパの影響を受け、しかしその外に独立国家をつくるという壮大な試みとして、アメリカ合衆国の経験があるからだ。つまり、ヨーロッパ出身の移民たちが自らの意志において「建国」した国家としてのアメリカ合衆国であり、その意志を明確に示し宣言した「独立宣言」である。さらに、アメリカはイギリスの植民地からの「独立」という形をとっているが、イスラエルの場合、独立前は「イギリス委任統治領パレスチナ」の一部であった。こうした概観や形式において、アメリカ建国とイスラエル建国には類似点が指摘できる。

では実際に「独立宣言」という資料はどのような意味をもつのだろうか。すでに述べたように、独立宣言文書はたんなる歴史資料ではない。

第一に、アメリカあるいはイスラエルを思想史的に考察するに際して独立宣言の文書が重要であると思われるのは、「建国」という出来事をめぐるさまざまな問題がそこに反映されているからである。先にも述べたように、建国に至る経緯や建国の目的、理念などが書き込まれている。

第二に、アメリカの独立宣言がある特権的な参照項としての地位を得るのは、一八世紀啓蒙主義の影響を受け、近代世界の幕開けとも言える時期に、ある一定の「普遍性」を主張――実際に「普遍的」かどうかをおいても少なくともそれを自任――しているからである。事実、二〇世紀に独立したいくつかの国で、その独立宣言においてアメリカの独立宣言への言及がなされていると言われており、アメリカ独立宣言は一定の範例性を獲得し、その後の独立宣言に影響を与えていると言える。[6]

第三に、イスラエルについて言えば、結果としては「ユダヤ人国家」としての単独の建国となったわけだが、すでに言及したように、その当時ギリギリまでそれに批判的であった立場の政党や思想家がおり、建国後までその立場を崩さなかった者もいれば、建国という事実の前で妥協した者もいた。そして、敗北あるいは妥協した者たちとのせめぎ合いの痕跡を、独立宣言の文面に読み取ることが可能であると思われるからである。

以下、アメリカとイスラエル二つの「独立宣言」を具体的に分析していくこととする。

2.デリダの「アメリカ合衆国独立宣言」分析

アメリカ合衆国の独立宣言の分析は、ジャック・デリダによってなされたことがある。周知のように、デリダは『法の力』[7]において、国家と法の「創設の起源」についての分析を進めているが、その原型はアメリカ建国二〇〇年の一九七六年にアメリカの大学で発表された独立宣言分析[8]にある。本節においては、デリダの独立宣言分析を検討することで、次節においてイスラエル独立宣言を分析する参照枠を作ることにする。

デリダが、アメリカ合衆国の「独立宣言」と呼びならわされているひとつの文書について問うているのは、まずもって、「ある制度を基礎づける宣言文書に、誰が、しかもいわゆる固有名（propre nom）で署名をするのか」[9]ということである。実際に署名をしているのは、起草者であるトマス・ジェファーソンをはじめとする大陸会議のメンバーら五六人である。この会議は一三のアメリカの植民地が構成したものであり、彼らは「大陸会議に結集したわれわれアメリカ連合諸邦の代表者（representatives）」として署名をした。では、彼らが誰を代表しているのかと言えば、「よき人民の名と権威において」署名を行なったのであり、まさに諸邦の「人民」を代表していることになる。したがって、とりあえずは、この「よき人民」が権利上の最終的な署名者であることになる。デリダは、この署名を根拠づけるものを問い直しているのだ。

「ある制度、組織、国家を基礎づける宣言は、その宣言の署名者がその制度、組織、国家に属していること（s'y soit engagé）を要請する」[10]。ところが、まさにこれから「独立」させてその組織を立ち上げようとしているのであるから、ここには循環構造ができてしまう。つまり、この署名を基礎づける「人民」は、組織（国家）が独立してはじめて、その一員として産みだされるにもかかわらず、この「人民」がこれから組織を独立させようという宣言の最終署名者であることになるのである。これから存在することになるはずの「人民」が、すでにある権威をもって存在しているかのごとく、宣言文に登場しているのだ。これはひとつの矛盾である。

さらに言えば、なにげない主語として随所に登場してくる集合名詞の「われわれ（we）」とは、いったいどのような集合なのかも問われてくる。「われわれ」は、組織（国家）が独立してはじめて「われわれ」としてひとつの集合をなすのであり、それ以前に「われわれ」と言うことはできないはずだ。にもかかわらず、この言葉はきわめて自然な装いで自明な存在として登場する。

> 言うなれば行為遂行《パフォーマティヴ》的な構造と事実確認《コンスタティヴ》的な構造とのあいだのこの両義性・決定不可能性は、求められた効果を生みだすために要請されているのである。この両義性・決定不可能性は、権利をそのようなものとして措定するために不可欠なのだ（…）。あらゆる署名がこうした作用を受けているとさえ言いうる。（…）署名が署名者を創りだすのだ[11]。
> （傍点は原文イタリック）

これをデリダは、「想像上の遡及効果（rétroactivité fabuleuse）」と呼んでいる。すなわち、代表する者も代表される者も、形式上の署名者も権利上の最終的な署名者も、そして「われわれ」という集合も、いずれも事後的な効果としてしか言いえない、つまり行為遂行的であるにもかかわらず、あたかも事実確認的であるかのように振るまうのである。

デリダの分析の要諦はもう一点ある。デリダが長く引用している「独立宣言」の本文は次の二箇所、冒頭と最後の部分である。

冒頭の箇所。

人の世の流れのなかで、ある人民が、それまで政治的に結びついてきた別のある人民との関係を解消し、地上の各国とのあいだに、自然の法則および自然の神の法則（the Laws of Nature and of Nature's God）によって認められている各自の平等な地位を築くことが必要であると考えられるときには、人類の意見に対してしかるべき敬意を払うために、人びとを分離に駆り立てさせた原因を宣言する必要がある。

われわれは、次の真理を自明のものであると考える。すなわち、すべての人間は平等に創造された。人間は創造主によって、譲渡しえない一定の権利を賦与されている。（……）

最後の箇所。

それゆえ、大陸会議に結集したわれわれアメリカ連合諸邦の代表者は、われわれの意図の正しさを世界の最高の審判者に訴え、これら植民地のよき人民の名と権威において、以下のことを厳粛に公表し、宣言する。これら連合植民地は、現に自由で独立した諸邦であり（are）、かつ（and）

当然の権利としてそうあるべきである（ought to be）。（…）

ここでデリダによって指摘されていることは、第一に、署名が「自然」とその創造主である「神」の名のもとでなされているということ、つまり、権利上の署名者である「人民」のその「権利」が究極的には「自然」と「神」という根拠によって保証されているということである。

そして第二に、「である（are）」、つまり事実確認的なものと、「であるべき（ought to be）」、つまり行為遂行的なものとが、「and」で結びつけられているということである。

この二点から、デリダは「この and が神である」[12]と結論する。独立宣言の「トートロジー」構造が、その循環を断ち「意味と効果をもつためには、最終審級（last instance）がなければならない」のだが、「神は、この最終審級と究極の署名のための最良の名なのである」[13]。神の名のもとで、「である」と「であるべき」が結びつけられ、混濁させられる。デリダはこのことを暴露することで、ある意味で国家の正統性の無根拠さを暴いているように思われる。

さらにもう一点、国家の無根拠性の裏にある暴力性についても一言くわえておく。またアメリカ独立宣言から引こう。

彼［＝イギリス国王］は、われわれのあいだに国内的反乱の種をまき、われわれのフロンティアの住民たちに、容赦のない野蛮なインディアンたちをけしかけようとした。

そもそもこれが唯一のアメリカ先住民への言及である。先住民との関係というのは、アメリカ独立の正当化（正統化）に関してもっとも重要な事柄であるにもかかわらず、さまざまなイギリス国王の悪事の列挙の一例として一度言及するにとどめられている。「インディアン」は主体性を与えられず、否定的に触れられるにとどまっている。ここには、端的に問題のすり替えと暴力の隠蔽がある。イスラエルとの比較をする際、先住民の扱いは必然的に論点のひとつになりうるだろう。

3．イスラエルの「国家独立宣言」

イスラエルにも「独立宣言」文書がある。[14] 冒頭にも述べたが、これは、一九四八年にイスラエルが「建国」される際に、アメリカ合衆国の「独立宣言」と同様、読み上げられ署名がなされたものである。初代首相となるダヴィッド・ベン＝グリオンをはじめ、国民評議会委員三七名が署名した。

イスラエル国家の場合、独立宣言の署名は、代表は、その正統性はどうだったのだろうか。

したがって、われわれイスラエル国民評議会のメンバーは、パレスチナのユダヤ人社会と世界のシオニスト運動を代表し、パレスチナに対するイギリスの委任統治の終了する日に、ここに集い、そしてその自然的、歴史的権利に基づき、また国際連合総会の決議に従い、パレスチナにおけるユダヤ人国家つまりイスラエル国の建設をここに宣言する。

ここに端的にこの国家の「特殊性」と「普遍性」とが表れている。まず「特殊性」について。彼らが「代表」しているのは、パレスチナの地の住民のうちのユダヤ人だけであるのだが、実はこれは、アメリカ合衆国の場合にも先住民が含まれていなかったという点で同じである。だが、「世界のシオニスト運動」を代表しているという点、つまりいまだ国家建設に参加せず、将来においてこれから建設されるであろう国家に参加するかもしれない人びとをも「代表」しているのである。しかも、その人びとは特定の民族的属性を有している（つまりユダヤ人である）ことを法によって認定されていなければならないのだ。

宣言のなかではこうも言われる。「エレツ・イスラエルは、ユダヤ民族誕生の地であり、この地において、その精神的、宗教的、民族的アイデンティティが形成された」。「イスラエル国は、ユダヤ人の移民と離散者の集合のために門戸を開放する」。つまり、あるアイデンティティをすでにもっている特定の人間だけが将来的にもこの国家に参加することができるとする。そして国民評議会メンバーはその潜在的な人びとと将来的な人びとをも代表しているのである。とすると、この国家は、その国家の構成員たる国民の国家、つまり「国民国家」ではないことになる。だとすれば世界のユダヤ人のための国家、「ユダヤ人国家」なのであろうか。すなわち形式的な「国民国家」と異なる特殊な事例なのだろうか。この問いには後で立ち戻ろう。

次に、「普遍性」について。宣言のなかではさらにこうも言われる。「主権国家のもとで独立した存在となることは、他のすべての国家と同様に、ユダヤ民族の自然の権利である」。つまり、建国は他のすべての国家と同じ権利であるというのだ。しかもそれは、「自然の権利」であるという。これは、先に見たアメリカ合衆国の独立宣言でも確認されたことである。そこでは「自然」とともに「神」も登場していた。やはり「神」の名における正統化もここで見られるだろう。宣言の最後の文。

われわれは、全能なる神[15]への信仰とともに、安息日の夜、五七〇八年イヤールの月の五日（一九四八年五月一四日）、祖国の地、テルアヴィヴの町において、暫定国家評議会において、以上の宣言に署名するものである。

こうして、「他のすべての国家と同様に」、「自然の権利として」、「神の名において」、イスラエル国家は建設されたというわけだ。

「他のすべての国家と同様に」とは言うが、その性格づけはさまざまになされうる。すでに見たように、国民のなかに民族的アイデンティティを前提とする点では、「血と土の共同体」としての民族国家に近いのか。あるいは、新たな移民の集合が改めて自主的に国家を建設したという点で、アメリカ的であると言えるのか。

民族的実体を想定しているかぎり、アメリカ的ではないとも言いうるであろうが、そもそもアメリカ合衆国自体が現実において非民族国家であったと前提することもできない。先住民と黒人奴隷が完全に排除されていたのはもちろんのこと、移民がもっぱらヨーロッパ出身であり、かつヨーロッパのどの地域出身でどの宗教を信じているかということは、アメリカ社会のなかでひじょうに重要な要素であった。このことを考慮するとき、「アメリカは自由な移民の国家であり、イスラエルはそうではなかった」という断言は不可能であるように思われる。

しかし他方で、フィクションとしてであれ、アメリカには「自由・平等」の理念が共有されていたのではないか、という反論はありうる。現実にはそうではなかったとしても、その理念が共有されているということが大事なのだ、と。たしかにこの点は、アメリカ合衆国という国家の特徴が強調されるときに、しきりに言われることではある。だが、イスラエルに同様の理念がなかったかというと、実はそうではない。さらに独立宣言を見ていこう。

イスラエル国は、全住民の利益のために国土開発に努力する。イスラエルの預言者たちによって語られた自由と正義と平和を基礎におき、宗教、人種、性別にかかわりなくすべての住民に、完全な社会的および政治的な平等を確保する。宗教、良心、言語、教育および文化の自由を保証し、すべての宗教の聖地を保護し、国連憲章の原則を忠実に守る。

われわれは、この数カ月間、われわれに対して繰り広げられる血なまぐさい攻撃のなかにあっても、イスラエル国内のアラブ住民に対して平和を保持し、完全かつ平等な市民権を与え、そして一切の暫定的制度、恒久的制度に適切な代表を送ることで、この国の発展に参加するように要請する。

「宗教、人種、性別にかかわりなくすべての住民に、完全な平等を確保する」ことが謳われており、それは事実上、「イスラエル国内のアラブ住民に対して」ということである。とすれば、先住民を黙殺している合衆国の独立宣言文よりもむしろその「自由と平等」という点において優れていると言えるのだろうか。

ここの部分の文面は、この当時の二民族共存国家論を反映していると推測される。「独立宣言」の三七名の署名者のなかには、ユダヤ人国家の建国に反対しアラブ人との共存を訴えていたパレスチナ共産党のメイル・ウィルナーと、建国直前まで二民族共存国家を訴え続けていた社会主義政党ハショメル・ハツァイールのモルデハイ・ベントフの名前が見られる。ある意味では、これらの政党の主張が部分的にではあれ宣言のなかに取り入れられたとも読める。しかし同時に、二民族共存国家論を唱えていたいくつかの団体が「ユダヤ人国家」の前に屈服したということでもある。

第一に、アラブ人に配慮するいかなる文言を入れようとも、国連の分割決議を契機としたユダヤ人国家であるというのは動かしがたい事実である。第二に、先に見たように、宣言によるとイスラエル国は、「ユダヤ人の移民と離散者の集合のために門戸を開放する」のだ。これはつまり、ユダヤ人のみを移民として受け入れるということ、それ以外には一切移民を受け入れないということを意味する。[16]

ここには明確な矛盾が存在する。文面には二重のことが書き込まれており、一方では、すべての住民が完全に平等であると記しつつ、他方では、「ユダヤ人」のみにしか居住の自由は与えないと明言しているのだ。もちろん現実には、「完全かつ平等な市民権」などイスラエル国籍のパレスチナ人（アラブ系市民）に与えられたためしなどない。この事実については、いくら強調してもしすぎることはないし、できるだけ具体的・詳細に論ずるべきだが、本書での範囲を越えている。ともあれ、この矛盾が意味するのは、イスラエル国内で「非ユダヤ人」であるアラブ・パレスチナ人に認められる権利は、実のところマイノリティとして存在を許されるという権利にすぎない、ということである。

ところで、「ユダヤ人の歴史」が滔々と書かれているこの独立宣言の文章に、先住民である「アラブ人」が登場するのはこのたった一回だけである。アメリカ独立宣言のところでも触れたが、すでにそこにいる住民を参加者として含めて「建国」をするのであるから、独立の正当化（正統化）と先住民との関係は、最重要課題であるはずだ。とすれば、ますますアラブ人との関係をどのように築くのかを積極的に打ち出さなくてはならない。

だが現実には、きわめて消極的な形でたった一度、先住民への言及があるのみだ。この点、アメリカの独立宣言とある意味で共通している面もある。そしてこの先住民問題、つまりイスラエル国籍をもつパレスチナ人の存在は、建国後から現在にいたるまで、つねに国家存在にとっての解きがたい「問題」として残っている。イスラエルが抱える現在の問題については、本書第二部および終章で詳しく論じたい。

おわりに

こうしてイスラエル国家は、「ユダヤ人国家」として創設されてしまった。先住民たるパレスチナ人は、ともに国民的主体として認められるどころではなく、徹底して弾圧・排除され大半が難民化させられたあげく、それでもイスラエル領土内に残ったパレスチナ人についても、「ユダヤ人国家」の本来的な「国民」ではないということで恒常的な差別を受けている。権利の平等は、かろうじて独立宣言の文言のなかにその痕跡が認められるのみだ。

だが、すでに触れたように、ユダヤ人の側からの共存を目指す思想運動が、純粋なユダヤ人国家案を否定する形で、すなわち二民族共存の一国家を目指す形で、一九二〇年代から展開されていた。もちろんそれらは、現実的な政治勢力を獲得することなく敗北したというのが実状であり、また思想的に言っても、移民・入植者の側が自らの居場所を確保するための議論であるという側面は否定できない。単純に共存の理想として取りあげ賞揚できるわけではないだろう。

しかしそれでも、純粋なユダヤ人国家を目指すのか、二民族共存国家を目指すのか、あるいは「市民の国家」（民族的等質性を前提しない形式的「国民」という意味での国民国家）を目指すのか、といった理念のせめぎ合いの核心や展開を確認しておくことは、ヨーロッパの歴史的なユダヤ人問題と現在のイスラエル／パレスチナ問題への洞察を与えるにとどまらず、すべての国家における民族問題、あるいは「国民」の問題を考察するうえで重要な示唆となるのではないだろうか。というのも、独立宣言というある種の範例的な政治文書に、特殊な民族国家と普遍的な国民国家の理念が混在していることに端的に示されているように、このときに賭けられていた争点は、来たるべきイスラエル国家一国にとどめおかれるものではなかったからである。

次章においては、独立宣言の前に敗北した二民族共存の一国家論、いわゆるバイナショナリズム運動を見ることにする。

第二章

ユダヤ人国家か二民族共存か――歴史としてのバイナショナリズムの挑戦

はじめに

前章では、イスラエル国家の独立宣言をとりあげ、その「ユダヤ人国家」としての理念と「国民国家」との理念のあいだの葛藤、そして「われわれ国民」の矛盾を検討した。

本章では、イスラエルを「ユダヤ人国家」としてしまうことに対して、建国以前の時期に一定の批判や留保を示していた二人の哲学者、ハンナ・アーレントとマルティン・ブーバーの二人の「バイナショナリズム（Bi-nationalism）」、つまり二民族共存の一国家論[1]について考察する。

ここでとりあげるアーレントのテクストは、一九四〇年代のいくつかの論考とコラムである。アーレントは、一九三〇年代には文筆活動を活発には行なわず、むしろヨーロッパからパレスチナへのユダヤ人移民の移送という具体的な活動に従事していた。また五〇年代以降は、もっぱらアメリカ合衆国について論じるか、政治・哲学における理論的な検討に重点をおき、イスラエル国家そのものについてはむしろ沈黙していく。ユダヤ人国家が現実味を帯び、そして実際に建国された前後の限られた一時期、つまり四〇年代に集中的に、アーレントは積極的な発言をしている。

その主張を一言で述べれば、「二民族共存国家論」だ。つまりこれは、パレスチナの地において、アラブ人もユダヤ人も対等な立場で一つの国家をつくろうというものであり、ユダヤ人のためだけの国家をつくろうという一般的なシオニズムの立場と、アラブ国家とユダヤ国家の別々の二つの国家に土地を分割して建国しようとする国連の解決策という、ともに民族国家を目指す二つの動きに対する批判であり代替案であった。もちろんこうした思想的立場は、圧倒的少数派であったし、「ユダヤ人国家」イスラエル独立宣言の前に敗北したというのが現実だ。だが、同時代において「二民族共存国家論」を唱えた思想家やグループは他にも存在したし、オスロ合意の破綻が明白になった現在、この当時の思想的遺産を受け継ぐような一国家解決論はむしろ増えつつある（本書終章参照）。

本章においては、アーレントの二民族国家論を検討したのち、その同時代人として、ある部分においては主張を共有する独自の二民族国家論を唱えたマルティン・ブーバーを取り上げ、二人の重なりとズレとを検討する。同じバイナショナリストだとはいえ、その主張の意図や内容においてはさまざまな差異が存在する。二人の理論とその背景とを検討することにより、当時、二民族国家論がどのような意味をもち、アーレントとブーバーはどのような立場にいたのか、また、この二民族国家論が現在どのような観点から再評価されうるのかが明らかになるだろう。

1. アーレントの二民族共存国家論

アーレントが、ユダヤ人移民のパレスチナへの移送の活動をしていたフランスからアメリカ合衆国に移住したのが一九四一年で、この年から『アウフバウ *Aufbau*』というアメリカのドイツ系ユダヤ人移民らによるドイツ語の新聞にコラムをアーレントは書き始めた。このコラムの連載は四五年まで続くが、このなかでアーレントはシオニズムやユダヤ人国家建国問題について集中的に論じている。さらに、他のいくつかの雑誌で、一九五〇年前後まで、つまり一九四七年の国連のパレスチナ分割決議、四八年のイスラエル建国、そして第一次中東戦争の時期の前後まで、シオニズムやユダヤ人国家についての論評、あるいは論争的な記事を発表した。だが、五〇年代以降に次々と刊行される著作においては、シオニズムやイスラエル国家について取り上げることは少なくなっていく（本書第五章参照）。

アーレントの二民族共存国家論は、狭い意味での民族国家への抵抗である。民族的同質性と土地への本質的な結びつきを前提とした一九世紀型の国民国家の限界が二〇世紀に入りナチズムの台頭などの形で露呈したが、シオニズム運動とは、こうした国民国家から差別・排除されたユダヤ人が自らの「郷土」を別の場所に求める運動であった。だがここで確認しておくべきことは、第一にその「郷土」は必ずしも「国家」ではなかったこと、第二にその場所は必ずしもパレスチナではなかったことである。もちろん、運動の初期の段階からパレスチナにユダヤ人国家を建設する主張もあったが、同時につねに、シオニズムが「血と土の共同体」としての国民国家原理からの排除から生まれている以上、その運動は両義的であらざるをえなかった。つまり、一方では、「ユダヤ人もユダヤ人のための国民国家を別につくるべきだ」というヨーロッパ型の国民国家を受け継いだ思想があり、他方では、そうした国民国家原理そのものが反ユダヤ主義を生んでいる以上、別の国民国家をつくることは新たな排除を生むだけであり、国民国家原理そのものを超えなければならないという思想があった。

現実においては、国連の分割決議に沿ったイスラエルという新たな国民国家が生まれ、マジョリティのユダヤ系イスラエル国民が国内のマイノリティであるパレスチナ人（いわゆるアラブ系イスラエル市民）を支配・差別する事態が生じた。さらにイスラエル国家は、戦争によって領土を拡張し、周囲の土地を占領・植民地化するという帝国主義の反復まで行なっている。現実のイスラエルは、近代ヨーロッパ国家の思想を継承している側面がきわめて強い。アーレントの思想は、これを批判する立場、つまり、国民国家原理を超えようとする流れにあった。

アーレントのテクストを見ていこう。

シオニズム批判をした文章として有名なのが、一九四四年に書かれ四五年に公表された「シオニズム再考」である。この論考でまず批判されているのは、シオニズムの右傾化だ。つまり、一九一七年のバルフォア宣言によって、「パレスチナにユダヤ人の民族的郷土（National Home）を建設すること」が記され、一九四二年のビルトモア会議で「自治政体／国家（Commonwealth）建設」の宣言が採択されたが、それらに一貫しているのは、「少数派であるユダヤ人が多数派であるアラブ人に少数民族としての権利を認める」[3]という、倒錯した姿勢である。それが、四四年の世界シオニスト機構年次大会では、いっそう踏み込んで、「左派から右派まで満場一致で「パレスチナ全域を分割も削減もせずに包括する、自由で民主的なユダヤ人国家」創設の要求を採択し」、そこでは「アラブ人のことにはまったく言及されなかった」。つまり、「アラブ人には自発的な移住か、第二級市民としての生存かのどちらかを選ぶ以外に何も残されていない」という事態になったのである。[4]シオニズムのなかでももっとも露骨に全体的な領土占有を主張し、「民族的郷土」ではなくあくまで「ユダヤ人国家」を要求する勢力を、アーレントは「シオニズム右派」・「修正派」・「過激派」と呼び批判してきたのであるが、いまやそれがシオニズム全体の主張として認知、共有されたのだ。

このことの国際的な背景には、複合する要因があった。そもそも国家ではなく「郷土」としていたのはアラブ諸国からの反発を各国が回避するためだったが、建国を目指すシオニスト・ロビーがイギリスに見切りをつけ、アメリカに依存先を代えていったこの時期に、ちょうどアメリカとソ連が互いに牽制しつつ、将来のユダヤ人国家への影響力を確保するために建国支持へと転換した。

アーレントの唱えた二民族共存国家論は、第一にはこうしたアラブ人の無視・排除を前提としたユダヤ人国家の建国への批判であった。アーレントの原則的なところは一貫している。単独でヨーロッパ型の国民国家をつくるということは、新たな排除を必然的に生むからである。

ユダヤ人の自治政体（Commonwealth）とかユダヤ人国家（State）というスローガンは、ユダヤ人が自分たちは国民であるという欺瞞のもとで、はじめから「勢力圏」を確立しようということを意味している。パレスチナの二民族国家でもユダヤ人の自治政体でも、それはおそらくアラブ人およびほかの地中海諸民族との有効な協定の結果できるものだろう。[5]

ここにはさらなる「欺瞞」があった。シオニズム運動は、民族運動であると同時に、キブーツをはじめとするさまざまな形態の自主的な共同体の入植運動であり、ある種の社会主義運動であった（この点の詳しい検討は本章次節と第三章でブーバーの思想を扱うときにあらためて行なう）。アラブ人労働者を雇う資本家を「階級闘争」によって打ち倒し、真に自主的で搾取のない共同体をつくるという理念において、「アラブ人の経済状況が考慮されることはなかった」のだ。「舞台裏」において「もっと現実に即してみれば」、そこには「未組織で後発的なアラブ人労働者に代表されるような「低賃金労働」があるのだが、そうした現実を見ていないという。[6] のちに本書第五章でアーレントの共同体論を検討するなかで見ていくが、アーレントにとっての理念的共同体は、経済的な利害問題を免れた自由な共同体である。それに対してキブーツ共同体は、経済利害を隠蔽しているということになる。

アーレントのシオニズム批判の第二の点は、反ユダヤ主義の容認に対するものだ。国民国家の枠内では、「住民、領土、国家の同一性」によって、強い民族主義が生みだされ、それが反ユダヤ主義を発生させた。シオニズムはそれに対する反動であるのだから、「ある意味で反ユダヤ主義は、同化主義とともにシオニズムを生みだしたと言える」[7]。同化主義とは要するに、ヨーロッパ社会のなかで自らの宗教やアイデンティティを隠し、ヨーロッパのマジョリティに同化しようとすることを指す。シオニズムはそれに対して、自らの出自、アイデンティティを保持し、民族としての自覚を促す運動であるのだから、同化主義とはまったく逆のベクトルをもつと言える。ところが、アーレントによると、同化主義者もシオニストも同様に、「現実の闘争から永遠の反ユダヤ主義の教義に逃れた。（…）両派とも自分の力、すなわち政治的手段を用いて反ユダヤ主義と闘うという骨の折れる仕事をやらずにすませた」[8]という。ここでアーレントの言っていることは、一見同化主義とは逆であると思われるシオニズムも、反ユダヤ主義の存在を容認しているという点においては、まったく同じだということである。つまり、反ユダヤ主義があるから、ヨーロッパを離れてパレスチナに移民をするという論理は、反ユダヤ主義の存在を肯定しているというのだ。

アーレントのシオニズム批判はさらに厳しくなり、消極的容認を超えて、シオニズムは反ユダヤ主義と結託しているとまで言う。「シオニズムの父」と呼ばれるテオドール・ヘルツルによる「民族とは、共通の敵の存在によって結合した人間集団である」という「ばかげた教義」にシオニズムは基づいているとして、次のように指摘する。

シオニストは、反ユダヤ主義が存在しなかったら、ユダヤ民族は自分たちが離散していった国々で生き残らなかっただろう、という結論を下した。それゆえ彼らは、反ユダヤ主義を徹底的に撲滅しようとするいかなる試みにも反対した。それどころか彼らは、われわれの敵である反ユダヤ主義は「われわれの最も信頼のおける友になり、反ユダヤ主義はわれわれの同盟者になる」（ヘルツル）と宣言した。[9]

ところで、このアーレントの立場は、反ユダヤ主義を徹底的に批判することは不可避であるという点できわめて明確なようでありながら、原理的には微妙な問題をはらんでいる。反ユダヤ主義を批判し克服すべきであるというのであれば、それはヨーロッパやロシアなどのまさにその場においてなされるべきことであり、パレスチナへの移民はそもそも論理的には正当化できない。その意味において、移民運動を支持・支援するアーレントは「シオニスト」であると言わざるをえない。

一般に、シオニズムと呼ばれる運動のなかにも多くの異なる思想・立場があり、いくつか類型化が可能である。そこから大きく二つを取りだすと、民族アイデンティティの不可欠な要素としてユダヤ教あるいはその文化・伝統を意識し、宗教的な聖地としてパレスチナとの結びつきを強調する形で、パレスチナにおける宗教的な郷土あるいは国家の建設を目指す運動を「文化シオニズム」と呼ぶ。それに対し、被差別者であるということを起点としつつも、ユダヤ教の教義や文化を拠り所とせずに、国際的な政治交渉（ナチスさえもが交渉相手であった）によってユダヤ人国家の建設を目指す運動でもないのか。

を「政治シオニズム」と呼ぶ[10]。果たしてアーレントの立場は、そのどちらなのか、あるいはどちらでもないのか。

アーレントは敬虔なユダヤ教徒ではなかったが、しかし同化主義には強く反発した。では、政治シオニストかといえば、明らかにそれを批判していた。第一に、反ユダヤ主義を容認している点において、第二に、国民国家の建設を目指している点において。この捉えがたいアーレントの立場を示すのが、『ラーエル・ファルンハーゲン』を通して得られた「意識的パーリア」であると言えるかもしれない。強調すべきは、ラーエル・ファルンハーゲンが、ドイツ内で同化せずにユダヤ人としてのアイデンティティを保って生きていくことを選んだという点だ。ここに自らの姿を重ねているのだとすれば、アーレントは原則的には同化もせず移民もせずドイツにおいて生きていくことを選択するはずである。もう一点留意すべきは、アーレントがパレスチナへの移民運動に携わったのは、三三年のナチスの台頭の後であるという点だ。つまり、アーレントが移民運動という形でシオニズムに具体的に荷担したことには、あくまで緊急避難的にユダヤ人の居場所を確保しようということ以上の意味はなかったのではないかと考えられる。同化主義者でも民族主義者でもないアーレントの思想からは、移民先のパレスチナにおいて、ユダヤ人国家を建国しようという運動に賛成できるはずがなかった。パレスチナの地には必然性はなかったし、ユダヤ人が特権を要求できる場でもありえないからである。

では、アーレントは具体的にどのような国家形態を考えていたのであろうか。一九四三年に『アウフバウ』で発表した「ユダヤ・アラブ問題は解決されうるか」という論文では、アーレントは「多数派／少数派」という概念そのものを批判している。自らを多数派と位置づけるシオニズムを批判しつつも、同時に当時すでに存在していた二民族共存国家論のひとつの型を批判している。

この両者［シオニズムとアラブ連邦］の「計画」が相互に排他的であるということは別としても、そこでは同じ政治的な思考カテゴリーが使われている。両者とも、民族紛争は少数派の権利という基礎の上で解決されうるという、信頼できない観念を堅持している。ユダヤ人の自治体あるいは国家の支持者はユダヤ人が多数派であることを望み、アラブ人には少数派としての権利を認める用意があると言い、それに対して、アラブ連邦における二民族国家という存在は、ユダヤ人に対して少数派の地位を占めると言う。さらに、両者の考えている構想は、多数派と国家とが同一視される主権国家あるいは領域国家に固執しているのである。[11]

このように、アーレントはどちらかが多数派となる発想そのものを批判する。そのような多数派の原理に基づいている以上は、たとえそれが「連邦」や「二民族国家」という名をもっていたとしても、それはアーレントの考える真の「連邦」「二民族国家」ではないという。そうではなく、

真の連邦は、種々の、明らかに異なる民族的その他の政治的諸要素によって構成される。そのよ

うな連邦においては、民族抗争は、解決のつかない多数民族−少数民族問題がまさしく存在しなくなるだろうから、解決されうる。[12]

として、「多数派／少数派」という概念そのものが否定される連邦こそが「真の連邦」であるとする。ここには、のちに『人間の条件』などで明確にされる、「多数性の原理」がある。具体的にイメージされているのは、やはりアメリカ合衆国だが、それ以外にもロシア帝国と区別されるソビエト連邦、大英帝国と区別される英連邦をも連邦制の例として挙げている。

一九四七年の国連によるパレスチナ分割決議、いわゆる「二国家解決案」の後、実際に一九四八年五月にユダヤ人国家としてイスラエルのみが単独で独立宣言を行なうことになるが、その直前にアーレントは、「ユダヤ人の郷土を救うために――まだ時間はある」を発表し、さらに具体的な政策提言を行なっている。

一、パレスチナのユダヤ人の本当の目標は、ユダヤ人の郷土（homeland）を創設することである。この目標は、決してユダヤ人国家の疑似主権のために犠牲になってはならない。

二、パレスチナの独立は、ユダヤ人とアラブ人の協力という強固な基盤の上でのみ実現することができる。（…）

三、略

四、パレスチナへの移民は、人数と時間の上で制約されているが、ユダヤ政治の唯一〈譲ることのできない最低限の保証〉である。

五、地方自治やユダヤ人とアラブ人の混成した都市評議会、農村評議会は、小規模でしかもできるだけ多く設定されれば、パレスチナの政治的解放を導くかもしれない唯一の現実的な政治的施策である。[13]

国連決議を経て、まさにイスラエルが「建国」されようというときに、アーレントは「まだ時間はある」として、なお二民族共存国家を希求している。ここに示されている提言は、もはや解説を要さないほどに明確である。だがこの主張は敗れ去り、アーレントは五〇年代以降はイスラエルに関して沈黙するようになる。この「沈黙」との関連でも、この明確なアーレントの二民族共存国家の提言にも微妙な問題が含まれているのだが、それについては第三節で触れることとする。

2. ブーバーの二民族共存国家論

アーレントと同時代に、「二民族共存国家論」を主張していた論客として、マルティン・ブーバーがいる。ブーバーがパレスチナに移住したのは一九三七年であった。ブーバーは早い時期からシオニズム運動に加わり、政治シオニストであるテオドール・ヘルツルにも接近するが、まもなくアハド・ハアーム[14]などに影響された文化シオニズムの方へ傾いていく。ブーバーの思想全体とパレスチナ・イスラエルとの関連については次章で検討することとし、ここでは「二民族共存国家論」に限定して議論を進める。

ブーバーがパレスチナへの移民・入植を正当化し、二民族共存国家を訴えた文章でよく知られているものとしては、マハトマ・ガーンディーとのあいだの公開往復書簡が挙げられる。一九三八年にガーンディーは、自らが発行する新聞『ハリジャン』の紙面で、ブーバーへの公開書簡を掲載した。内容は、端的なシオニズム批判である。ブーバーはそれに反論する形で、パレスチナにおけるアラブ人との共存を強く訴えた。

ガーンディーの主張は明確だ。彼は、キリスト教徒によるユダヤ人差別をヒンドゥー教徒による「不可触民」差別に重ねて同情を示しつつ、次のように書いた。

しかし、私がユダヤ人に同情しているからといって、私は正義を無視するわけにはいかないのです。ユダヤ人のための民族的郷土建設を要求する呼びかけは、私にはあまり響きません。（…）イギリスがイギリス人に属するように、また、フランスがフランス人に属するように、パレスチナはアラブに属するのです。アラブ人にユダヤ人を押しつけることは不正であり、非人道的行為です。今日パレスチナで起こっていることは、いかなる倫理的法則によっても、正当化されることはありません。(…)誇り高きアラブ人を立ち退かせ、そこにユダヤ人を入植させることにより、パレスチナを部分的にあるいは完全にユダヤの民族的郷土に作り変えるということは、まさに人道上の犯罪でしょう。ユダヤ人は、それぞれ自分が生まれ育った国がどこであろうと、そこで公正な扱いを受けるよう要求するほうが、高潔な行ないであるはずです[15]。

つまり、移民・入植活動そのものの否定であり、ユダヤ人の郷土建設そのものの否定である。先住民であるアラブ人から土地を奪うことは、どのような形態であれ許されないという。ユダヤ教徒にとってのパレスチナの地については、「聖書の概念でのパレスチナは、地理的な領域ではまったくありません。パレスチナはユダヤ人の心の中にあるのです[16]」として、まさに現在生まれ育ったその場所でこそ、権利要求をして闘うべきであると主張した。

さらに注目すべきことは、ガーンディーが三八年の時点ですでに、「民族的郷土を求める掛け声は、ドイツにおけるユダヤ人迫害に対して巧妙に装われた正当化の論理を与えることになります[17]」、と指摘している点である。これは、先のアーレントによるシオニズム批判と重なるが、パレスチナへの入植活動と郷土あるいは国家の建設運動は、反ユダヤ主義、ナチズムと親和的であり、利害が一致するのだ。そして実際に、シオニズム運動はナチス政権と取引をし共謀する行為をしていた。

この点はおくとしても、上記のガーンディーによるシオニズム批判は端的であり、基本的には「土地の所属」の問題と、「信仰と土地」の結びつきの問題の指摘である。

したがって、これに対するブーバーの反論もこの点に向けられる。ブーバーが反論の起点とするのは、「パレスチナはアラブ人に属する」というガーンディーの保持する前提である。

ある土地はある住人に属するというのは、どういう意味なのでしょうか。明らかにあなたは、自分のこの公式によってある事態を描写するだけでなく、ある権利を宣言しておられます。あなたがおっしゃりたいことは、人びとがその地に定住しているので、その地に対する独占的所有権を有しているということです。しかも、独占的であるということは、その人びとの許可なしにその地に居住する者は強盗を働いたことになってしまいます。しかし、アラブ人がパレスチナに所有権を獲得したのはどのような手段によってでしょうか。そうです、征服によってです。それも、入植による征服によってです。(…)ひとたび排除や根絶がなされるなら、すぐにではないにせよ、ある程度の世代を経たのちに、土地は略奪者に属するようになると、あなたは認めざるをえないはめに陥るでしょう。[18]

こうして、論理的にガーンディーの前提を反駁する。いかなる土地も、最終的には誰に属するものではない、神は征服者にすらたんに「貸し与えているにすぎない」として、究極的には誰に対しても等しく居住権があるとする。[19] したがって、「どちらが正しくどちらが不正であるかについて、客観的な結論は下せない」と、双方を論理的に相対化するのだ[20]。ここには巧妙なレトリックがある。
そして他方では、第一に、既成事実においてかつ意志において、自らのパレスチナにおける存在と共存共栄の可能性を主張する。

真の平和ということで、私たちはかつてもいまも、二つの民族が共同で土地を耕しながら、いずれか一方が他方に自分の意志を押しつけたりできないことと解しています[21]。

私たちは彼らを排除しようとしているのではありません。彼らと一緒に生きたいのです。私たちは彼らを支配したいのではなく、彼らと一緒に奉仕したいのです[22]。

第二に、パレスチナの地の必然性を、つまりユダヤ人と土地との結びつきの必然性を訴える。

私たちにとって決定的なのは、土地の約束ではなく、土地と結びついている命令を実行することであり、その土地における自由なユダヤ人共同体の存在と結びついている命令を実行することなのです。聖書が私たちに告げているように、そして私たちの最も奥深い本質が確証しているように、かつて私たちが三千年以上も前にこの土地にやってきたのは、私たちの民族が何世代にもわたって正しい生き方を確立するという、神からの使命を自覚したからです。この正しい生き方とは、個々の私的生存の領域にいる個人によって実現されるのではなく、自分たちの社会を形成した民族によってのみ実現されるのです。[23]

このようにしてブーバーは、聖書中の古代イスラエルを引きつつ、ユダヤ教の信仰においてパレスチナの地がユダヤ人にとって必然性をもつと主張する。ブーバーは、論理的にアラブ人とパレスチナの地との結びつきの必然性を否定しつつ、逆にユダヤ人と土地の結びつきの必然性を訴え、同時に移民・入植活動の既成事実を正当化している。ブーバーにおけるシオニズムと彼の思想全体との関連についての検討は次章で行なうこととしても、ブーバーのシオニズムは典型的な「文化シオニズム」に分類されるが、そこには普遍と特殊のあいだで多くの困難が含まれている。

ブーバーは一九四八年のまさにイスラエル建国直後に「二種類のシオニズム」という論文を書いている。そこでは、まずシオニズムの二種類の流れについて述べられている。シオニズムとは、ユダヤ人の国の「再生」（Wiedergeburt）であるのだが、この「再生」の解釈には、たんにユダヤ人も他の国々と同じように普通の国になること、つまり「正常化」（Normalisierung）であるとするひとつの流れがある。[24]他の国々のように自らの国土や言語を持った独立国、現代において国民国家を建設するというものだ。それに対し、ブーバーは、それこそがシオニズムの危機であると考える。それはたんなる偏狭なナショナリズムでしかなく、そこには、宗教的、精神的、文化的な内実が何もないからだ。そうではなく、真の「再生」であるためには、真理と正義を実現し、世界から尊敬を受ける国家にならなければならないというのである。[25]

これは、前述の区分で言うと、ちょうど政治シオニズムと文化シオニズムに対応するのだが、まさにこの四八年にできたイスラエルは、ブーバーの望む「真の再生」ではなく、政治シオニズムによって「普通の国になること」であったと言える。

シオニズムは民族（国民）全体の同化のひとつの形態であることが判明する。これは、個人の同化よりもはるかに危険なものであった。なぜなら、個人の同化は、同化する個人やその家族しか堕落させないが、民族全体の同化は、イスラエルの本質的な核を破壊するからである。[26]

ブーバーは、この文章の最後で、両義的な態度を隠さず記している。

いま、私の心は引き裂かれている。政治的構造のための戦争は、民族（国民）の生存のための戦争に転じかねない。それゆえ、私はこの戦争に自らの実存をもって参加する以外にできることはなく、すべてのユダヤ人と同様に、私の心はいま締めつけられている。しかし、勝利に接しても私は喜ぶことができない。なぜなら私は、ユダヤ人の勝利がシオニズムの堕落を意味するようになることを危惧しているからだ。[27]

ここで言う「戦争」とは一九四八年にイスラエルが単独で建国されたことによる第一次中東戦争であるが、ブーバーはそこへの参加によって、「普通の国」としてのイスラエルを擁護せざるをえない。しかし、同時にそれが自らの考える「真の再生」である文化シオニズムの堕落であることは、目に見えているのだ。ブーバーは、理想と現実の間で板挟みになっている。

最後に、ブーバーにおける「二民族共存国家」のプログラムを参照しておこう。文化シオニストとして、古代イスラエルからの必然性を説いているとはいえ、現実の政治におけるブーバーの二民族共存国家論も、アーレントのそれと同様に「多数派／少数派」の概念を否定し、平等な市民権を主張するものである[28]。二民族共存国家を目指す「イフード党」の方針として、一九四七年に書かれた、「シオニズムの二民族的見解」において、ブーバーは次のように述べている。

私たち「イフード」は、自分たちのプログラムを「二民族国家」と特徴づけるのを常としている。その意味するところは、二つの民族の共生という現実に基づいてつくられる共同体が目指されるということであり、それゆえこの共同体の土台は、「多数派と少数派」というおなじみの使い古された土台とは異なるものでなければならないのだ。ただし、私たちが考えているのは、恣意的な二民族国家ではない。そうではなく、特殊な二民族国家、特殊な前提で成立する二民族国家である。つまり、マグナ・カルタによる権利としてユダヤ民族を救うという不可欠の公準が土台として組み込まれているような国家だ。私たちの考えでは、こうした国家が必要なのであって、「ユダヤ人国家」を必要としているのではない。なぜなら、敵に囲まれた環境の只中に小さな国民国家を創設したとしても、組織的な民族的自殺を意味するだろうし、不安定な国際的土台が国内的土台の欠損を補うことは決してありえないからだ。[29]

ここでブーバーの示している「多数派／少数派」の概念とは関係のない平等な市民権というプログラムは明確であるが、しかし同時にやはり微妙な問題を含んでいると言わざるをえない。本書第四章で論及する、ジャック・デリダのドイツ・ユダヤ人論に触れつつ鵜飼哲が指摘していることだが、ここに見られるのは普遍と特殊のアポリアである。特定の民族の特権性を否定して平等な権利を認めること、つまり普遍の立場を取りつつ、しかし同時に特定の国境と特定の国民をもつ国家、つまり特殊であらざるをえないというアポリアだ。[30]この点については、次節でアーレントとの比較においてもう一度触れたい。

3. 二民族共存国家論のコンテクスト

アーレントとブーバーそれぞれのバイナショナリズムを検討してきたが、これらを同じ二民族共存国家論として一まとめにすることは可能だし、実際、歴史のなかで敗北した少数派の一つの思想的グループとみなすことは妥当であろう。だが、まったく同じと言うには、多くの微妙な問題も含まれている。

一つの興味深い事実がある。アーレントとブーバーは、同時期に、同じ方向のしかも圧倒的に少数の政治運動に関わる発言を盛んにしながら、この二人が接触した形跡はほとんどない。行動をともにしたということもおよそなければ、また互いの論文において互いに言及するということもほとんどない。また、二人に関しては、それぞれかなり大部の伝記が出版されているが、そのそれぞれにおいても、互いの名前が登場するのは稀である（背景的に一、二度登場するだけである）[31]。ところが、他方で、アーレントとブーバーの双方が、実際の活動をそれぞれともにし、またそれぞれの論文で頻繁に言及される共通の人物が存在する。アラブ・ユダヤの共存できる二民族国家を訴えてきたイフード党の代表であり、初代のヘブライ大学学長でもあるイェフダ（ユダ）・マグネスである。

マグネスは、一九一七年のバルフォア宣言以来、一貫してユダヤ人国家建国に反対し、終生二民族共存国家を主張していた希有な人物であるが、アーレントもブーバーも、ともにマグネスとは親交があった。ここではマグネスやイフード党については詳しく論じることはしないが、マグネスがこの当時果たした役割は極めて重要であった[32]。

しかし、どうして二人は直接交わることがなかったのか。たしかに、ブーバーとマグネスは、一九二七年からマグネスの死去する四八年まで、パレスチナの地において多くの行動をともにしてきたのに対して、アーレントがマグネスと相互に深く理解しあい現実の政治活動をともにしたのは、アーレントが四八年に「ユダヤ人の郷土を救うために――まだ時間はある」を発表してからの最後のわずか半年間だけであったという差はある。だが、四〇年代のはじめからアーレントは、マグネスに一定程度の理解を示しつつも反論をするという形で、論文のなかでそして書簡で論争をしてきたし、そのなかで共存の途をともに模索してきたはずだ。四〇年代を通してアーレントとブーバーが出会うきっかけはあったと思われる。

それにもかかわらず、二人のあいだの相互の言及が意外なほどに存在しないのは、「二民族共存国家論」という見た目の枠組以上に、二人の思想に差異があるためではないだろうか。実のところ、アーレントの原則的な立場は、ブーバーと書簡を交わし論争をしたガーンディーに近いとさえ言える。「民族の郷土を切望することは、ユダヤ人迫害に対して正当化の論理を与えることになる」というブーバーの指摘もアーレントの主張と重なるだろう。アーレントにとってはパレスチナの地はなんら必然ではなかったはずである。アーレントにとっては、移民移送の活動も、ユダヤ人の郷土も、避難地であると同時に自由の共同体を新たにつくりだすこと以上の意味は、原理的には込められてはならなかったはずだ。この点でまず、パレスチナの地を、文化シオニズムの立場から「必然」と考えるブーバーとは決定的に異なると言える。

第二に、このことと関連するが、アーレントにおいては形式的な「多」民族国家の一類型としての二民族国家があるが、ブーバーにおいては内実をともなった特定の「二」民族国家、つまりユダヤ人とアラブ人の「二民族」のための特殊な国家である点である。このほとんど相容れない立場の違いが、二人を遠ざけていた理由のひとつであるように思われる。

だが、アーレントに関しても、ここまで形式化しきれていない問題があるのも確かだ。つまり先の普遍と特殊のアポリアをアーレントが免れていたとは言いきれない。それは、事実問題においてアーレントがイスラエルについて直接論ずることが少なくなっていったこと（対してブーバーはイスラエルに住み、終生まで二民族国家について語り続けた）、そしてまた現実のイスラエル国家を支援していたということも関係はするのだが、先のアポリアは、鵜飼によれば「ブーバーの二民族一国家論を含むあらゆる形のシオニズムが内在的に抱え込まざるをえないアポリア[33]」だからである。ブーバーにおいてはこのアポリアが先鋭的に現われているとはいえ、アーレントも少なくともシオニストであるかぎり、この問題から自由ではありえない。

最後に、この二人の差異についてではなく、現在の文脈において「二民族共存国家論」がどのようなアクチュアリティをもっているのかに若干だけ触れておく（本書第八章および終章を参照）。アーレントとブーバー、そしてマグネスというこの三人の「二民族共存国家論者」に再び脚光をあてたのはエドワード・サイードであった。サイードが一九九九年に発表した論文「一国家解決[34]」は、分割決議に基づく「二国家解決案」に対置して、二民族共存国家論に基づく「一国家解決案」を訴える。サイードが二民族共存国家論をもちだしたのは、サイードにあってはつねにそうなのだが、現在的な文脈と有効性を確信してのことである。サイードは、一九九三年のオスロ合意以降、一貫して合意に批判的な立場をとり続けてきた。合意された「和平プロセス」に反対することは、すぐさま「平和の敵」「過激派」というレッテルを生み、また政治的妥協の産物であるオスロ合意を批判することは「理想主義者」というレッテルを生む。だが、サイードからすれば逆に、このままパレスチナの自治そして国家建設を進めていくことは、パレスチナ難民の問題、自治区内のユダヤ人入植地の問題、イスラエル国内のパレスチナ・アラブ人の差別問題などの大きな諸問題を、何ひとつ解決できないまったく非現実的なものと思われた。

問題なのは、分断国家においてはパレスチナ人の自己決定が不可能であるということであり、同様に、イスラエルでも占領地でも人口分布で混在しており、不可逆的なまでに結合しているアラブ人とユダヤ人を分離するなどという原則が不可能であるということだ。私が思うに、問われているのは、双方の人びとを分離するための手段をいかに工夫するかということではなく、人びとが公正にかつ平和的に共生できるかどうかなのだ[35]。

実体的な二つの民族観に基づいて二つの国民国家、別々の領域国家をつくってみたところで、現実的には人びとは分かち難く混在している。これをきれいに分割できるという仮定で別々の国民国家をつくることの方が、非現実的ではないのか。非現実的なやり方で実態をねじ曲げ、人種や宗教や民族といった観念に従って人口分離が可能であるかのように振る舞う政策を、これまでサイードは「アパルトヘイト」であると端的に繰り返し批判してきた。これに対してサイードが提言したのは、市民権の思想に基づく世俗的な＝非宗教的な（secular）な民主政治であった。このことによって、「一方が他方の犠牲の上で保つ特権的な地位」は解消され、むしろ「ユダヤ人の帰還法」と「パレスチナ難民の帰還権」とがともに認められ、「双方の自己決定」が保持されると言う。[36]

そしてサイードは、このことを具体的に想起させる先行例がパレスチナには二つあることを指摘する。一つは、事実としてパレスチナの歴史は、「多文化・多民族・多宗教」であり続けたということだ。同質性が正当化されたことも、民族的な、宗教的な純粋性といった観念が正当化されたことも歴史的にはほとんどなかったと言う。そして次に二民族共存国家論の伝統が挙げられる。

第二に、戦間期において、小さいながらも重要な意味をもつユダヤ人思想家のグループ（ユダ・マグネス、ブーバー、アーレント、その他）が、二民族共存国家について議論し、そしてその実現のために世論を喚起していた。彼らの努力は、もとよりシオニズムの論理に打ち倒されてしまったが、しかし、この理念は現在でもあちこちでユダヤ人とアラブ人たちのあいだに生きている。彼らは、現在のさまざまな不足・欠落と破壊・略奪によって挫折しているため、新しく再生した二民族共存国家のヴィジョンを求めているのである。[37]

このように、三人のバイナショナリストが並べられ、その思想が想起されている。それは現在でも引き継がれているというのである。この三人について、これ以上の深い言及はなされてはいないが、当時、二民族国家を目指した運動が具体的に展開されていた事実は、サイードの「和平プロセス」批判がたんなる空論ではないことの証左となる。

実は、サイードがこれまでアーレントとブーバーに言及したことは、けっして多くはない。そして数少ない言及は、両者に対してともに否定的な文脈でなされることさえあった。たとえばアーレントについては、メイル・カハネによって設立されたユダヤ防衛連盟という極右シオニスト組織へ長く献金をしていたこと[38]、ブーバーについては、移住してきたブーバーの家族が西エルサレムのまさにサイードの追放された家に住んでいたことが[39]、サイードによって指摘されている。だが、そうした行動の上での矛盾や限界を認めつつも、彼らの遺した思想的価値に焦点を当てているのだ。

サイードにせよ、アーレント、ブーバーにせよ、たんなる理想主義者ではない。的確な現状認識があって、それに対する現実的な案を提起している。サイードは三人の名前を並べてこうも記していた。「マルティン・ブーバーや、ユダ・マグネス、ハンナ・アーレントのような二民族国家論者らは、もし衝突が起これば（そして実際にそうなってしまったのだが）、それがいかなる成果を挙げようとも、どのような帰結をもたらすのかをきっと十分に認識していたはずである」[40]と。

これは、「ユダヤ人の勝利はシオニズムの堕落を意味する」と語ったブーバーを彷彿とさせるが、最後にアーレントの冷徹な眼差しを参照しよう。一九四四年の「シオニズム再考」からである。

もしユダヤ人の自治政体がアラブ人の意志に反し、また地中海諸民族の支持なしに建国を宣言したら、財政援助だけでなく政治的支援も長期間にわたって必要となるだろう。実際これは、近東の政治的運命を最終的に決定することのできないアメリカのユダヤ人にとって、かなり厄介なことになるだろう。[41]

この時点ですでに、将来のイスラエル・アメリカの関係がどのようなものになるかについて見透かされていたのだ。アメリカによるイスラエルへの莫大な「財政的援助と政治的支援」がパレスチナ・イスラエル問題を悪化させ解決そのものを不可能にしているのは明白だ。そしてそれは、強引に「ユダヤ人国家」を創設したことがもたらした帰結である。逆に言えば、この問題に解決の糸口を与えるのが、二民族共存国家であるということになる。サイードは、論考「一国家解決」で次のように述べていた。「真の和平が実現されるのは、ただイスラエル・パレスチナの二民族国家によってのみである」と。[42]

この二民族共存国家という理念も含めた国家理念に関する問題が、今日のイスラエル／パレスチナにおいて、つまり二〇〇〇年の第二次インティファーダ以降の「和平プロセス」の完全な崩壊状況において、どのように論じられており、またどこに争点があるのかについては、本書第二部全体で考察を経たうえ終章で詳しく展開したい。次の第三章および第四章においては、ブーバーとアーレントそれぞれについて一章を当て、二人の国家論や共同体論、そしてユダヤ人国家に対する思想的距離についてさらに考察を深めたい。

第三章

マルティン・ブーバーの共同体論と国家

はじめに

前章で述べたとおり、マルティン・ブーバーは、パレスチナに移民をして以来一貫してアラブ・パレスチナ人との共存を訴え、ユダヤ人でありながらもバイナショナリストとして、分割国家としてのイスラエル建国に反対した。しかも共存を訴える姿勢は終生、建国後のイスラエルにとどまり続けながらも原則的には崩さなかった。本章においては、ブーバーについて、その主張の背景にある、あるいはそれを貫く思想を検討したい。ブーバーの著作のなかから、国家観あるいは共同体観を示していると思われるいくつかの作品を取り上げ、その思想的な特徴を浮き彫りにすることで、問題の本質への接近を試みる。

ブーバーと言えば、『我と汝』が、自己と他者との根源的な関係性を基礎づけた哲学として知られており、エマニュエル・レヴィナスなどの現象学へも大きな影響を与えた。そのブーバーの思想自体がその形成過程で受けた影響は、じつに多岐にわたる。ユダヤ教を見ても、カバラー（ユダヤ教神秘主義のひとつ）やハシディズム（民間信仰から生じた敬虔主義運動）など、正統とされたユダヤ教思想とは異なる異端な流れから大きく影響を受けている。また、新約聖書も含めたキリスト教思想の研究にも力を入れていた。カントやニーチェ、キルケゴールといった哲学者らから得ている部分も大きい。さらに、社会主義の運動や思想からも多くを学んでいる。

他方で、日本では、ブーバー思想全体を見渡す概説書が近年相次いで刊行されるなど、ブーバー再評価の流れも見られる[1]。

さて、本章ではそのなかでも、彼の共同体思想あるいは国家思想に強く影響を与えているハシディズムと社会主義思想に焦点を当てる。ハシディズムについてはいくつかの著作があるが、社会主義についてもっとも率直に考察を加えているものとしては、『ユートピアへの途』が挙げられる。『ユートピアへの途』は、ブーバーのその他の著作と比較して際立って異なっているように見える。プルードンやクロポトキン、あるいはマルクスやレーニンといった共産主義や社会主義、あるいは無政府主義を唱えた思想家らにそれぞれ一章ずつ割いて検討を加え、そしてまた、社会主義的な共同体構想の「実験」を具体的に論じてもいる。さらに興味深いのは、この特異な著作が一九四五年に執筆されたことだ。つまり、イスラエル建国という出来事のわずか三年前であり、ブーバー自身をはじめとする二民族共存国家論者らが積極的に主張を展開していた時期である。このきわめて重大な時期に出されたこの著作は、ブーバーの二民族共存国家論とどこかで共鳴するものであろう。

1. ブーバーの共同体思想

ブーバーの『我と汝』は、哲学分野においてことさらに注目されてきたが、この『ユートピアへの途』はさほど注目されてこなかった。だが、この著作は、ブーバーの社会主義観や共同体論を知るうえでひじょうに示唆的であるだけではなく、『我と汝』やハシディズム研究といったブーバーの中心的な研究と密接な関係がある。まずは、その思想的布置から確認しておこう。

そもそもブーバーのハシディズム研究の特徴は、つまりブーバーが着目したユダヤ教の敬虔主義運動のひとつとしてのハシディズムの特徴は、神秘主義というよりは「現世主義」にある。それを端的に示す言葉が、「いま・ここ (jetzt und hier)」だ。[2]『ハシディズムの使徒』で強調されているのは、未来に対する信仰を現在に対する信仰へと転換する、「救いの日常性」である。「ただ一切の行為の無差別な聖別、ただあるがままの日常生活の神への集中、自然的世界と結合した聖別、これのみが救いの力をもっている。ただ日々の救いからのみ、救いの日々が生ずるのだ。[3]」

これは、独特の神の観念による。

［古代］イスラエルの偉大な功績は、全存在の根源にして目的である唯一の真の神を教えたことではなく、むしろ実際、この神の対話性、すなわちこの神に向かって汝（Du）と呼びうること、この神に・面と・向かって・立ちうること、この神と交わりうることを示したことである。[4]

そして、ハシディズムの使徒が行なうのは、この古代イスラエルの教えの拡大なのだという。[5]ここに『我と汝』の原点が認められる。神を「超越的な絶対神」とするのではなく、「Du」と、すなわち二人称の親称で呼ぶことができる相手であるというのだ。それと同時に、この神との関係は、人間的他者との関係にも投影される。キルケゴールが、人は本質的に神とのみ交わるのだというのに反論して、ブーバーは「ハシディズムは、もし人が本質的に人間と交わらないならば、実際本質的に神と交わりえないのだ[6]」と主張する。ハシディズムの、あるいはブーバーの現世主義においては、神への愛は隣人愛と同列に並び、宗教はすなわち倫理になる。

こうして「いま・ここの生活」は、他者との関係性の構築、つまり共同体を形成する志向をもつことになる。

ハシディズムは、人間の魂が、存在の全体性との交わりにおいて、それ自身統一された全体として、しかもたんに個別的な魂としてのみではなく、むしろ共同体に結ばれた多くの魂として生きることを直接的に示す、偉大な信仰運動のひとつなのである。[7]

こうした神秘主義から現世の共同体主義へという志向は、ブーバーの「対話の思想」に、つまり『我と汝』の思想に結びついている。「汝」との対話的関係が、他者との交わり、共同体の原理になっているからだ。こうした思想が、ハシディズム研究から生じていること、つまり特殊ユダヤ教の研究から普遍的な対話原理、他者の思想が導出されていることには注意を要する。この「普遍と特殊」の問題については、本章の最後で改めて検討することとして、ハシディズム研究と『我と汝』、そして共同体思想との位置関係を確認したところで、次へ進むこととしよう。

本章冒頭で触れたとおり、ブーバーが共同体原理について主題的に展開を見せたのは、『ユートピアへの途』においてであった。この著作の構成は、最初に「ユートピア」概念の整理を行ない、次に「ユートピスト」(無政府主義者であれ社会主義者であれ)の先駆者たち(クロポトキン、プルードン、他)を論じ、中間の「実験」という章で、いくつかの協同組合の実践を見ている。後半で、マルクスとレーニンを論じ、最後に「もう一つの実験」として、パレスチナの地におけるユダヤ人入植村(いわゆるキブーツ)を紹介するという、ひじょうに明確な意図を感じさせる体系性を示している。初期社会主義者あるいは無政府主義者の試みの結実を、最終的にパレスチナにおけるユダヤ人入植村に見定めるという構成である。

このなかから、重要と思われる部分を検討していこう。

まずブーバーは、「ユートピア」という言葉の使い方を反転させる。一般的に初期社会主義者に関する文脈で、ユートピアと言われるのは、彼らの主張を「空想社会主義」と批判する場合である。そこで「ユートピア」は、たんなる空想、夢想として唾棄されるべきものであった。だがブーバーは、独自の現世主義からこの言葉の用法を反転させた。第一に、ユートピアとは、「あるべきもの」についての像であり、ユートピストとは、それがここに存在することを願望する者なのだという。[8] つまり、「いま・ここ」に実現されるべきものと考え、そして具体的にそれを意図、計画するものなのであって、決して空想ではないというのだ。

啓示における正しきものへの想いは、完成した時間の像のうちに、すなわち救世主的終末論として完成する。理念における正しきものへの想いは、完成した空間の像のうちに、すなわちユートピアとして完成する。前者は本質上社会的なものを超えて被造物的な、それこそ宇宙的なものに接近する。後者は、ときとしてその像のうちに人間の内面的変革を含むとしても、本質上社会の範囲にかぎられている。終末論は創造の完成を意味し、ユートピアは、人びとの共同生活のうちに宿る「正しい」秩序の可能性の展開を意味する。もう一つの相違がさらに重要である。終末論にとっては、（…）決定的な働きは天上から生起する。ユートピアにとっては、すべてが自覚する人間意志によって支配される。[9]

ブーバーにとっては、ハシディズムにおける「救いの日常性」とユートピア思想は重なっている。ユートピアはまさに「いま・ここ」、この社会で実現されるのだ。第二に、すでに上の引用のなかに「共同生活」という表現が見られたが、ユートピアとは、「本質上、個々人のうちにではなく、人間的共同体自体のうちにおいてのみ実現されるもの」なのだという。[10] そしてブーバーは、「ユートピア」社会主義こそは、「社会の構造的革新において、その時々に可能な最大限の共同体的社会自治を獲得するために闘うのである」[11] と強く訴えている。

社会主義が非宗教的であるという一般的な見解とは異なり――ユートピア主義はしばしば宗教と結びつくとはいえ、その結びつきは厭世的である――、ブーバーにおいては、見事なまでに彼の宗教観に、つまり現世主義と共同体主義に重なっている。このユートピア主義あるいは社会主義と宗教とを、独特な仕方で結びつけるブーバー思想において、紐帯の役割を果たしたものは何か。それは、グスタフ・ランダウアーとの直接的な交流とランダウアーの思想から受けた影響であったと言えよう。[12] ブーバーは『ユートピアへの途』で、ランダウアーに一章を割き、例外的に大きな賛同の意を表わしている。しかも、クロポトキン、プルードン、そしてマルクス、レーニンという一般にも著名な思想家のあいだに挟まる形で配置されていることからも、ブーバーが重きをおいていることが察せられる。ブーバーによるランダウアー像を見ていこう。

クロポトキンを超えるランダウアーの歩みは、第一に国家の本質に対するその率直な洞察にある。国家は、クロポトキンが考えるように、人が革命によって破壊することのできる制度ではない。「国家は一つの関係、人びとのあいだのある関係、人びとが互いにとる態度のある様式である。人が国家を破壊するには、いまと別の関係に入ることにより、互いにいまと別の態度をとることによってである。」（ランダウアー）（…）この別の関係をランダウアーは「民衆 Volk」と呼んでいる。[13]

まずここでランダウアーを通してブーバーが語っていることとは、第一に、「革命」はまさにいまあるこの社会から、人間の関係を変えることから始まるということである。「国家か非国家か」という抽象的な二者択一は問題ではないのだ。[14] これについてブーバーは次のように言っている。

国家と並んで共同体が、すなわち「孤立した原子的個人の総和ではなく、さまざまな集団から一つのアーチのように自己を拡大しようとしている有機的な共属性」（ランダウアー）が存在している。しかし、この共同体的現実は、眠りから目覚めさせられ、それが国家の殻の下に潜んでいる深みから呼びだされなければならない。[15]

つまり、革命とは、国家を倒して新しい国家をつくることではなく、国家的ではない有機的な人間結合による共同体、自発性と相互性に基づく共同体をつくることが目的なのだが、そうするにしてもそれは国家を打倒しなくとも「いま・ここ」から始められることだというのだ。

第二に、その共同体を形成する「民衆」とは、人と人との結合体、複数の人間の集合体なのだが、この「民衆」に関してさらにブーバーの引用を重ねよう。

この「民衆（Volk）」はまた、民族（Nation）と称せられるものの最も内面的な現実、したがって国家化や政治化が廃止されるときにもなお残るもの、すなわち本質的共同体、多様性のなかでの存在の共同性を含んでいる。（…）ここに民族と社会主義との真の結合が見いだされる。生活様式、言語、伝統、共同運命の記憶における人びとの相互の親近は、共同体的実存への永続的な素地であり、この共同体的実存を建設することによってはじめて民衆は自らを新たに建設することができる。[16]

ブーバーの共同体論にはそもそもからして、ユダヤ教的含意が付随していたのだが、この記述のあたりからそれが具体的な様相を呈してくる。まずはこの箇所に二つの相互に関連する重要な論点が含まれている。第一には「民衆」が「民族」化されていく点、第二に、その民族化のために共同的な「記憶」に訴えている点だ。「共同運命の記憶」は、「共同体単位の深層記憶」[17]とも言われるが、ここには重要な問題が含まれている。一般化して言えば「民族」の語りと「記憶」の問題となるが、それがユダヤ人共同体（あるいは後のイスラエル国家）の文脈にあっては、積極的に移民と入植を正当化するために共同体の正統化が要請されるのだ。つまり、古代イスラエルと現代イスラエルのつながりを想像＝創造するという課題である。究極的にはいかなる「民族」共同体においても抱え込まざるをえない問題ではあるが、各地からの移民の恣意的とも言える集合に必然性を与え意図的に「民族」を創りださなければならないという点で、ユダヤ人共同体（後のイスラエル国家）は、特異な課題を背負っている[18]。

続けて、移民・入植を行なうことで共同体を建設する具体的な人間について見ていく。

共同精神を志向するランダウアーは、共同精神にとってこの大地以外にいかなる場所も存在しないこと、すなわち、土地が再び人びとの共同体的な生活および労働の担い手となる度合いにおいてのみ、共同精神のための場所が存在することを知っている。「社会主義の闘いは土地のための闘いである。」（ランダウアー[19]）

ここにもさらに二つの相互に関連する重要な論点が含まれている。一つは具体的な「土地」の問題が提起されていることであり、二つ目は「精神」が強調されている点である。ブーバーにとって「社会主義的移住地[20]」とも呼ばれるこの「土地」は、一定の広さがある任意のどこかの土地ではない。前章で見たとおり、ユダヤ教と密接な関係のあるパレスチナの地でなくてはならない。そこで必然的に

「精神」が重視されるのは、ブーバーが批判したように、精神を無視した政治的移民は任意の場所にもうひとつの国家をつくるだけになるからだ。ランダウアーの「精神」に関わる側面をブーバーが強調するのはこのためだ。この点についてブーバーは、これまでの社会主義者のなかでランダウアーほど深く、この共同「精神」の意義を認識した者がいなかったとして、ランダウアーの「精神」をきわめて重視している[21]。

だがここには、ブーバーの側の強い読み込みも含まれているように思われる。

社会主義とは、「人びとの共同生活を共同精神にもとづく自由な結合に、すなわち宗教に持っていこうとする企図」であるとランダウアーは言っている。これはおそらく、現代のあらゆる宗教的象徴や宗教的信条をたえず拒否したランダウアーが、「宗教」という言葉を積極的なまたは結合的な意味で語った唯一の箇所であろう[22]。

ブーバーは、このようにランダウアーにおいてはただ一箇所だろうと自ら認める「宗教」への言及を、「共同精神」としてことさらに前面に押しだす。むしろここは、ランダウアーを借りることでブーバー自身が何を重視したのかが露呈しているものと読める。どうしてもブーバーは「宗教」を語りたかったのではないか。それは明らかに、パレスチナの地への入植について語るためである。

ここから、パレスチナにおけるユダヤ人入植村の思想的意義について検討しよう。

2. 経済と血と土地のイデオロギー

『ユートピアへの途』のほとんど最後の部分で、ブーバーは社会主義の「もう一つの実験」として、パレスチナの地におけるユダヤ人入植村について語っている。つまり、ユートピア主義の意味づけから入り、さまざまな社会主義・無政府主義思想の検討の過程でグスタフ・ランダウアーという媒介項を経て、論理必然的な展開においてユダヤ人入植村の協同組合に至り着いているのだ。

私が過去の歴史と現在とを見渡したかぎりでは、完全協同組合を創設しようとしたただ一つの包括的な企てに、社会主義的意味におけるある程度の成功を認めることができるだろう。それはパレスチナにおけるユダヤ人のさまざまな形態の協同組合村である。[23]

この入植村の協同組合は、一般に「キブーツ」として知られている。[24] キブーツが内外からもたれている一般的なイメージは、社会主義的共同体、つまり自給自足、私有財産の否定、雇用関係の否定、自己労働の実現といったものが多く、実際、世界各国の社会主義運動から「理想の社会主義的共同体の実験例」として長く注目を浴びてきた。キブーツの研究書やルポルタージュ、キブーツに言及する思想的なブーバーの研究書などにおいても、上記の定義やイメージを受け入れたうえで記述されているものがほとんどであると言ってよい。

それに対して、実証研究の立場から厳格な批判的考察を加えた稀有な仕事がある。大岩川和正による先駆的な著作である『現代イスラエルの社会経済構造』がそれだ[25]。広範な問題提起を含むこの著作のなかで、本章の課題と直接的に接するのは、いわばイデオロギー批判の部分である。すなわち、経済イデオロギー批判と、「血と土」のイデオロギー批判の二つだ。一般的なブーバー研究は、ほとんどこうした点を見落としているために、キブーツの理想的な共同体イメージを所与の前提としてしまっていると言っていい。

まず、大岩川によると、キブーツの主張やイメージに反して、「キブーツは本来その起源から見ても、決して自己完結的な自給自足経済を営んだことはなく、むしろパレスチナにおける労働市場の需給関係を媒介として、地域経済の外囲の密接な支配の下に生まれ、発展してきたものである」という[26]。そもそも入植に必要な資本と労働力は大部分を海外に依存していたし、また低賃金のアラブ人労働雇用も多く、また階層化されたロシア系移民も低賃金で雇用されていた。「自己労働」の理念、雇用関係一般の否定という理念は、そもそもの起源から裏切られていたのだ。

さらに言えば、キブーツにおける生産は、自給自足ではなく、そもそも外部との取引用の商品生産を行なっていたということも指摘される。私的所有の否定というのも、あくまでひとつのキブーツ内部の立場においてのみ言えることであり、キブーツをひとつの主体として外から見れば、あくまで資本主義的な商品生産によって富を蓄積していたのだ。

キブーツにおける財産の共有は、それ自身、パレスチナ（ないしはイスラエル）経済の中で、私有財産として機能してきたものである。（…）一個のキブーツは外に対しては、一つの私的な共同経営体として機能することになる。[27]

まさに、内部と外部のどちらから見ているかによって、見える風景がまったく異なってしまうという点で、認識論的な意味における「イデオロギー」的な存在であると言える。したがって、「社会主義シオニズムなるものは、きわめて漠然とした形の理想主義にしかすぎなかった[28]」ということになる。ここでブーバーによって一度反転され現実化したはずのユートピアは、もう一度反転させられてしまったとさえ言えるだろう。

では、自給自足でないとすれば、キブーツ入植村はどのような役割を担っていたのか。それは、新しい国民経済の創出である。国民規模の、つまりナショナルな経済の基盤としての土地所有をいかに確立するかを課題としていたのだ。おそらくこの点に関しては、個々少数の文化シオニスト（ブーバーもその一人）の意図と、主導的に政策を推進する政治シオニストの意図のあいだにはギャップがあった。

しかし同時に、そこには相互補完的な依存関係もあったはずである。すなわち、パレスチナという特定の場所に入植活動を行なうことを正当化するために、政治シオニストは文化シオニストを利用し、文化シオニストはたんなる理想上のことだけではなく現実の土地を入手するには、政治シオニストの力を利用せざるをえなかったからである。この相互補完に関しては次節で触れよう。ここで指摘されるべきことは、入植村開拓を担った世界シオニスト機構が、「その結成当初からナショナルな次元においてのユダヤ人のパレスチナ入植を基本政策として定めていた」ことであり、それはつまり「ナショナルな土地所有、ユダヤ人勤労者によるユダヤ国家の建設」を目指していたということだ。[29]

なお、のちにイスラエルの研究者ゲルション・シャフィールによる『一八八二年―一九一四年における土地と労働者、そしてイスラエル・パレスチナ紛争の起源』[30]などによっても、初期のキブーツなどによる入植活動および土地の取得が、アラブ・パレスチナ人土地所有者からのユダヤ人による土地の排他的占有と、アラブ・パレスチナ人低賃金労働者と競合関係のなかでのユダヤ人労働者の地位確立を意図しており、それが最終的には排他的なユダヤ人国家を目指したものであったことが論じられている。

この「ナショナルな土地所有」の問題から、第二のイデオロギー批判である「血と土」のイデオロギー批判に移ろう。一九世紀ヨーロッパに顕著であった「血と土の共同体」としての国民国家思想は、確実に政治シオニストに受け継がれ、移民とともにパレスチナに移出された。大岩川はこう言っている。

入植者たちがキブーツ型入植村の創設以来、一貫して入植村に与えてきた意義は、何よりも村落を一つの家族的な社会単位として形成すること、しかもそれを「より大きな家族」としてのユダヤ「民族」の有機的部分として認識されるような小宇宙に創りあげることに他ならなかった。そこには「血」で結ばれたと意識できるような、集団のなかに安心して自己を埋没することが許される仲間の世界が、実感として存在しなければならなかった[31]。

ここで指摘されているのは、血の思想に基づいた「家族‐キブーツ共同体‐ユダヤ民族」という同心円的な階層構造である。「ナショナルな土地所有」政策の一環としての入植村は、その内部での一体性の象徴として血のフィクションを用いるのだが、それが「ナショナルな土地所有」に結びついているのだとすれば、その血のフィクションは、移民集団のなかに民族的一体性の意識をつくりだす役割を果たす。つまりそこでは、ちょうど入植村のキブーツが、家族と民族の媒介としての役割を担うことになるのだ。

さて、ブーバーは、自ら民族と共同体の結びつきについて語ったときに、はたしてこのことを自覚していたのであろうか。一九一一年の「ユダヤ教についての講演」のなかで、ブーバーは「血の共同体」という表現をしているが、これについてはいくつかの解釈が出されている。典型的に擁護する立場をとるのはブーバーの弟子であるモーリス・フリードマンで、その表現によってブーバーが言おうとしていたのは、「それぞれの民族のかけがえのない独自性」であり、「世代間のつながり以上のことではなかった」とする。[32] これに対して批判的なのは、ナチス期のシオニズム運動について研究するレニ・ブレンナーで、「血」という表現をもってブーバーを「フェルキッシュな（人種主義的な民族至上主義の）シオニスト」であるとしている。[33]

だが重要なのは、ブーバーの意識がどこにあったのかではないだろう。問題なのは、その意図にかかわらず、果たした役割、負わせられた役割であり、その効果だ。とりわけ、ブーバー研究と言えば「純粋な」哲学か宗教の分野に限られてしまっている状況に対しては、思想史的な布置全体のなかで、すなわち歴史と政治と哲学のあいだでブーバーの位置、果たした役割を見ていくことが重要だ。この点についての議論は、しばらく「血」の思想について検討を経たあとに立ち戻ることにする。

続いて、一九四八年イスラエル建国によって、そしてそれ以降にこの思想はどのように使われてきたのかを、再び大岩川に沿って見ていこう。四八年のイスラエル建国によって、具体的な「イスラエル国民」の概念が前面に登場することとなる。

一個の入植村の枠内で統一されている「血」と「土地」は「ユダヤ民族の血と土地」への観念上のアナロジーを延長するための物質的基盤から、「イスラエル国家の血と土地」への物質的基盤に転化することになる。[34]

イスラエル建国によって、必然的に「民族」は「国民」に等しくなり、「血」は国民国家の一体性を保つ紐帯の役割を担うようになる。だが、「民族」が「国民」になったことで、必然的にかつ事実上、実体的な共同体のフィクション性はかえって明らかになってくる。必然的にというのは、「民族」よりも「国民」の方が内実を伴わない形式であるという建前が作用するからであり、事実上というのは、建国後「帰還法」によって世界中からイスラエルに移民してくるユダヤ人は、ますます多様化していったからだ。[35]

しかし、だとすれば、血のイデオロギーも入植村も、その役割を終えたものとして、捨て去ってもかまわないのではないか。実際、キブーツなどの入植村の人口や経済活動がイスラエル国内で占める割合は現在ではきわめて小さくなっている。ところが、イスラエル国内の人口が多様化すればするほど、象徴としての入植村がますます参照されることになる。それは、イスラエルという国家が、一九四八年の時点で、多民族国家あるいは二民族国家ではなく、「ユダヤ人国家」として建国されたためである。こうした矛盾に引き裂かれながらも、国民国家のアイデンティティを保つためには、イスラエルは現在でも入植村の記憶とその象徴性に依存せざるをえないのだ。

今日なおイスラエルでユダヤ人入植村が社会的、政治的に重要な意味をもつのは、たんなる移民の居住地としてではなく自立したナショナルな社会設立を目指した入植社会が村落の形式から始められたからであり、しかもこの村落体制がシオニズムのイデオロギーにおける理想的国家像の回帰点として機能していると考えられるからである[36]。

こうして、「一個の入植村の自己矛盾はまた、イスラエル国家全体の自己矛盾を象徴している[37]」ということになる。

3．普遍性と特殊性

最後にこの「自己矛盾」について考えよう。

これまでも触れてきたように、イスラエルという存在は、普遍性と特殊性を同時に主張せざるをえない。上記の自己矛盾もこのことと無関係ではない。

形式的な国民国家か特定の民族国家か。この類問はこれまで何度かバリエーションを変えて出てきた。前節に続き大岩川の言葉を借りると、

ナショナリズムとしてのシオニズムが、ユダヤ史固有の価値を絶対化するがゆえに現代イスラエルの特殊性、唯一性を強調するのに対し、国際政治運動としてのシオニズムは、それの建国と存

続とに客観的に正当性を与える手段として普遍的な価値観に依拠せざるを得ない[38]。

ということになる。ブーバーの共同体論もまたこのアポリアのなかにあった。むしろブーバーにおいて最も先鋭的な形で現れていたとさえ言える。おそらく、『我と汝』の普遍性とハシディズムという宗教思想の一支流の特殊性、その双方の発展でありかつ双方のあいだの緊張関係にある共同体論は、アポリアそのものである。大岩川によれば、自発的な他者＝「汝」との交わりによる共同体は、普遍的であると同時に特殊ハシディズムからしか生まれなかったという。こうしたアポリアがある以上、先に留保した問い、文化的にブーバーを擁護したフリードマンと政治的にブーバーを批判したブレンナーのどちらが正しいのかという問いに対する回答は、やはり一方が正しいという形では答えられないだろう。政治シオニズムと文化シオニズムの相互補完関係についてもすでに指摘したとおりである。このことについて、まず、文化的擁護の立場をきっぱりと批判した大岩川の整理を見ておこう。

> 現在のイスラエルでなお支配的なイデオロギーの立場からの解釈を、キブーツの客観的な説明とすることは、それ自身すでに一定の政治的な立場からの態度に他ならず、科学的な研究とは言えない。キブーツイズムの根幹をなす肉体労働を通じての人間の疎外という主張についても、これをアハド・ハアームからブーバーに至るいわゆる精神的［文化的］シオニズムの系譜で位置づけようという考え方がある。ブーバーの非政治主義自体がシオニズム運動の中で果たしてきたと思

われる政治的役割を無視して、キブーツイデオロギーの説明にブーバーの諸説を援用するならば、これまたきわめて政治的態度と言えるだろう。[39]

これは、実際にブーバー自身はかならずしも非政治的ではなかったにもかかわらず、ブーバーを受容する側に非政治化したいという欲望があるという指摘だ。先のフリードマンもそうだし、日本の多くのブーバー研究がそうだ。だがそれは、そもそもブーバー理解としても過度な単純化であるし、入植政策や建国運動との文脈を、意識的であろうとなかろうと、無視していると言わざるをえない。だからと言って、ブーバーを政治的に断罪したとすれば、それはまたもう一つの単純化だろうし、二民族共存国家論で果たしたブーバーの役割を黙殺することになるだろう。このように、ブーバー思想に反映されている「普遍」と「特殊」の二重性は、両義的なアポリアとなって再び立ちはだかる。

ブーバーは、『ハシディズムの使徒』で神秘主義から現世共同体への道筋を語ったときに、「ハシディズムにおいて――そして私の見るかぎり、人類の精神史において、ただハシディズムのみ――神秘主義が生活になったのである」[40]とまで言っていた。これはまさに、前章でも引いた鵜飼哲が言うところの、「範例的単独性の逆説」の論理であり、「選民」イデオロギーの異型のひとつだ。[41]ところで、ブーバー本人は、「範例的単独性の逆説」について自覚的であったのではないだろうか。『ユートピアのへ途』の「もう一つの実験」の章なかに、次のような記述がある。

私は、ユダヤ人のこの大胆な企て［パレスチナにおけるユダヤ人入植村］の過程のうちに、模範的な「失敗でないもの」を見ると言った。模範的成功であると言ってはなるまい。（…）それではこの失敗ではないものをもって模範的であると言えるであろうか。だが私自身そこに導いたものがまったく特殊な前提と条件であったことを指摘しなかったろうか！[42]

範例（Exempel）あるいは模範（Vorbild）でありながら特殊であるというこの逆説。ブーバーは、この箇所で自らこの逆説を語っていたのである。

本書第一章で取り上げた、アメリカ合衆国の独立宣言分析を行なったジャック・デリダに、ドイツ・ユダヤ人の民族性にかかわる範例主義について分析したテクストがある。そのなかにブーバーに言及している箇所がある。その部分を引用しよう。デリダは、フランツ・ローゼンツヴァイク（非シオニストのドイツ系ユダヤ人）がブーバーに対して出した手紙を敷延して次のように言う。

［ローゼンツヴァイクの言葉を借りれば］実を言えば、あなた［ブーバー］はわれわれを解放し、そして解放しなかったのだ。というのも、この同じ両義性が、今度はブーバーの教えに対して宣言されるからである。この人［ブーバー］は法への関係を、いまだ教育の空間に、すなわち、とどのつまりは理論的ないし認識論的な空間に、最終的には閉じ込めている。ところが、法というものはたんなる認識の対象ではない。（…）その戒律＝法への関係におけるユダヤ民族の「未聞の」

特異性は、この民族の誕生が自然に属するものではなく、まさしく戒律＝法に属していることである。[43]

おわりに

こうして辿り着いたのは、またしても法をめぐる、境界線をめぐるアポリアであった。ある特定の国境をもつ国家を創設する起源、つまり法を制定する起源については、究極的には無根拠であらざるをえない。このアポリアの探究は、一方では、ベンヤミンからデリダへと引き継がれた法と暴力をめぐる問いを深化させることに向かうことになるだろうし、他方では、序章でも確認したように、具体的な国家、たとえばイスラエルという国家、あるいは日本という国家と国民の〈歴史〉と〈現在〉を根本的に問い直すことに向かうだろう。

イスラエル国家の〈歴史〉については、この第一部を通して見ているとおりだ。そして第二部で、イスラエル国家の〈現在〉を見ていく。第一部を閉じる次章では、ブーバーと同時期に、しかし独自の仕方で二民族共存のバイナショナリズムを唱えたハンナ・アーレントが、キブーツ運動を含めた実際のユダヤ人国家創設をどのように捉え、また国家創設自体にはらまれるこのアポリアをどのように受けとめていたのかを検証したい。

第四章

ハンナ・アーレントと国家創設のプロジェクト

はじめに

本書第二章でも見たとおり、ハンナ・アーレントは、一九四〇年代にユダヤ人のみの国家を建国することに反対しており、その意味では、シオニズムに一定の距離をとっていた。とりわけ、四五年に書かれた「シオニズム再考」[1]において展開されたシオニズム右派・修正主義に対する批判は容赦のないものであり、現在のイスラエルの混乱を的確に見通していた箇所さえある。しかし他方で、アーレントはユダヤ人のパレスチナ／イスラエルへの移住の権利を否定したことはなく、また第三次・第四次中東戦争の際にはイスラエルの勝利を祝っていたと伝えられており、シオニストであることに疑問の余地はない。[2]

シオニストとシオニズム批判者とのあいだでのアーレントの振幅をもっともよく示していると思わ

れるのが、いずれも四八年の建国直前に書かれた「ユダヤ人の故郷を救うために」と建国直後に書かれた「中近東での和平か休戦か」だ。[3] 前者においては、土地を分割したうえでの「ユダヤ人国家」建国に反対し、ユダヤ人とアラブ人がひとつの国家内で対等に共存できる連邦制を、つまりバイナショナリズムを唱えていた。[4] ところが、同じ年のイスラエル建国後、第一次中東戦争の最中に書かれた後者においては、「休戦ではなく真の和平が、イスラエル国家とアラブ民族と西欧世界に必要不可欠だ」というようにイスラエル国家の存在を前提として書き始め、アラブ側とユダヤ・イスラエル側の主張が「完全に両立不可能である」こと、イスラエルのユダヤ人社会が周囲のアラブ社会からすでに独立していることに論及しつつ、ユダヤ人国家としてのイスラエルの普遍性と特殊性について議論を行なうにいたる。[5]

本章では、アーレントが、ユダヤ人国家（特殊）と国民国家（普遍）のあいだで、イスラエル建国という出来事をいかに位置づけていたのかを考察する。

1．ヘブライ大学

1-1　シオニズムの理念を支える二つの制度

アーレントは、論考「和平か休戦か」において、「イスラエル国家（The State of Israel）」という言葉を避けつつ、「ユダヤ人の郷土（Country / National Home）」建設が、一方では排他的で偏狭な愛国主義をもつ他の典型的な国民国家とは異なり、他方ではヨーロッパが富の搾取対象とした植民地とも異なる、特異な＝唯一の（unique）企てであることをことさらに強調する。[6] そのことを証明するのが、キブーツと呼ばれるユダヤ人入植者共同体の設立と、ヘブライ大学の設立であるという。「一方でキブーツと他方でヘブライ大学、この二つの制度が、非ナショナリスティックで反ショーヴィニスティックな思潮と、シオニズムへの反対とを、支援し鼓舞してきたのだ」。[7]

キブーツは、前章でも見たとおり、自給自足的な農村共同組合であることが謳われ、またその内部では資本主義的な私的所有と雇用関係が否定されていたために、社会主義的な理想というイメージを保持していた。さらに、そのある種ユートピア的共同体像は、実際に経済社会のなかで担っていた役割以上に、ユダヤ人の郷土／イスラエル国家全体の特殊な存在様式を象徴するものとして重要なイデオロギー的役割を果たしていた。つまり、自己労働に基づいており、搾取関係がなく、欧米資本の外部注入もない、そうした「自己完結した共同体」キブーツと、そのイメージがそのまま拡大投影された「特殊な国家」イスラエル、という図式的な理解が、内外で広く共有されていたのである。したがって、アーレントがユダヤ人の郷土／国家の特殊性を語るに際して、その根拠としてキブーツの設立を挙げることには一定の理由がある。

だが、このキブーツとそれに基づくユダヤ人共同体が、最初から原理的に「自給自足・自己完結」という理念を裏切っていたことは前章で確認した。資本にせよ労働力にせよ市場にせよ、実は欧米諸国や地元アラブ社会に大きく依存していたにもかかわらず、続々と入植してくるユダヤ人のみが労働を担う「ヘブライ労働」が本来あるべき理想とされた。実際には安価な労働力としてのアラブ人労働者を使用しつつも、その現実を否認し、アラブ人労働者を非本来的なものとみなし、アラブ人労働者の搾取が容認された。したがって、「ヘブライ労働」は、ヨーロッパからのユダヤ人入植者による地元アラブ人の従属支配を内在させており、決してアーレントが否定するように「植民地主義的なものではない」と言えるようなものではなかった。つまり、キブーツが「反シオニズム的である」という規定は、アーレントの主張する二民族共存国家という少数派であった立場を前提してのみなしえたことなのだが、それは、キブーツ建設がユダヤ人国家の土台となる土地占有というシオニズムの実践でもあるという、相矛盾する奇妙な規定であったことになる。

次にアーレントが挙げたもう一つの制度、ユダヤ人の郷土の理念を支える存在たるヘブライ大学についての検討に移る。

アーレントはヘブライ大学についてこのように述べている。「この大学は、特殊なユダヤ人の土地においてユダヤ教の普遍性を代表するものとされていた。たんにパレスチナにある大学としてではなく、ユダヤ民族の大学として考えられてきたのだ[8]」。欧米出自のユダヤ人知識人らがこのヘブライ大学の設立に尽力し、そして多くが自らパレスチナの地に移住しこの大学で教鞭を取るようになったが、アーレントは彼らとは異なり最終的にはアメリカ合衆国移住を選んだ。にもかかわらず、この「和平か休戦か」においては、ユダヤ人の郷土という理念を支えるものとしてヘブライ大学に強いこだわりを示している。

　シオニズム運動には大きく分けて二つの流れがあり、その一方が、アーレントが四五年の論考「シオニズム再考」で厳しく批判を展開した「政治シオニズム」であり、『ユダヤ人国家』を著わしたテオドール・ヘルツルや、初代首相となるダヴィッド・ベン゠グリオンが代表的人物である。政治シオニストらは、ヨーロッパ諸国における「反ユダヤ主義」を永遠不変のものとして捉え、それを梃子としてユダヤ人国家の獲得を目指した。

　それに対するもう一つの潮流が、「文化シオニズム」と呼ばれるもので、アハド・ハアームに端を発するとされる。[9] 彼らの立場は、パレスチナの地はユダヤ文化の中心であり世界のユダヤ人にとっての精神的な支柱ではあっても、その地に単一の民族による国家主権は必要ではないというものであり、むしろ先住のアラブ人との共存を訴えていた。その思想運動は、ゲルショム・ショーレム、マルティン・ブーバーらに引き継がれ、具体的な二民族共存国家を目指す運動へと展開されていく。そうした文化シオニズムの大きな成果こそがヘブライ大学であるとアーレントは主張する。アーレント自身は、ショーレムやブーバーらとは協調しなかったものの、そのヘブライ大学の初代学長であるユダ・マグネスとともに、国連の分割決議に反対する行動をともにしており、マグネスの立場や功績については高い評価を与えている。[10]

1-2　近代国民国家と大学

だが、なぜに大学なのか。ヘブライ大学について論じる前に、大学と近代国家建設の関係について見ておく。この点については、卓抜な大学論であるビル・レディングスの『廃墟のなかの大学』の前半部にある、国民国家・国民文化に対して大学が果たす役割に関する整理が示唆的である。とりわけ、ヨーロッパ出自の文化シオニストらの牙城となったヘブライ大学がイスラエルというユダヤ人国家建国においてもたされた意味は、ヨーロッパ近代において大学と国民国家の盛衰が辿った軌跡の、ある種の縮図的反復であると言えるからだ。

レディングスの整理によれば、国民国家の主体を創出する主要な国家機関であったヨーロッパの大学では、カントの時代にはまずは「理性」がその組織原理であり、大学と国家の発展にしたがって、その理念は「理性」から「文化」へと移行したという。それは大学に求められた課題が、知識と権力の統合、つまり理性と国家の統合から、次に文化理念を通した国民的自己認識の生産となっていったということでもある[11]。

この理性から文化への流れに絞って議論を見ていこう。近代に関わる多くのテーマと同様に、大学の物語もまたカントをもって始まるとされる。ここで重要とされるのは、「カントが理性を基盤として近代の大学を設立したこと」と、「その理性が近代的な意味において、大学に普遍性を与えたこと」である[12]。自由な、つまり自律的な理性の学問は、それ自体は具体的な内容をもたない形式的・普遍的学問分野たる「哲学」として、反対に具体的な研究対象をもつ神学・法学・医学よりも下位に置かれつつも、しかし哲学はこれら上位の学問が自らの基盤を批判的に問い直すためには不可欠のものとなり、それによってこれらの上位学問はたんなる経験科学から理論科学になることができる、という相補的な関係にある。つまり、カント的な「学部の対立」においては、理性それ自体は、哲学部において自己探求されつつも、その批判力によって大学全体に自律性を与えるという、基盤としての役割を与えられている。[13]

だが、理性の自律性を大学という一つの制度において「制度化」するということは、理性を他律的なものとしてしまうというアポリアを最初から抱え込んでいた。そしてそのアポリアゆえに、大学は国家との関係において、新たな概念に出口を求めた。つまり大学は、国家に保護され、また国家に奉仕する以上は、相対的には自律（自立）しつつも、自律（自立）は相対的でしかない。ここに、大学の理念が「理性」から「文化」へと取って代わられる契機が存するのだ。

大学が、これから出現しようとするドイツ国民国家の「接着剤」として機能したドイツにあっては、この理性から文化へというシフトはとりわけはっきりしていた。「民族的統一体としてのドイツ人国家を正当化する」[14]という課題を達成するにあたって、「国民文化」という紐帯でもって民族アイデンティティをまとめあげ国民意識にまで高める必要があったからである。フィヒテ、シラー、シュライエルマッハー、フンボルトら、カント以降のドイツ観念論者らがこの課題に取り組むこととなる。

その課題は、理性による進歩と伝統による回帰とのあいだの調停という、弁証法とも呼ばれるような形で達成される。つまり異なる二つのベクトルの一方のみに突き進むことのできないアポリアのなかで、「伝統の解釈」によって、過去に回帰するのではなく、伝統を合理的な民族的自意識にまで高めるのだ。その伝統の解釈こそが「文化」という名で呼ばれた。「国民に対し、それに従って生きるための国民国家という理念を与え、国民国家に対しその理念に従って生きることのできる国民を供給する」[15]のが「文化の大学」の役割であるということになる。

もちろん、上記のドイツ観念論者らのあいだでの見解の差異はさまざまな点に存在し、とりわけ国家による大学への介入に関しては立場が大きく異なる。よりリベラルな立場を取ったフンボルトらに比べると、フィヒテが最も国家と大学の一体性と民族的統一を強く保持し、かつ現実のドイツの大学の歴史もフィヒテ的な方向に向かっていった。

1-3　哲学部と国語が果たす役割

次に、こうしたヨーロッパ近代における大学の発展に照らしつつ、創立初期のヘブライ大学が、とりわけその「哲学部」がどのような役割をもたせられたのかを見ていく。ネヴェ・ゴルドンとガブリエル・モツキンによる「普遍主義と個別主義のあいだ――ヘブライ大学における哲学部の起源とシオニストの計画」という論考がある。この論考は、アーレントには言及していないものの、ヨーロッパ近代の大学における哲学部の役割に照らして、アーレントにとってヘブライ大学がいかに重要な意味をもったのかを理解する手がかりを与えてくれる。文化シオニストの牙城であり、ユダヤ人の郷土という理念を支え、「特殊なユダヤ人の土地においてユダヤ教の普遍性を代表する」とアーレントの言うへブライ大学と、国家創設の起源との関係の問題について、ゴルドンとモツキンによるこの論考に沿いながら見ていこう。

ヘブライ大学の哲学部は一九二八年に設立されているが、この論考ではおもに、イギリス出身であり、その最初の哲学部長だったレオン・ロスと、チェコスロヴァキア出身で、設立当初からの哲学部教授でもありまた大学図書館の館長であったザムエル・フーゴー・ベルクマンの二人に焦点を当てている。

まず著者らは、哲学部長ロスが学長マグネスに宛てた手紙や、あるいはカリキュラム編成時のやり取りなどを分析し、彼が「ユダヤ哲学」という用語を避けていること（「ユダヤ物理学やユダヤ数学がないように、ユダヤ哲学など存在しない、ただユダヤ教の哲学的解釈があるだけである」とまで言う）、あるいは「ユダヤ学研究所が別にあるのだから、哲学部では古代ギリシャや近代ヨーロッパなど非ユダヤ人の古典的哲学から入るべきだ」としていることなどから、ロスがとりわけその初期において、大学が神学校に変質してしまうことや分離主義的な個別主義に傾くことを懸念していたことを指摘している。[16] だが、ロスはたんに普遍主義としてのヨーロッパ哲学に肩入れをしていたわけではない。彼の関心は、民族《ナショナル》／国立大学の哲学部として、民族《ネイション》／国民形成のプロジェクトをいかに進めるかにあった。そのために大学として必要なことは、学生らにヨーロッパの近代国民国家形成を支えた哲学者らの著作に直接触れさせることであるとロスは判断した。この判断は、レディングスによる国民的自己意識をつくりだす近代大学に関する記述と照らしても、必然的なものと言える。こうしてロスは、ヨーロッパ哲学の古典をヘブライ語に翻訳することこそが哲学部の主要な任務であるとみなしたのである。[17]
だがここで注意を要するのは、当時のヘブライ語の地位だ。現代ヘブライ語はベン＝イェフダーによって発明されたばかりで、言語体系としてはまだ十分に確立されたものではなかった。また決して多くはない移民の絶対数のなかで、新たに発明されたばかりの現代ヘブライ語を習得している者は、圧倒的に少なかった。このことを考慮するとき、ヨーロッパ古典をヘブライ語に翻訳することのもう一つの意図が見えてくる。「聖なる言語」とされる古代の聖書ヘブライ語から、脱宗教化した近代言語を、つまりは「国語」をつくりだすことである。日常用語としては使用されていなかった聖書ヘブライ語は、文法的にも語彙的にも近代言語として通用するものではない。ヨーロッパ哲学の用語についても容易に翻訳されるはずもなかった。こうして試行錯誤を重ねつつ、デカルト、ライプニッツ、ルソー、カント、フィヒテ、ミル、そして、ロック、バークリー、ヒュームなどが次々と翻訳されたという。[18]

このことをもって、ゴルドンとモツキンは、「ヘブライ語の復活は、シオニストの企てにおいて中心的なものと考えられていた。なぜなら、ヘブライ語は移民してきた人びとを統合し活気づけるのに役立つからだ」と指摘する。[19] ロスの回想によれば、「現代ヘブライ語によってイスラエル国家が生み出されたのであって、その逆ではない」。つまり、ユダヤ人国家の建国運動であるシオニズムのなかで、来るべき国家を支える国民を形成するのが国語たる現代ヘブライ語だということだ。ヘブライ語創出そのものがシオニズムの核心をなす。

その点では、カントやフィヒテといった哲学書を現代ヘブライ語に翻訳するという作業は、合理的な民族＝国民意識の形成と国語の形成という二重の意味で国民国家形成の基盤であったと言える。大学がユダヤ教に特化した個別主義に陥ることに警戒していたロスではあったが、他方では不可避的にシオニズムに近接していたということになる。そしてまた、そのことにも自ら意識的であったロスは、イスラエル国家建国の三年後の一九五一年にイスラエルを去りイギリスへと戻ることになる。

他方、図書館長で哲学科教授だったベルクマンは、ロスよりも宗教的に敬虔であり、カント、シェリング、フィヒテといった合理主義や啓蒙主義に対し批判的な立場を取るものの、リベラルな人文主義という意味での普遍主義にも傾倒していた。そのような立場から、ユダヤ教が国家宗教へと転じ個別主義的になっていくことには強く反対し、少なくとも政治制度においては宗教と国家を分離すべきであるという主張をもっていた[20]。ベルクマンが批判するには、ナショナリスト／シオニストがユダヤ教を道具として利用し移民を均質化しようとしているが、それではユダヤ教を堕落させてしまう。だが同時にベルクマンは、ユダヤ教を放棄することについてもまた、精神性を欠くことによってナショナリズムのもたらす政治的な排外主義の危険を招くとして、警鐘を鳴らしていた[21]。

こうして、初期のヘブライ大学哲学部を担った二人は、普遍主義と個別主義のあいだで揺れ動いていた。世界から隔絶した特殊なユダヤ教国家に閉ざすことには反対し、ヨーロッパ近代の国民国家形成に学びつつも、徹底して形式化することで普遍性を追求するということではなく、あくまでユダヤ性との架橋を、あるいは文化的な内実をともなった普遍性を目指していた。もちろんこの立場は、マグネスやブーバーなどの文化シオニズムに共鳴するものであり、政治シオニズムには反対をするものの、シオニズムそのものとは両義的な関係にあったと言える。

だが、両義的なのは彼らの立場それ自体ではなく、そもそも彼らが参照していたドイツ観念論が、形式的理性と実質的民族とのあいだで、つまり普遍と特殊のあいだで両義性を示してはいなかっただろうか。だとすれば、結局のところヘブライ大学における文化シオニストらが、イスラエルというユダヤ民族国家に対して曖昧な距離を保ち続けたことには必然性がある。

そこで、ドイツ観念論そのものの再検証が必要となろう。

2. デリダとハイデガー

2-1　カント哲学とユダヤ教、そしてカントからフィヒテへ

他ならぬこのヘブライ大学で催された講演で、ドイツ・ユダヤ人の抱えていた普遍性と特殊性の問題について論じたのは、フランス・ユダヤ人のジャック・デリダであった。フランツ・ローゼンツヴァイクと、とりわけヘルマン・コーエンの二人に焦点を当てたこの講演の冒頭から、デリダは「エルサレムにある、イスラエルの一制度としての大学」という場においてこのテーマで話をするという選択に、ある必然性があるということを述べている。[22] コーエンとローゼンツヴァイクは、二人ともカン

トから大きな影響を受け、ある意味で新カント派に位置しており、またいわゆるシオニストではなかった。そしてヘブライ大学創設期の哲学部を担ったロスもベルクマンもともに、コーエンとローゼンツヴァイクをよく読んでいた。

デリダは、このコーエンの例を取り上げるにあたって、その「例」が「範例」たりうるのか、ひとつの特殊な民族が「範例」として「普遍的メッセージ」をもちうるのかという問いを立てている[23]。あるいはこの問いは、特殊なユダヤ教思想が、いかにして普遍的とされるカント主義と結びつけられるのか、という問いでもある。

ここでドイツ・ユダヤ人であるコーエンが抱えていた（とフランス・ユダヤ人であるデリダが考える）問題を、本章の課題に即して大きく二つに整理してみる。一つには、カント主義とユダヤ教の接点をどこに見いだすのか。もう一つは、カントからフィヒテへと至る大学論の発展は、ドイツ・ユダヤ人としてのコーエンの側からはどのように評価されうるのか。

特殊としてのユダヤ教と普遍としてのカント主義の接点はどこに見いだされるのか。「ユダヤ教と、ドイツ哲学の本質としての観念論の歴史的頂点との親縁性、すなわちカントという契機との、「普遍的法則の自律性、自由と義務といった」その基本概要を備えた、至聖性（das innerste Heiligtum）としてのカント主義との親縁性[24]」を、歴史的に結びつける第三項的な契機をどこに求めるのか。デリダは、コーエンがギリシャ哲学からキリスト教に通じるとされるロゴスにこの紐帯を求め、そしてコーエン自らがその役割を引き受けようとしていたことを指摘する[25]。

ここでまず一般的な問題として考えられるのが、唯一にして単独な神としての厳格な一神教を唱えるユダヤ教（ユダヤの神が、「私はある。私は、〈私はある〉という者だ」とモーセに答えたという、そこから始まる「存在」の思考）と、無限の事象の背後に単一性や真なる「存在（Sein）」を発見しようとするギリシャ哲学とのあいだの、思考の形式の共通性である。だが、それだけではたんなる類似にとどまるだろう。もちろん、コーエンのユダヤ教解釈の意図はそこにはない。『ユダヤ教の源泉から発する理性の宗教』というコーエンの著書のタイトルが端的に示しているように、「民族宗教」と呼ばれるユダヤ教を原点＝原典としつつも、そこから普遍的理性に到達しようというのが狙いである[26]。

デリダであればそこにロゴス中心主義のひとつの類型を見るのであろうが、カール・レーヴィットはむしろここに、ユダヤ教とカント主義の紐帯として指摘されたギリシャ的なロゴスが、コーエンにおいて自覚的にはむしろキリスト教的な神観念とともに拒絶されていることを見る[27]。一つには、事象の背後の「単一性（Einheit）」と、神の「単独性（Einzigkeit）」の差異が問題となる。汎神論にも転化しかねない抽象的な単一性ではなく、絶対的な超越者としての単独性こそがユダヤ教の特徴をなしているからだ。もう一つ、キリスト教的な受肉や精霊の思想もまた問題となる。ロゴスの場合と同様に、神と人間が思弁的に媒介されることによって、神の単独性が失われるからである。

したがって、コーエンにおいては、「一神教としてのユダヤ教」こそが源泉として決定的に重要であった。逆説的ながら、その「神の単独性」の前で初めて、非ユダヤ人である「よそ者」をこそ隣人としての人間と認めるという思想、つまり人類という普遍的な概念に至りつく人間の概念が発見されるからである。この「人間／人類」の概念は、「ついには自然法と国際法の基本的な概念」へと発展する起点となり、「こうして、コーエンのユダヤ教は、倫理の優位という点では自らがカントと、そしてカントを通じてドイツ古典主義と一致することを知った[28]」のである。つまり、レーヴィットによれば、コーエンはカント的な近代倫理学の前提である人間の自律性へと通じる回路をユダヤ教のなかに見いだしたことになる。

次に、そのカントからフィヒテへと至る展開をコーエンがどのように見ていたのかという、第二の論点を見ていく。再びデリダのエルサレム講演を読もう。ドイツ観念論へと行き着いたコーエンは、やはりフィヒテにひとつの頂点を見いだす。コーエンが強調しているのは次の点であるとデリダは言う。

フィヒテこそは、社会的な〈我〉が民族的な〈我〉であることを発見した。「民族的な我」のうちに「我の超経験的基礎」を探求し発見したことによって、フィヒテは「事実上」、ドイツ哲学の頂点を構成した。（…）まず注意すべきことは、ローゼンツヴァイクにとってと同様、カントという頂点を超出することを可能にするのは、ここでもまた〈民族的なもの〉の思考だということである。しかし、今度は、それが目指す頂上は、〈民族的なもの〉を〈ドイツ的なもの〉の本質と、あるいはユダヤ・ドイツ的な対の本質と同一視する頂点である。その代表的人物はドイツ民族＝国民の思想家であり、ドイツ民族＝国民を選ばれた民とみなし、ある場合には、このドイツ民族＝国民について彼が聞くべく与えられたことを欲したものを、他ならぬドイツ民族＝国民に聞くべく与えるために、ユダヤ教的な預言を参照したまさにその人である。[29]

ここで参照されているフィヒテのテクストは『ドイツ国民に告ぐ』だ。これについてコーエンは、フィヒテが理論的にはカントからの後退であるが、同時にそれがひとつの進歩でもあるとも言う。つまり、カントは純粋に理論的には乗り越え不可能であることを認めつつ、その抽象性・形式性を批判し、ある内実を与えた点において進歩を認めるのだ。

「我思う」の〈我〉は、コギトは、カントの思想に反して形式的ではない。この〈我〉は、他者への関係においてそれ自らに現れるのであり、そしてこのソシウスは、抽象的であるどころか、根源的にその民族的規定性において、ある精神、ある歴史、ある言語へのその帰属においてそれ自身に顕現する。（…）主体は根源的に、すみからすみまで、実体的に、基体的に、民族的である。フィヒテによって発見された〈考える自我〉は民族的である。それは普遍的な形式を持っているが、この普遍性は民族性としてのみその真理へと到来する。[30]

これがコーエンによるカントとフィヒテの評価の核心であるとデリダは言う。たんなる特殊な個々の民族への回帰ではなく、カント的普遍主義を経たうえでの、「普遍性を備えた民族主義」。コーエンは、それをたんなる一例ではなく、「範例」として捉えていることになる。

こうして見ると、ドイツ・ユダヤ人の哲学者であるコーエンを愛読していた人文主義者のユダヤ人らが、ヘブライ大学の哲学部設立にあたって、カントやフィヒテといったドイツ観念論を積極的に導入したということは、「範例的民族の肯定」という点から説明できる反面、それでもなお、ドイツ民族の至上性を訴えたフィヒテと、ドイツをこそ自らの同一化の対象とした「愛国者」コーエンを読み込むに際して、ドイツ民族を「ユダヤ民族」と置き換えることはどのような妥当性をもつのだろうかという疑問は残る。

デリダが強調したコーエンのフィヒテ読解については、そのコーエンの問題となるテクスト『ドイツ性とユダヤ性』が、第一次世界大戦中に発表されたという時代背景に留意する必要がある。一つにはやはり、シオニズム運動との対抗的関係において、パレスチナの地に移民を行なうことを批判し、そうではなく生まれ育ったドイツをこそ「祖国とする」と主張する政治的意図があった。もう一つ、はたしてその二〇年後に同じ主張がドイツ・ユダヤ人としてできたであろうかと考えると、ナチズム台頭の以前であったからこそそれが可能であったという面も否定できない。おそらく、その微妙な時代背景にもまた、文化シオニストらが、カント、フィヒテ、コーエンをヘブライ大学で自らに引きつけて読むことを促す契機が存在する。

2-2　ハイデガーとナチズムの問題

だが、フィヒテから導き出されるハイデガーという名前が登場するに及んで、ドイツ・ユダヤ問題は、ドイツ民族からユダヤ民族へ、ドイツ的大学からヘブライ大学へという読み替えを、困難な事態へと追い込んでしまう。引き続き、『ドイツ性とユダヤ性』を分析するデリダの言葉を借りれば、「ハイデガーまで延命するあるドイツ的伝統」として、「ドイツ人はギリシャ人と、ある絶対的に特権的な関係を、子孫＝下降（descendance）、ミーメーシスおよび競合の関係を、そこから生じるあらゆる逆説とともに有する」のであり、「他のいかなるヨーロッパの民も、ギリシャとのこの競合的な類縁性をもたない[31]」。

カントやフィヒテのテクストがそうであるように、コーエン自身のテクスト『ドイツ性とユダヤ性』もまた、「多くの点で大学制度に関わる」ものであり、そこから自ずとハイデガーの総長講演「ドイツ的大学の自己主張」が想起される。コーエンにおいても、大学はドイツ的精神の自己定立によって、民族的統一を保証するものであるという位置づけがなされているのだ。こうしてデリダは、不用意な類比を戒め、多くの相違に目配りをしつつも、コーエンとハイデガーの大学論に共通する素地を見いだす[32]。

一九三三年に、ドイツ・フライブルク大学の総長に就任したハイデガーが行なった著名な講演「ドイツ的大学の自己主張」では、「ドイツ的大学の本質に向かう意志とは、学問の意志を、自らの国家において自らを知る、このような民族たるドイツ民族に課せられた歴史的精神的負託への意志とすることである」[33]として、大学が民族国家としてのドイツを担う義務について展開される。フィヒテ的な民族国家を担う大学を素朴に追認しているかのように。

あるいはまた、ドイツ性とユダヤ性の、コーエンとハイデガーの屈折した解きがたい関係は、次のような点にも現れている。コーエンの思想を直接的に受け継いでいる弟子とされるのはエルンスト・カッシーラーであるが、カッシーラーとハイデガーは、新カント派コーエンの思想を巡って、一九二九年に直接対決をしている。「ダヴォス討論」[34]として知られるこの論争で、もちろんコーエンの思想を評価しているのはカッシーラーの側であるにもかかわらず、コーエンのもう一人の弟子であるローゼンツヴァイクは、「取り替えられた前線」として、実のところコーエンの思想の画期的な意味を理解し受け継いでいるのはカッシーラーではなくハイデガーの側であると言う。[35]ナチス対ユダヤ人、ハイデガー対コーエンという対立軸がずれてしまっている。カントからドイツ観念論、新カント派、そしてハイデガーあるいは文化シオニストにいたる系譜と、そのなかのドイツ・ユダヤ人哲学者らの思想関係および人間関係は錯綜しており、それらをハイデガーの側とユダヤ人の側などというように腑分けすることはそもそも不可能だ。

こうしてヘブライ大学に至るはずの思想史的検討は、ある一定の必然性をもって、ハイデガーの名前と、ハイデガーによる「ドイツ的大学の自己主張」との接点を見いだした。しかし、必然的であると同時に、これほど皮肉なこともあるまい。ナチズムとの迎合ないし積極的な荷担としてのメルクマールともされる一九三三年のハイデガーによるこのフライブルク大学総長就任演説が、カント‐フィヒテという媒介を通して、ヘブライ大学へと、そしてアーレントの評価したヘブライ大学の「普遍性」へと結びついてしまうというのだから。ナチスから逃れるためにヨーロッパ・ユダヤ人はパレスチナに逃れ、ナチス的排外主義を否定するために文化シオニストらはヘブライ大学を設立し、リベラルな国家を目指したはずだったにもかかわらず。

だがむしろ、この分割不可能性にこそ、ヘブライ大学の両義性がはらまれていたと言えるだろう。フィヒテやコーエンといった人物のなかに、すでに両義的なものがはらまれていたのだから。デリダは、ハイデガーについてはもちろんのこと、フィヒテについても、単純な民族主義者であるとは見なしていない。「ハイデガーの手（ゲシュレヒトⅡ）」で、フィヒテの『ドイツ国民に告ぐ』を引用している箇所にわざわざ次のような註を挿入している。「進歩的形成——仮にフィヒテが、ここで性急に語ることのできないほど謎めいた意味で「ナショナリスト」であるとしても、彼がそうであるのは進歩主義者として、共和主義者として、そして世界主義者《コスモポリタン》としてだ。現在私が取り組んでいるセミネールのテーマの一つは、まさしく、ナショナリズムが有する世界主義《コスモポリタニズム》とヒューマニズムへの、パラドクシカルだが規則的な連携関係に関わっている[36]」と。次に、この「パラドクシカルだが規則的な連携関係」について、もう一度デリダに即して、そして「ヨーロッパ」という形象に関して見ていきたい。

2-3 ヨーロッパの「飛び地」としてのユダヤ人国家

デリダが範例性と普遍性について考察を行なったもう一つのテクストとして、『他の岬』がある。ポール・ヴァレリーの表現を借りると「アジア大陸の小さな岬（キャップ）」でしかない特殊ヨーロッパ地域が、しかし国民国家と民主主義と資本主義を発明し、範例性を獲得してゆき、普遍的なものとされていくという逆説が、そしてそれらが現実に普遍化＝世界化されるとヨーロッパはその範例性を失うという危機をはらんでいるという逆説が、そこでは問われている。ヨーロッパはたんに地理上の先端＝岬であるだけでなく、同時に「無限の、普遍的な企図、課題、理念として、精神的な先端＝指導者の表象ないし形象をつねに自分に与えてきた先端＝岬」[37]として、範例性を保ってきた。だが、この範例性は、ダブルバインドとも言える二重の命令をもつ。「ヨーロッパ的理念を護れ、ヨーロッパ的差異を護れ」という命令と、しかし同時に「ヨーロッパは、自己自身の同一性に自閉するな、他のキャップへ、他者のキャップへ、キャップの他者へ向かって、範例的に突き進め」という命令と。[38]

シオニズムという（文化シオニズムであれ政治シオニズムであれ）、ヨーロッパ啓蒙思想の影響を受けたユダヤ人による、その出自からして本質的にヨーロッパ的な思想運動は、ここで言うデリダの一方の命令、「ヨーロッパは、他者のキャップへ、キャップの他者へ向かって、範例的に突き進め」に従っているようにも見える。もっとも、アラブ世界に囲まれたイスラエルの場合は、「岬」というよりも「飛び地」的な様相を呈してはいるが、さまざまな意味で（思想史的にだけでなく、政治的にも経済的にも）「欧米の飛び地」とされるイスラエルは、イスラエル国内においても、また周囲のアラブ各国との関係においても、たしかにもう一つの命令、「ヨーロッパ的理念を護れ、ヨーロッパ的差異を護れ」をも忠実に実行している。非ヨーロッパ圏出身のユダヤ人（ミズラヒームなど）が増加しようとも、あるいは国内のアラブ・パレスチナ人が存在しようとも、決してそのヨーロッパ・ユダヤ人至上主義を揺るがせてはおらず、また「中東世界唯一の民主主義国家」という矜持をまで示しているのだ（本書終章参照）。

だが、それはデリダの言う「理念としてのヨーロッパ」というよりも、むしろ古典的な「ヨーロッパ帝国主義」的な意味においての、「ヨーロッパ」の拡張なのではないだろうか。先の二律背反の命令から、デリダは、それとはまったく異なる「歓待の論理」を導いていたはずだ。

それ（＝キャップ）が自己自身に関係するのは、もはやたんに自己自身との＝自己自身にあっての差異の内で、他のキャップとの、キャップの他の縁との差異の内で、おのれを結集することによってではなく、もはやおのれを結集することもできずに開かれることによってである。[39]

こうしてデリダは、ヨーロッパ的普遍の名のもとに、しかしヨーロッパの他者を、つまり具体的にはマイノリティであったり移民であったりする非ヨーロッパ人を歓待することを、その特殊性を尊重することを肯定する。

おそらく、このデリダ的な「ヨーロッパ」の理念は、現在のすでに建国されたイスラエルにではなく、ヘブライ大学に結集していた文化シオニストらが目指していた、そして敗北したバイナショナリズム、二民族共存国家思想にこそ共有されていたはずものだ。その個々の文化シオニストの哲学者らがとっていた立場には温度差があれども、一つの土地の上で、一つの国家の内部で先住アラブ・パレスチナ人と共存することを求めていたのであり、またアーレントもそのような主張に共感を示し、そのための具体的な活動も行なっていた。アーレントが強調する、ユダヤ人の郷土／国家の特殊性とユダヤ教の普遍性を代表する存在としてのヘブライ大学という位置づけも、この「ヨーロッパ」の理念と大きく関わっている。だが、問題はまさにここにある。

3.「ヨーロッパ」の問い直し

3-1　アーレントにおける「ヨーロッパ人種」

アーレントは、『革命について』などにおいて、アメリカ合衆国建国という出来事を論じる際に、再三、「アメリカは European mankind による企てである」という記述をしている。[40] この European mankind は、「ヨーロッパ的人類」ないし「ヨーロッパ的人間性」と訳せるような概念であり、またアーレントの意図においてはそのようなものとして、つまり人種主義的な意味合いを含めずに、あくまで「ヨーロッパ」が生み出した民主主義的な理念を公共圏たる国家として新たに立ち上げる革命が、

「ヨーロッパ人」の企てなのだということを表現しているはずである。

しかし高橋哲哉は、論考「《闇の奥》の記憶」において、アーレントが多用するこのEuropean mankindという概念に着目し、そこに潜む人種主義を指摘している。[41] 高橋が指摘するのは、その言葉が、アーレント自身が批判をしていたはずの人種概念と化し、「ヨーロッパ人種」という内実をもたせられているのではないかという危惧である。

アーレントにおいては、「民族」の「人種」化は、「西欧の没落」であるとされている。[42] 民主的ヨーロッパ社会が人種社会へと、文化的民族概念が人種主義へと転化すれば、それはヨーロッパの没落に他ならないからだ。こう自ら警句を発していたはずのアーレントであったが、高橋は綿密な『全体主義の起源』の読解を通して、とりわけアーレントがアフリカに言及する際に「真の人種」という言葉を用い、地中海世界に属する北アフリカとは区別された南アフリカこそは文明世界の外部、人類としての諸民族の外部であるという、明確に人種主義的な観念を保持していることを示した。[43] その「真の人種」から翻れば、反対に、「自分の住む世界の創造と変革にたえず関与して生きるヨーロッパ人の基本的エートス」を重視するアーレントにあっては、

「共通世界」の樹立と維持、「世界の創造と変革」としての「政治」は、やはり本質的にはヨーロッパ的なものなのだ。それはまた、「人間」が本質的にはヨーロッパ的だということでもあり、あのEuropean mankindこそ本来「人類」のエッセンスだということになる。[44]

アーレントにおいては、「ヨーロッパ人」こそが人間であり人類である、という観念が払拭できない。当然ここには、アーレント自身をも含めたヨーロッパ・ユダヤ人も含まれている。だが、「ヨーロッパ・ユダヤ人」という言い方にも、多くの問題がある。先にも触れた、ヨーロッパ出自ではない、非ヨーロッパ圏のユダヤ人は、アーレントのなかでどのように位置づけられるのか。さらに、アーレントのバイナショナリズム、つまりアラブ・パレスチナ人との共存の主張とは、どのような整合性をもつのだろうか。この点に関してもすでに高橋が指摘しているところであるが、アーレントは「シオニズム再考」および『全体主義の起源』において、ユダヤ民族が「ヨーロッパに内属する民族」であると認識しており、さらには「パレスチナと地中海全域」がヨーロッパに属しているとさえ主張している。[45] こうしてアーレントは、人種の内と外を分ける境界線の意味を、ヨーロッパか非ヨーロッパかという形で一貫させており、かつユダヤ人とパレスチナがヨーロッパの内部に属するという認識でもって、おそらくユダヤ人のパレスチナ移民の問題やバイナショナリズムに関しても、自らのなかでは整合性を保っていた。

だが、アーレントが、中東世界のユダヤ人についてまで念頭においていたとは言い難い。アラブ人については言わずもがなである。アーレントが、「パレスチナと地中海全域」と記したときに、地中海圏の一部に含まれるパレスチナをあえて別に並記しているのは、ヨーロッパのユダヤ人がパレスチナの地に移民することを正当化する目的を意識してのことだろう。そうであれば、アーレントの擁護するヘブライ大学は、はたして「ユダヤ教の普遍性を代表する」大学であったと言えるのかという疑問も生じる。つまり、ヨーロッパ的理念を「ヨーロッパ・ユダヤ人」において体現するとしても、中東世界その他に広がるユダヤ人一般についてアーレントが語っているわけではないからである。

3-2　ボヤーリンのデリダ批判

この「ヨーロッパ」という概念そのものを、あらためてユダヤ人の側から問い直したのが、東欧系でアメリカ在住のユダヤ人、ジョナサン・ボヤーリンである。論考「デリダからフィヒテへ？」において、あえてデリダからフィヒテへと反時系列的に遡ることによって、デリダ思想の意義を批判的に探ろうとしている。

ユダヤ人を表象するリベラルなレトリックとして、「ユダヤ人は国境をもたずにヨーロッパのいたるところに存在するから、ユダヤ人こそが〈真なるヨーロッパ人〉である」というものがある。たとえばエティエンヌ・バリバールもまた、「ユダヤ人なしにはヨーロッパそれ自体がありえない」として、ユダヤ人とヨーロッパの関係を論じている。これに対してボヤーリンは、バリバールが用いた「ヨーロッパそれ自体」という表現にこだわる。「それ自体」というのはまったく曖昧であり、「ヨーロッパ」という概念をこそ問いただそうというのに、むしろこのバリバールの論述では、「ヨーロッパ」がすでに与えられた実体であるという思考を強化してしまうことになる、というのだ[46]。

そしてボヤーリンは、デリダの『他の岬』を取り上げ、同質の問題を指摘する。デリダの議論は、ヨーロッパ中心主義を問いに附すというよりは、ヨーロッパという概念を明確化することになってしまっているという。[47] 普遍性と差異をめぐる議論において、ヴァレリーやデリダがもちだす「フランス」を、「普遍的文化の特異な例証として、再び理想化したり逆に貶めたりすることを避けるためには、こうした議論を、フランスのユダヤ人の歴史、ヨーロッパのなかのフランスの歴史、二〇世紀の民族自決原則の歴史、ドイツに対するフランスの歴史のなかに位置づける必要がある」[48] のだが、デリダは『他の岬』において、ユダヤ人にほとんど言及しないだけでなく、「他者」は抽象的に「他者」とされるだけで歴史的に実在した具体的な「非ヨーロッパ人」を挙げることもない。結果として、『他の岬』が簡潔にまとめられたものであるとしても、デリダは「ヨーロッパ」という用語を不変不動の指示物として用いるに極めて積極的である[49]」ように見える。だが、ボヤーリンは、たんにデリダをヨーロッパ中心主義の一バリエーションとして切り捨てているのでは決してない。その道筋を明示するまでには至らないものの、なおデリダを再読することにしかヨーロッパを問い直すオルタナティヴはないことも認めている。

デリダ自身、『他の岬』において自らのアイデンティティが両義的であることを公然と認めている。最後の箇所でデリダは、「自分はヨーロッパ人であるが、しかしすみからすみまでヨーロッパ人であるとは思わないし、そうあるべきでもない。自分はヨーロッパ人でも、ま、た、あるのだ[50]」と語っている。ここでデリダは、アルジェリア出身のユダヤ人であるという自らの出自については一切語ってはいないが、そのことが無関係ではありえない。ボヤーリンの指摘の正当さと性急さを同時に踏まえつつ、「ヨーロッパ人でもまたある」ということの意味を吟味する必要があるだろう。

その意味で、純粋な普遍性（普遍主義）も純粋な特殊性（個別主義）も、ともにそれ自体として成り立ちうるものではないということを明晰に論じたのは、エルネスト・ラクラウの論考「普遍主義、個別主義、そしてアイデンティティの問い」であった。一方で普遍性から独立した個別主義は、自らの差異を成り立たしめる基盤を否認する「自己破壊的な企て」であり（それはまた同時にすべてを権力関係に解消する危険を容認する）、他方で普遍性は、「脱臼した個別的アイデンティティを縫合する不完全な地平」であるとして、その普遍性と特殊性の解消不可能な緊張関係を描いている[31]。ラクラウ自身、「ヨーロッパ中心主義からの離脱のための道を開く」のはこの緊張関係を通してなのだと説くように、「ヨーロッパ」と「ユダヤ」のあいだで「アイデンティティの問い」は、解決不能なアポリアの様相を呈している。それはその内においてしか解決（ならざる解決）はありえないのだが、デリダの「ヨーロッパ人でもまたある」という曖昧な表明は、そのことを手短に言い表そうとしているように思われる。

3-3　国民化──「世界喪失」の喪失

アーレントは、イスラエル国家建国の一九四八年以前には、何度となく政治シオニズムに対する批判を繰り返し、ユダヤ人国家建設に公然と反対を唱えていたものの、建国後は、その直後の「中近東での和平か休戦か」を除けば、主題的にイスラエル国家を論じることはほとんどなくなっていた[52]。だが、一九六四年のギュンター・ガウスとの対談において、イスラエル建国にともなう、ユダヤ性のある「変容」について言及している。

世界喪失こそ、ユダヤ民族が離散において被ったものです。世界喪失は、すべてのパーリアたちに見られるように、そこに属していた人びとのあいだに、一種独特の暖かさを生み出しました。これは、イスラエルの建国とともに変容してしまいました。(…)世界喪失という徴を帯びた、特殊な意味でユダヤ的な人間性というものは、何かとても美しいものだったのです。あらゆる社会的な結びつきの外に立っているということ、一切の先入観から離れているということは、とても美しいものだったのです。(…)当然のことながら、イスラエル建国とともにそれらすべてが徒途方もなく大きな損害を被りました。解放の代償です[53]。

こうアーレントは語った。世界喪失からの回復は、逆にパーリア性の喪失である。イスラエルというユダヤ民族国家が建国されたときに、自分たちだけの国家をもち、「国民」となった。しかし同時に、パーリア性を通して得られる、普遍性と特殊性の緊張関係の自覚も失われてしまった。

だが、アーレントはいつからその「損失」に気がついていたのか。ユダヤ人国家建国に反対し、シオニスト右派・修正派を厳しく批判していたアーレントであってみれば、このジレンマについては、イスラエル建国以前から十分に自覚的であったはずだ。そしてだからこそ、イスラエルに移民するという選択をしなかったのではなかったか。そう考えると、アーレントがヘブライ大学とキブーツ共同体の存在をもって、イスラエル国家が普遍性と特殊性を合わせもった国家であるなどとあえて称揚するというのは、自己欺瞞だったと言わざるをえない。

アーレントがヘブライ大学について書いた一九四八年の段階では、すでにヘブライ語が公用語として定められていた。コーエンがヨーロッパのなかの非国家的＝国家横断的言語としてイディッシュ語を否定し、ドイツ・ユダヤ人として国語としてのドイツ語を支持したのと表裏で、パレスチナの地のユダヤ人共同体においては、来るべき「国（家）語」をめぐって一九三〇年代を通して熾烈な「言語戦争」が闘われ、やはり「不純な」イディッシュ語が否定され、「純粋な」ヘブライ語が選ばれたのだった。ヘブライ大学内部でも、その言語をめぐる争いは絶えなかった。その点から見ても、ヘブライ大学が国家横断的な「ユダヤ大学」ではなく、まさに「ヘブライ大学」であったということに、おそらく屈折した事情が存する。ヘブライ大学は、世界のユダヤ人のための大学ではなく、「新しい国民」のための大学となったのだ。

「パーリアとしてのユダヤ人」たるアーレントが、そのことを認識していなかったはずはない。コーエンの没後五〇周年の場でカール・レーヴィットは、「コーエンの哲学的な誤りは、自らをドイツ・ユダヤ人として理解しようとする彼の生涯にわたる努力にあるのではなく、むしろ彼がドイツという故郷をもつことを、一般的に言えば、哲学者でありながら、なんらかの「故郷」をもつことを不可欠とみなしたところにある」と語った。[54]「故郷喪失」をこそ「ユダヤ人の美徳」としたアーレントが、同じ「哲学的な誤り」を免れていたという保証はない。

おわりに

以上でもって、イスラエル建国という歴史的出来事についての、つまり国家創設というヨーロッパ近代のプロジェクトがナチズムという経験を経た後に辿りついた一帰結についての、思想的考察を試みた第一部に一区切りをつけることにする。国民国家が抱える普遍と特殊のアポリアは、整然と解消されることなどありえない。弁証法的高次化によってであろうと、暴力の一撃によってであろうと、国家創設という実践によってなしえたのは、アポリアを呑みこんで先送りにすることだけであった。

以下、第二部においては、建国後、既成事実となってしまったイスラエル国家の現在についての考察に移る。実際、ユダヤ人問題の解決と謳われたイスラエル建国は、問題の解決どころではなく、問題の深刻化と複雑化でしかなかった。普遍と特殊のアポリアは、つねにいたるところに噴出している。そして世界のユダヤ人思想家たちは、現存するユダヤ人国家と噴出するアポリアを前に、葛藤と苦悩を重ねることとなる。

第Ⅱ部　「イスラエル」の現在

リベラリストたちの葛藤

第五章

ハンナ・アーレントの「沈黙」

はじめに

第二部においては、イスラエル建国以降、現在までを考察する。すでに既成事実として存在することとなったイスラエル国家に対して、ユダヤ人の思想家たちがいかに対峙しえたのかを検討することによって、二〇世紀後半以降の国民国家をめぐる議論における「ユダヤ人国家イスラエル」の現在を描く。

まず本章においては、第一部でその時事的コラムからイスラエル国家創設の問題について検討を行なったハンナ・アーレントについて、今度は一九五〇年代―七〇年代に書かれた理論的主著に沿いつつ、イスラエル国家との関係を見ていく。本書第二章および第四章で論じたように、アーレントは、ユダヤ人のみによる建国には反対し、ユダヤ人とアラブ人とが完全に対等な二民族の連邦国家を訴えていた。それは、どちらか一方が多数派で他方が少数派であるように設定したり、あるいはまったく同数にすることによってバランスを保つというものでもない、一方による他方に対する支配や優位といったことのない連邦制であった。

しかし、現実にはそれとはまったく異なる、ユダヤ人のためだけのイスラエル国家が創設されてしまった。それに対し、アーレントは五〇年代以降、六七年の第三次中東戦争、七三年の第四次中東戦争を経て七五年に亡くなるまで、イスラエル国家についてはほぼ沈黙してしまっているように見える。たしかに、一九六三年に刊行された『イェルサレムのアイヒマン』においては、イスラエル政府によるアイヒマン裁判の政治利用についての批判が含まれはするものの、イスラエル国家それ自体を主題的に論じたものではなかった。それ以外の主要著作においても、アメリカ合衆国やヨーロッパ諸国についての思想史的あるいは政治哲学的な研究は展開されたが、決してイスラエル国家が考察対象となることはなかった。

しかしすでに見たように、建国期には誰よりも激しくユダヤ人としてユダヤ人国家建国に反対をしたアーレントである。そこでこの〈沈黙〉は、ある意味、不自然なまでに際立っている。だが、それゆえにかえって、沈黙が別の何事かを指し示しているとは言えないだろうか。アーレントは、はたして何を語っていないのか。たとえば、アーレントはアメリカ合衆国研究には没頭していたが、それとこの〈沈黙〉とはどのような関係にあるのか。アーレントが主要著作のなかで「語ったこと」の考察を進めるなかで、「語らなかったこと」を、本章では浮き彫りにしたい。それには、沈黙のみならず

「論理の裂け目」をも含めた読解作業が要請されるだろう。

ここで、アーレント研究を概観しておこう。既存の諸研究においては、ヨーロッパからアメリカへの足どりのなかで、アーレントにとってのヨーロッパ型の国民国家と、アメリカ型の共和国が、対比的に論ぜられることが典型的である。他方で、そのような特定の具体的な国家を捨象して、純粋な理論としてアーレントの自由論、他者論、公共圏論といった問題構成において議論を立てるものも多く見られる。おそらくそれらのどの視点もそれぞれに重要なものではあるだろう。だが概して、アーレントの中心的思想とイスラエルとの関わりの観点から論じたものは欠如しているように思われる。純粋な哲学的研究はさておいても、いくつか「ユダヤ人問題」に焦点を当てたりイスラエル国家に言及している思想史的研究書もあるが[1]、それらにおいて俎上にのぼるテキストは、やはり四〇年代の時事的なコラム・論考と『イェルサレムのアイヒマン』である。日本国内のアーレント研究を見ても、同様の傾向が認められる[2]。極端な例を挙げると、千葉眞の『アーレントと現代』[3]においては、国家やナショナリズムを論じ、西欧やアメリカ以外にも具体的にフィリピンや旧ユーゴスラビアなどの問題について言及していながら、イスラエル国家についてはー言も触れられていない。

だが実際には、イスラエルという具体的な国家との対峙を抜きにしては、アーレントがヨーロッパやアメリカの国家形態について考察を深め、また自由や公共性といった概念について思考を深めていくことはありえなかったのではないだろうか。

したがって、第一に、国家論や公共性論をアーレントが書き記したその表面において捉えるのではなく、あえてイスラエルというレンズを通して主要著作を読み直してみる必要がある。しかし同時に、アーレントの政治的な立場や行動、時事的発言を取り上げて、そこからアーレントのイスラエル国家観を論ずるのではなく、あくまで主要著作に沿って見ていかなければならない。つまり、ここで目指すのは、アーレントを純粋に哲学的な観点から論じることと純粋に政治的な観点から論じることの両方を避けつつ、しかし同時にその両方の観点がアーレントの思想のなかでどのように絡んでいるのかを明らかにすることである。

1. アーレントの国民国家観――『全体主義の起源』

まずは、アーレントが「国民国家」をどのように評価していたのかを見ていこう。

アーレントは、主に『全体主義の起源』の第二部「帝国主義」の第四章「大陸帝国主義と汎民族主義」および第五章「国民国家の没落と人権の終焉」において、一九世紀型の国民国家がどのように形成され、二〇世紀にどのように行き詰まりを迎えたかを分析している。イスラエル建国につながるヨーロッパの反ユダヤ主義についての直接的な分析は、もちろん同書の第一部「反ユダヤ主義」においてなされているのだが、国民国家の生成と発展の分析は第二部で詳細になされており、ヨーロッパ的な国民国家制度の限界としての「イスラエル建国」について考えるのであれば、むしろ直結するのは第二部のほうになる。

周知のように国民国家は、「民族的帰属と国家機構とが、相互に融合し国民的思考において一体化される」ことによって成立した。[4] だが、この「民族的帰属」の意識が、法的な平等を崩壊させる。それは「国民」が「民族」に取って代わるときに、国民の統一体に属することのできる者と排除される者とを産み出すからである。しかも、アーレントの類型化によれば、こうした国民国家形成において歴史的に先行した西欧と、それ以外の地域（東欧や南欧）においては差があり、典型的な「国民国家」は西欧型において誕生した。それ以外の地域では西欧への反動・対抗という形で実体的な人種主義と結びついた「同質性」の主張がなされつつ、性急に国民国家形成が進められることになった。

この過程で、国民国家が全ヨーロッパに広まり、そしてまた、その裏面ではその枠には収まりえない少数民族問題が、同化か排除かというきわめて切迫した形で発生する。必然的にそのうちの最大の問題として、反ユダヤ主義が深刻化することになる。第一次世界大戦以降には、この少数民族問題がヨーロッパ全土で大規模化し、無国籍者が大量にあふれるのだ。

無国籍ということは現代の最も新しい現象であり、無国籍者はその最も新しい人間集団である。第一次世界大戦の直後に始まった大規模な難民の流れから生まれ、ヨーロッパ諸国が次々と自国の住民の一部を領土から放逐し国家の成員としての身分を奪ったことによってつくり出された無国籍者は、ヨーロッパ諸国の内部の最も悲惨な産物であり、国民国家の崩壊の最も明白な徴候である。[5]

こうした事実からアーレントは、「国民国家の原理の全ヨーロッパでの実現は、国民国家の信用をさらに落とすという結果をもたらしたにすぎなかった」[6]と断言する。その後同書の第三部において、アーレントはナチズムやスターリニズムなどの「全体主義」の分析へと進むのだが、全三部に通底する反ユダヤ主義の発生・展開・帰結に関する膨大な分析と叙述を通して、歴史的にも論理的にもそれと密接な関係にあるはずのイスラエル国家についての言及はほとんど見られない。もちろん分析対象の時代範囲の限定や、執筆時期による制約（刊行は一九五一年）もあろう。だが、わずか二箇所ながらも、アーレントがイスラエルに触れた部分の重要さを考えると、この言及そのものの少なさには、アーレントのある種のためらいが感じ取られる。

その二箇所を引用しよう。

そして戦後に明らかとなったことは、唯一の解決不可能な問題とされていたユダヤ人問題が解決されえたこと、しかもその方法は最初は徐々に入植しそれから力ずくで領土を奪うことだったこと、だがこれによって少数民族問題と無国籍問題が解決したわけではなく、その逆にユダヤ人問題の解決は今世紀のほとんどすべての事件と同じように別の新たなカテゴリー、つまりアラブ人難民を生み、無国籍者・無権利者の数をさらに七〇万人ないし八〇万人も増やしてしまったことであった。[7]

そしてこれらの権利［＝人権］回復は、ユダヤ人とイスラエル国家の例が示すように、これまでは一国の国民としての権利の確立による以外には不可能だった。[8]

一つ目の引用から読み取れることは、第一に、イスラエルの建国は、ヨーロッパ国民国家の限界としての少数民族問題、しかもそのなかで最も困難であったはずのユダヤ人問題に関する一定の「解決」でありえたということ、第二に、しかしながらその「解決」が真の解決ではないことの指摘である。結局のところ、イスラエル国家はヨーロッパ的な国民国家の反復、「飛び地」にすぎなかった。いや、たんなる反復どころか、ヨーロッパから排除された民族が、排除されたがゆえにかえっていっそう純粋な民族主義・人種主義に基づいて「建国」をしてしまったために、矛盾が極限的な形で露呈してしまっているのだ。つまり、パレスチナの地においては、ユダヤ人がヨーロッパ的な国民国家の原理を先に身につけて入ってきたために、数の上で圧倒的に多数であるアラブ人の方が「少数民族」として「無国籍者・無権利者」とされたというわけだ。

イスラエル国家がヨーロッパ国民国家の直接の延長でありその極限形態であるのであれば、アーレントはイスラエル国家について分量を割いて分析をして然るべきだが、そうはしなかった。その背景にあると思われるのは、アーレントの主張した「二民族共存国家案」が敗北したことである。つまり、四〇年代初頭から繰り返しアーレントが批判していた不本意な方向で国家建設がなされてしまったということ、このことがアーレントを寡黙にさせていることの一因として考えられる。

しかしながら、これだけで十分な説明になるとは思われない。

これを補うと思われるのが、二つ目の引用である。文脈を見ると、この引用の前後にあるのは、エドマンド・バークの国家擁護である。バークは、フランス革命の抽象的な人権の理念を批判して、人権は「ネイションから生まれるしかない」と語ったが、それを受けてアーレントは、「バークの議論の正しさについては疑問の余地はがない」と断定する。[9] つまり、イスラエル国家に関する第二の引用をこの文脈に繋げると、ユダヤ人問題は「ネイション」としての「イスラエル国民」の創設によってしか解決されえなかったということになる。とするとこれは、四〇年代アーレントの主張に反して、ユダヤ人国家としてのイスラエルの現実を肯定するようなニュアンスで読まれうる。

しかし他方で、もし単純にそうであるなら、アーレントがイスラエル国家について語るのを何らためらう必要はないはずだ。国民国家を全肯定し、イスラエルもまた国民国家であるとその存在に開き直ればいいのであるから。だが、これまで見てきたように、二〇世紀の体験を経た後で、バークと同じ立場をとることができないことは言うまでもない。アーレントのためらい、〈沈黙〉はこの困難なジレンマのためであったのではないだろうか。

自ら無国籍者としてアメリカに渡ったアーレントは、このジレンマを一定程度解決する方向性を見いだしたと考えるアメリカ合衆国の建国という出来事を分析している。上記の推論をさらに検討するために、アーレントのアメリカ独立革命分析、『革命について』を見ていくことにする。

2. アーレントのアメリカ観——『革命について』

アーレントにとってのアメリカ合衆国は、周知のように、非ヨーロッパ的な原理によって建国された国家である。移民らが自らの自由な意志で独立を宣言することで創設された国家だ。その意味では、アーレントは、自ら明言せずとも[10]、イスラエル国家と重ね合わせて見ているのではないか、あるいは少なくとも、そのようなものとして読解できるのではないだろうか。

アメリカ建国の原理は、過去の起源の共有や民族的な同質性の認識などではない。そうしたものと無関係に、個人が自らの意志で国家を創設する。そのような革命は、アーレントにあっては、二重の意味でヨーロッパの革命とは異なるという。第一に、ある種の経済的な理由からだ。アーレントにあっては、「革命の目的は自由の創設である[11]」のだが、「解放（liberation）と自由（freedom）とは異なる[12]」。貧困・悲惨さからの解放は、必要性＝必然性からの解放にすぎない。幸いにして、アメリカという広大な植民地はあらかじめその貧困を免れていたのだとされる。逆に、ヨーロッパにおけるフランス革命は、アーレントからすればたんなる「解放」の域を出るものではなく、真の革命ではないとされる。アメリカ革命のみが唯一理想的な革命であるというのだ。

アメリカ革命がヨーロッパの諸革命と異なる第二の理由は、権威の源泉としての「法の支配」と「人の支配」の差である。

「人間でなく法の」統治である共和政の創設を誇りにしていた革命の人びとにとって、権威の問題は、実定法に認証を与えているいわゆる「より高い法」という形で生じてきた。法はその事実上の存在を、人民の権力と立法部におけるその代表者たちに負っていた。しかし、これらの人びとは、同時に法のいっそう高い源泉、(…) ぜひとも根拠としなければならないいっそう高い源泉を代表することはできなかった。そこで、(…) 絶対者の必要性が前面に押しだされたのである。[13]

法の支配は、その法の根拠をより高い法に求めなければならないのだが、どこまで行っても最終的な根拠にはならず無限に後退しなければならなくなる。それを断ち切るのに要請されるのが「絶対者」である。ところが、アメリカ革命だけはそのような「不条理」に陥らなかったとアーレントは言う。なぜなら、独立宣言において「いっさいの法の源泉となったのは、人民やその「一般意志」ですらなく、革命過程そのものであった」[14]からである。「革命の過程」とは、言い換えれば「創設の行為」である。

アメリカ革命の人びとが自分たちを「創設者」と考えていたという事実そのものが、新しい政治体の権威の源泉は、結局のところ、不滅の立法者とか自明の真理とかその他の超越的で現世超越的な源泉などではなく、むしろ創設の行為そのものであることを彼らがいかによく知っていたかを示している。ここから、あらゆるはじまりが不可避的にまきこまれる悪循環を突き破るための絶対者の探究は無意味であるということになる。というのは、この「絶対者」は、そもそもはじまりの行為そのもののうちにあるからである[15]。

ある程度の完全な恣意性は、はじまりの本質そのものに付随している。はじまりは原因と結果の確かな連鎖に拘束されていない。(…)それどころか、はじまりは、いわばそれがしがみつくべきものを何ももっていないのである[16]。

絶対的な根拠、超越的な根拠はない。むしろ行為そのもののなかにあるという。これを、本書第一章で見たジャック・デリダの独立宣言分析と比較してみよう。その類似と差異は明白である。「絶対者の不在」は、デリダにおいては「代表性の循環」、つまり代表する署名者と代表される人民とは、署名による事後的な効果として生じるのみであり、「代表する - 代表される」という関係は基礎づけることができないとされた。したがって、アーレントにおける「創設の行為」は、デリダにおける

「パフォーマティヴィティ（行為遂行性）」に対応する。その無根拠さ、恣意性の指摘はそのまま重なるのである。

ところが、この先がまったく異なる。デリダにおいては、あくまでその無根拠さも事後的効果による既成事実化も的確に暴露されるし、また他方でその暴露に対しての価値評価はされていない。無根拠であることでもっては、否定・肯定といった評価はされえないのだ。しかし、アーレントにあっては、この無根拠さは、かえってそれゆえに肯定的な評価に転じるのである。

アメリカ革命の人びとは、権力を自然的暴力とはまったく反対のものだと理解していた。彼らにとっては、権力は、人びとが集まり、約束や契約や互恵誓約によって互いに拘束しあう場合に実現するものであった。互恵主義と相互性に基づくこのような権力だけが真実の正統的権力であった。[17]

つまり、無根拠であるがゆえに、その権力はその自発性や相互性において高く評価されるのである。自発性や相互性において、権力は正統性を獲得するのである。このデリダとの差異はどこから生じるのであろうか。

実は、アーレント自身の記述に、この両義性を意識している箇所があり、デリダと同様のことを指摘してもいる。

おそらくアメリカの共和政の将来にとってひじょうに重要なことは、独立宣言の前文が、「自然の神」への訴えに加えて、新しい政治体の法に対する権威の超越的源泉に関する一句を記しているということである。(…)「われわれは次の真理を自明なものと考える」というジェファーソンの有名な言葉は、このような相対的な協定の基礎を、自明ゆえに理屈っぽい論証や政治的説得なしに強制でき、したがって同意を必要としない真理に、すなわち絶対者に、歴史上比類のない仕方で結びつけている。[18]

これは、デリダが代表の背後の人民のさらに背後に「最終審級」として「神」と「自然」という根拠を指摘したことと呼応する。最終審級は、アーレントにおいては、「神的起源の明白なしるし」、「たんなる理性ではなく神によって伝えられた理性、「理性の光」[19]」と名指される。

しかし、これは矛盾である。無根拠ゆえにその自主性と相互性が評価しえたということと、究極的な根拠を自ら指摘するということは、齟齬をきたしている。アーレントはこの矛盾をどのように回避しえたのか。どのようにして、この「神的起源」たる「理性の光」は退けられたのであろうか。ここでアーレントがもちだしたレトリックは「理論」と「現実」の区分である。アーレントは、直後に次のように続ける。

> しかし、新世界に関するかぎり、このように［「自然の神」「神によって導かれた理性」と］言えるのはただ理論面だけであった。アメリカ革命の人びとは、ヨーロッパ的伝統の概念的・知的枠組のなかに縛られたままであり、植民地で経験された相互約束に固有の巨大な力を明晰にすることができなかった。[20]

たんに独立宣言の文言だけを「理論的」に見た場合にのみ、「神」という最終審級が指摘されうると言うのだ。逆に言えば「現実においては」、やはり革命性が、つまりその自発性や相互性が認められるという。このように「理論」と「現実」を切り分けることは、巧妙な説明、つまり矛盾の回避である。しかしそれこそ理論的には、こうした使い分けは不整合であり、やはり理論の破綻であるほかはない。使い分けは、かならず繕いがたい綻びを見せてしまう。次の引用は、二重の意味で興味深い一節である。

> アメリカの繁栄とアメリカの大衆社会は、ますます政治領域全体を荒廃へと追いやっているが、そこで復讐を遂げているのは、やはりヨーロッパの貧困なのである。（…）アメリカの夢はアメリカ革命の夢——自由の創設——でもなければ、フランス革命の夢——人間の解放——でもなかった。不幸にしてそれは、乳と蜜の流れる「約束の地」の夢であった。[21]

二重に、と言ったのは、第一に現実のアメリカまでもが、すでに理念としての「アメリカ革命」を裏切っているということの自覚である。アメリカ革命がヨーロッパの革命と異なって「真の革命」＝「自由の創設」たりえた第一の理由である、貧困からの解放ではなかったという点は、実はそうではなかった。アメリカの富は、ヨーロッパの貧困の相関的な一面にすぎなかったのだ。あえて一面のみを切り離すことで「自由」を語る可能性が生じたとしても、アメリカへの移民が、「貧困からの解放」のために来ている以上、アメリカ革命も現実として真の革命ではなかったわけだ。このことをアーレントは自覚している。こうしてアメリカ革命をフランス革命から区別するはずであった二つの理由――「自由」か「解放」か、そして「法の支配」か「人の支配か」――は、そのいずれも崩れてしまう。

次に、上の引用の興味深い第二の点は、「乳と蜜の流れる「約束の地」」という表現だ。本来「乳と蜜の流れる土地」というのは、旧約聖書に出てくるパレスチナの地のことであり、その「豊かさ」を示している。そして、「約束の地」もアブラハムが神から約束されたという、旧約聖書から来ている言葉ではあるが、現代の文脈ではパレスチナの地（「エレッツ・イスラエル」）をユダヤ人が独占するというシオニズム思想を正当化する表現として利用されている。[22] いずれも、「パレスチナ／エレッツ・イスラエル」を意味する特有な言葉であるが、おそらくアーレントは、比喩的に用いただけであり、強い意味を込めたわけでも、イスラエルを示唆したわけでもないだろう。

しかし同時に、このかなり特殊な比喩が比喩として意味をなす文脈が形成されているということもまた事実である。ヨーロッパ国民国家の限界を見据えて、その解決の道を探ってきたアーレントにとって、イスラエルへの関心は拭いようがない。自身ユダヤ人として、パレスチナへのユダヤ人移民の移送に携わったなどの経験的事実があるのみならず、前節に見たように、ヨーロッパ国民国家の限界を分析するに際して、生みだされた無国籍少数民族問題の最大の例としてユダヤ人問題を一貫して分析対象としてきたのだ。その「解決手段」とされたイスラエル国家のことが念頭におかれていないと考えるほうが無理がある。

その「約束の地」という表現が、「不幸にして」という副詞が冠せられたうえで、アメリカ合衆国に用いられているのだ。「約束の地への帰還」をスローガンに掲げるシオニズムが、その裏側で新たな難民（パレスチナ難民）を生み出したことに注意を向けていた『全体主義の起源』のアーレントが想起される。

それではアーレントは、アメリカ合衆国に重ねてイスラエル国をどのように見ていたのだろうか。ここまで見たように、「アメリカ建国革命はヨーロッパにおける諸革命とは異なり真に自由を創りだす革命であった」という命題は、理論的かつ現実的に、アーレントの内部で破綻していたわけだが、その矛盾を突いて反証して事足れりとしてしまうと、そもそもアーレントがアメリカについて論じようとした意味そのものを見失うことになる。

アーレントがこのように論を進めたことには、ある種の誠実さが認められる。もしアーレントがそうしようと思えば、現実を宙吊りにして、純粋に方法論的に「理念型としてのアメリカ」として、議論を完結させることもできたはずなのだ。ここで言う「理念型」とは、現実のある特徴的な一面を捉えてそれを切り口に分析上の道具として構築された一つのモデルのことだ。したがって、こうして構築された「革命モデル」は、現実と対応していなくても、また全体像を捉えず一面的であっても、何らかの分析に有効であれば、それで一定の意味があると言うことができる。

おそらくアーレントのアメリカ革命論は、分析モデルとして意義があるのであり、一見「矛盾」や「破綻」と見える部分は、アーレントによって導出された革命モデルを現実のアメリカに適用してはじめて「非革命的」と見えたにすぎない。つまり、「理念としてのアメリカ革命」に照らすことによって、現実のアメリカは「アメリカ的でない」と言いうるのだ。このこと自体は論理的であり、先にアーレントの誠実さと言ったのは、こうした意味においてのことだ。

そして、この「誠実さ」ゆえにアーレントは、イスラエル国に対して寡黙にならざるをえないのではないか。現実のイスラエル建国は、理念的なアメリカ革命からはほど遠いものだ。イスラエル建国前後には、アーレントも含めて、真にヨーロッパ国民国家の限界を超えた連邦国家をつくろうという意見は少数派ながらあった。ところが、国家創設という出来事を目の前にして、事態はアーレントにとって不本意なほうへ不本意なほうへと流れていった。

アーレントが現実のイスラエル国家について、この革命分析の枠組で口を開けば、「そのイスラエルは真のイスラエルではない」ということにしかならないだろう。しかし、アーレントの考えていた

「真のイスラエル」は、一瞬たりとも、部分的にも存在したことがない以上、そう批判するための理念型さえ取り出すことが困難だ。それゆえにアーレントは〈沈黙〉せざるをえなかったのではないだろうか。

3．アーレントにおける中庸の理念――『人間の条件』、『共和国の危機』

だが、アーレントの〈沈黙〉はそのためだけであろうか。ここまでは、それを「誠実さ」ゆえとして考察した。しかしながら、それだけではある種の疑念が払拭されないで残る。それは、アーレントの〈沈黙〉が消極的なものではなく、積極的なものに転じたときに生ずる疑念である。

一九六七年の第三次中東戦争のときに、「アーレントは、イスラエルの勝利を情熱的に誇りとした。「戦争花嫁」のように振る舞った」と伝えられている。さらに、一九七三年の第四次中東戦争のときにも、「ユダヤ人はイスラエルでは一つになっている」と語り、「何の批判もなくユダヤ教は国民宗教だと説明した」とさえも言われている。もちろん慎重なアーレントは、テキストとしてそうした発言を残してはおらず、語り伝えられるのみである。[23] だが、この「書き残さない」という意味での〈沈黙〉も、こうした熱烈なイスラエル支持を考慮すると、消極的なものだと言って済ますことはできないだろう。このことを、「結局ユダヤ人であるアーレントはイスラエルの存在を肯定するしかない」

というような素朴な経験的な事実から説明することはたやすいであろうし、それはそれで否定できない側面をもつ。しかしながら、ここにはもっと深刻な問題がアーレントの思想の原理的な部分に関わるものとして隠されているのではないだろうか。

アーレントの革命の原理、共同体論をさらに根本的に理論づけているのが、『人間の条件』だ。そこでアーレントは政治の領域である「公的領域」と家族の領域である「私的領域」という二つの対立概念に加えて、そのどちらでもない「社会的領域」の出現を問題にする。端的に言えば、それはアーレントの批判する「国民国家」[24]だ。私的な家族集団が経済利害によって国民国家大に組織されたものをアーレントは「社会」と呼ぶ。それに対してアメリカ革命は、真の公的領域、自由の領域である政治空間を創設しようとしていたと言う。人種的な集団はもちろんのこと、文化的・民族的な集団を基にした国民国家も、私的領域の拡大にすぎないということになる。したがって、「公的な国家」はそうした何らかの同質性の共有を前提としないものでなければならない。

そして、この公的領域で行なわれる人間の「活動」は、人による自然への働きかけである「労働」「仕事」とは区別して、「物や物質の介入なしに、直接人と人とのあいだで行なわれる唯一の活動力であり、多数性という人間の条件に対応している」のである。[25]この多数性とは、あらゆる人間が差異性をもっているという意味で、唯一性でもあるという。[26]全員がそれぞれ唯一であるのであれば、人びとは活動や言論において、「その人が「なに」であるか――その人が示したり隠したりできるその人の特質・天分・能力・欠陥」[27]は問われないのだ。つまり、具体的には、その人の宗教や民族的特質などといったものは問題にならない。

しかし、この原理を徹底させるのであれば、国民的（民族的）同質性が否定されるのは当然として、イスラエル国家の存在はどのように捉えられるのか。本書第二章で見たアーレントの四〇年代の「二民族共存国家論」は、パレスチナの地にユダヤ人とアラブ人が共存できる「連邦国家案」であり、ユダヤ人国家への対案であった。だが、現実にはイスラエルがユダヤ人国家として建国された。なぜ建国以降も、国民的同質性を批判しなかったのだろうか。

もちろん「二‐民族（bi-national）」にも、「民族」という同質的な集団が含まれており、「なに」であるかという問いを残しているとは言える。だがこれは、ユダヤ人とアラブ人の共存が現実的課題であったことの反映として理解は可能で、アーレントの思想からすれば、原則としては「二」という内実を伴わない形式的な「多民族国家」であったはずだろう。それでも、この多民族国家がシオニズムとどう両立しうるのかという問いは残されるが、それはいったんおく。次にもう一つの異なる次元の問いがある。極めて形式的なはずの国家が、特定の国境線と具体的な内実をともなった国家の形態をとらざるをえないことを、アーレントはどのように考えていたのだろうか。

少し長くなるが、アーレントのアンビヴァレントな立場を示す箇所を引いておこう。

活動というのは、それがどんなに特殊なものであっても、つねに関係を打ち立てるものであ

> り、したがって一切の制限を解き放ち、一切の境界線を突破するという固有の傾向をもっている。(…)私有財産を囲み、それぞれの家の境界線を守る垣、民族の物理的アイデンティティを保護し可能にする領土の境界線、民族の政治的存在を保護し可能にする法律――このような制限や境界線は、人間事象の安定にとって極めて重大である。それが重大であるのは、まさにこのような制限や境界線を保護する原理が、人間事象そのものの領域で進行する活動力からは生じないためだ。(…)活動の際限のなさは、関係を打ち立てる活動の巨大な能力、すなわち活動に特殊な生産性の裏面にすぎない。限界の内部に留まるという古くからの徳、すなわち中庸が、実際すぐれて政治的な徳であるのはこのためだ。(…)どんな政治体でもさまざまな制限や境界線があり、そのおかげで活動に固有のこの無制限性がある程度防止されているのはたしかである。[28]
>
> (傍点は引用者)

公的領域の「活動」は、「国民国家」の「国境」をも含めた「一切の境界線を突破する」のだ。しかし、かえってそのためにアーレントの保守性が顔を出す。「限界の内部に留まるという古くからの徳、すなわち中庸」がもちだされる。形式的な「国民国家」でもなく、「自由の共和国」でもなく、特定の内実をともなった具体的な国家が「中庸」として容認されているのだ。これは、アーレント「一民族国家」と親和的ではあるだろう。

本書第一章でも見たとおり、イスラエルの独立宣言には、一、「ユダヤ人の移民と離散者の集合のために門戸を開放する」という特殊ユダヤ人の利害だけを優先する文言と、逆に、二、「宗教、人種、性別にかかわりなくすべての住民に、完全な社会的および政治的な平等を確保する」という民族的同質性を問わない文言とが混在していた。そしてさらに、三、「イスラエル国内のアラブ住民に対して平和を保持し、完全かつ平等な市民権を与える」という、事実上「二民族」の存在を前提とする「中庸」的な文言までもが書き込まれていた。実のところ、この二番目のあらゆる平等を保証する文言と、三番目の具体的な中庸的文言とは、アーレントにおける「自由の共和国」の原則および「二民族国家」の中庸的側面とにそれぞれ合致する。

アーレントのアンビヴァレンスはここに起因する。そして、現状のイスラエル国家を容認、あるいは黙認する姿勢もまたここから説明できる。実際には「アラブ住民に対して完全かつ平等な市民権」が与えられていないという現実があろうとも、自らの思想的立場に親和的なこの二つの文言によって、アーレントには原理的な次元でイスラエル批判をする契機が欠けているように思われるのだ。

このことは、さらに突き詰めると、アーレントがそもそも国家「権力」をどのように捉えていたのかという問題に行き着く。『全体主義の起源』において、バークを引用しつつ国家存在自体の必要性を認めていたアーレントは、国家「権力」そのものの否定には向かわない。アーレントにおける「権力」と「暴力」の区別は、『革命について』でも『人間の条件』でも触れられているが、それを主題として展開したのは『共和国の危機』においてであった。英語の power と violence との両方の意味を含みもつドイツ語の Gewalt の多義性から「権力」と「暴力」の問題を不可分のものとして考える、マルクス、ベンヤミンからデリダに至る思想的流れがあるが、アーレントはそれを批判しその区別を重視する。

権力は、ただたんに行為するだけでなく、一致して行為する人間の能力に対応する。権力は決して個人の性質ではない。それは集団に属するものであり、集団が集団として維持されているかぎりにおいてのみ存在し続ける。[29]

かりに「自由を創設する革命」においてさえも、権力は必然的に構成される。アーレントにおいて、権力は国家の本質そのものだからである。他方、

権力はあらゆる政府の本質に属するが、暴力はそうではない。暴力はその本性からいって道具的なものである。[30]

したがって、暴力なしの権力というのはありうるのだ。道具的に暴力を使用する必要がなければいいのだから。

政治的に言うとすれば、権力と暴力は同一ではないというのでは不十分である。権力は暴力と対立する。一方が絶対的に支配するところでは、他方は不在である。[31]

たしかにこの説明のレトリックは、それはそれで一貫しているように見える。だが、「権力が絶対的に支配する」とはいったいどういうことか。自発的で相互的な個人が結集して権力を構成し、公的領域と自由を創設する。しかし、「権力」が「絶対的」である場合、ここではその構成員に対してある均質性が求められてはいないだろうか。そしてでき上がった空間も均質なのではないか。だとすると、これに参加することを拒否する人間、あるいは拒否される人間はいったいどこに場所をもつのだろうか。そういった人間は「権力が絶対的に支配する」空間の内部には「自発的で相互的な」かたちでは存在できまい。ここには表面化しない排除の暴力がやはり働いていると言わざるをえないのではないか。

もちろんアーレントは、事実としてそのような排除の暴力が存在したことは承知している。つまりアメリカ先住民や黒人奴隷の排除についてだ。[32]しかしそれはあくまで「事実として」なのだ。こうした「事実」が存在するからと言って、「理論」が反駁されるわけではない、というのがアーレントの立場だった。排除の事実を認めながら、このように反論する。

同意――共同体の各市民は自発的に共同体の一員になったと想定されなくてはならないという

ことだが――は、少なくとも原初的契約と同様に擬制（fiction）であると非難される可能性があるのは明らかである。こうした非難は法的および歴史的には正しいが、実存的および理論的には正しくない。人はだれでもある特定の共同体の一員として生まれ、その共同体に歓迎され、そのなかでくつろげる場合にのみ生き延びることができる。新しく生まれてくるすべての人の事後的な状況には、ある種の同意が含まれている。[33]

これをアーレントは「暗黙の同意」と呼ぶ。「特定の法律や政策に対する同意」は「まったくの擬制である」としても、「はじまりの創設」については、それを「擬制」と呼ぶのは不当であると言うのだ。

しかし、またしてもアーレントはこの反論において、「理論」と「現実」の区別というレトリックをもちだしている。今度は、「現実」の歴史の上で「黒人奴隷」が同意にはそもそも排除されていたことを挙げつつ、たしかに歴史上は「同意ではなかった」と言いうることを認める。だが、理論の上では全員によるこの「暗黙の同意」があったということにするのは不当なことではないと言うのだ。アーレントからすれば、これなしには非暴力的な権力が形成されず、公的領域としての国家も創設できなくなるのであるから、当然の反論であるかもしれない。

しかし、「理論」と「現実」とをこのように場合分けをして議論することは、先にも見たように、理論的には破綻である。実際、デリダのアメリカ独立宣言分析によって、「同意の擬制」は「理論」

においても反駁されてはいなかったか。むしろこうしたレトリック自体が実は循環をなしていることが、デリダによって指摘されていたはずである。建国によるその事後的な効果として、「権力が絶対的に支配する」かのような全員一致の空間が構成され、そこにはいっさい「暴力」が働いていなかったかのような装いがなされる。この装いを、デリダは「想像上の遡及効果」と呼び、それを生みだす権力＝暴力の働きを「パフォーマティヴ」と呼んだのであった。（デリダのこの権力＝暴力論は、後の『法の力』によって、いっそう分析が深められることになる。そしてその不可分性が、もちろん理論上の不可分性が、徹底的に暴れることになるだろう。）

おわりに

こうして見てくると、アーレントはその理論においてもある限界を含んでいると言わざるをえない。そしてその限界は、アーレントがイスラエル国家に関して〈沈黙〉していることにおいて、形をなして表れている。おそらく自身がユダヤ人であるという事実のために心情的にイスラエルを否定できないというだけにはとどまらない問題がここにはある。その理論上の限界が、現実認識に一定の影響を与えていることは無視できない。

結局のところ、アーレントがアメリカという「共和国」に対して表明した「危機」感――『共和国の危機』として――は「現実」に対するものであって、「原理」に対するものではなかった。だがそれでも、状況に対する危機感は積極的に表明されていたと言える。ところで、アーレントにとっては、「共和国の危機」は「イスラエル共和国の危機」――実際にもイスラエルは正式に共和国である――でもありえたはずだ。アーレントが気に掛けたイスラエルは、建国以来どの時点をとってみても、その共和国的原理に照らして危機でなかったためしなどない。だが、その「危機」については、アーレントは原理的なレベルだけでなく現実レベルにおいてさえも〈沈黙〉してしまった。いや、むしろ原理的なレベルでのアーレントの限界が、現実レベルでの発言を制約していたというべきかもしれない。

第六章　ジュディス・バトラーの「躊躇」

はじめに

やはりアメリカ合衆国に在住するユダヤ人として、しかも一九四〇年代のハンナ・アーレントの言論活動に強く影響を受けながら、イスラエルによるパレスチナ占領を批判している思想家として、ジュディス・バトラーが挙げられる。

バトラーは、アイデンティティや主体といった事柄について先鋭的な議論を展開してきたことで知られるが、しかしながらバトラーはこれまで自らの「ユダヤ人」ないし「ユダヤ系アメリカ人」としての出自については、多くを語ろうとはしてこなかったか、少なくとも主題的に論じることはなかった。一方で、「人種」アイデンティティに関する問題とジェンダーやセクシュアリティに関する問題を切り分けて論じることはできないことや、あるいはセクシュアリティが人種に先立つわけではないことを認めておきながら、[1] バトラーにあっては、人種や民族と呼ばれる次元でのアイデンティティについては、理論的な検討が手薄であることが指摘されている。[2] そのことと、ユダヤ人としての出自について多弁でなかったこととは、無関係ではあるまい。

そのバトラーが、「ユダヤ人」として、ある明確な政治的立場を表明し、物議をかもしたのが、二〇〇三年八月に『ロンドン・レヴュー・オヴ・ブックス』誌に発表した「それは反セム主義ではない」であった（のちに「反セム主義という嫌疑」として加筆）。[3] さらに〇四年一月にエルサレムを訪れ、占領と和平に関する国際会議に出席した際に、この論考と基本的に同趣旨の、しかしそれよりやや踏み込んだ講演を行なっている。（これはのちに、「ユダヤ人と二民族一国家《バイナショナル》構想」として、『ロゴス』誌に掲載された）。[4] なお、この訪問の際にイスラエル紙『ハアレツ』のインタヴューに応じ、自分がシオニスト色の強い家庭に生まれ育ちながらも、親とは思想運動的には距離をおきつつ、しかし強いユダヤ人アイデンティティを身につけていったという生い立ちを語っている。[5]

この時期のイスラエル／パレスチナの出来事を振り返ると、二〇〇〇年九月に始まったパレスチナ人による抵抗運動「第二次インティファーダ」[6]が、翌年の〈九・一一〉と呼ばれるアメリカ同時多発攻撃に対する世界規模の反動、反アラブ・反イスラームの排他主義《ショーヴィニズム》のもと、「テロ」と名指されいっそう激しい弾圧を受けることとなった。〇二年四月からの「パレスチナ大侵攻」と呼ばれるイスラエル軍の全面的な軍事侵攻が、パレスチナのヨルダン川西岸地区とガザ地区で行なわれ、行政関係の建物の徹底的な破壊、難民キャンプでの虐殺などがあったほか、外出禁止令、常設ないし臨時の軍事検問所による通行規制、懲罰的な家屋破壊、要人暗殺作戦（標的とされた活動家の数倍もの民間人をつねに巻き込む）なども日常化していった。

以降、現在に至るまで一切の和平交渉は不成立のまま軍事占領状態が継続しているが、バトラーがイスラエル批判を行なった〇三－〇四年というのは、こうした情勢を背景としている。

1. ジュディス・バトラーのイスラエル批判

こうした情勢のなかでバトラーの主張に密接に関係するのが、パレスチナ側の、ないしはパレスチナ側を支持する、一切の活動や言論に対して「テロ」というレッテル貼りがなされているという点だ。これと同時に、イスラエルの占領政策への批判に対して、「反セム主義」（狭義の「反ユダヤ主義」という含意で用いられることが多い）というレッテルを貼り、イスラエル批判を「反ユダヤ主義」にすり替えることで、批判それ自体を封じ込めるレトリックが蔓延していく。つまり、「反ユダヤ主義」という言葉は、欧米社会では、「ホロコースト（第二次大戦におけるユダヤ人大虐殺）」の経験と不可分となっており、最悪の人種主義たる民族抹殺《ジェノサイド》に対する反省をつねに喚起する。「それは反ユダヤ主義だ」と指摘することは、すなわち、「ホロコースト」を楯にとって、絶対的に反論を封じるという効果をもたらすのだ（ホロコーストとシオニズム／イスラエル建国は、間接的影響関係があったとしても、因果関係ないし必然的繫がりまではない）。[7]

　バトラーが介入していったのは、こうした言論空間に対してであった。バトラーの趣旨は明白である。初出論考のタイトルが端的に示すとおり、「イスラエル批判は反セム主義（反ユダヤ主義）ではない」、したがって不当なレトリックで批判を封じ込めることはやはり不当と言うべきだ、ということだ。とりわけ、アメリカの大学・アカデミズム内においてイスラエル批判が、「反セム主義（反ユダヤ主義）」というレッテルを貼られタブー化されていく状況に対して、バトラーは声を上げたのであった。

　こうしたバトラーの議論は、これまで自身の展開してきた議論をある程度は下敷きにしている。たとえば、「反セム主義という嫌疑」の冒頭でバトラーが引用し、本論で徹底して分析・批判を加えているのが、ハーバード大学学長ローレンス・サマーズの発言、「イスラエル批判は、意図においてはともかく、効果においては反セム的である」というものだ。これに関して、いわゆる「言語行為《スピーチ・アクト》論」の観点から、いかなる行為遂行性《パフォーマティヴィティ》をもちうるのかをバトラーは周到に論じている。[8]その要旨は大筋で次のように整理できる。

　つまり、「イスラエル批判は少なくともその効果においては反セム的である」という言説は、たんなる事実確認《コンスタティヴ》なのではなく、ある政治的効果を狙ったパフォーマティヴな発言である、という。そうした発言が成り立つには、第一に、ユダヤ人国家としてのイスラエルと世界のユダヤ人が、「途切れなく一つの世界をなしている」ということが前提され、したがって第二に、イスラエル批判には必ず「ユダヤ人に対する憎悪」が含まれていることが前提される。そうした前提が暗黙のうちに共有されることで、サマーズ学長の発言は、イスラエルを批判する者は、本人が認めようと認めまいと、結局のところ「意図的な反ユダヤ主義者」以外にはありえない、とレッテルを貼っているのだ。そして、イスラエル批判の聞き手に対しても、それは「意図的な反ユダヤ主義」であると受けとめよと呼びかけていることになる。「もしサマーズがそれを意図していなかったとしても、効果としてはそうなのだ」、とバトラーは皮肉を加えることを忘れていない。

さらにバトラーが指摘するのは、サマーズが「ハーバード大学学長」という、アメリカにおける学問的権威を象徴する機関の代表者として語っていることの「効果」である。サマーズは、その自らの地位のために、自分の発言が広く報道されることや、それが大衆に重く受けとめられるであろうことを熟知していたはずだし、それを期待さえもしていただろう。そのことがもたらす効果とは、「世論」がサマーズ同様に、イスラエル批判を反ユダヤ主義であるとみなすようになることであり、また、反ユダヤ主義という嫌疑を恐れて、人びとがイスラエル批判を避け沈黙するようになる、ということだ。こうして、パレスチナ被占領地におけるイスラエルの軍の破壊活動や人権侵害については、いっそう語られなくなっていく。

この言語行為論的な観点からの言説批判がバトラーの論旨の第一である。

そこから次にバトラーは、サマーズの描こうとするイスラエル国家＝ユダヤ人ないしユダヤ人＝イスラエル国家という同一化の論理を突き崩すための反例を挙げていく。[9]「イスラエル内にある少数ではあるが活発な平和運動」として、「ピース・ナウ」や「グッシュ・シャローム（平和連合）」、「イエッシュ・グヴール（もう限界だ！）」、「ブツェレム（神の似姿としての人）」、「タアユーシュ（共存）」、「ウィメン・イン・ブラック（黒衣の女たち）」など、海外でも名前の知られている平和団体に次々と言及する。[10] こうした運動の潮流の発生は、アカデミズムにおけるシオニズムの歴史の相対化とも並行する部分があり、「ポスト・シオニズム」の流れのなかに大きく位置づけることができるかもしれない。また、アメリカ国内で活動をする「平和を求めるユダヤ人の声」や「占領に反対するユダヤ人」などのユダヤ人団体にも触れている。

すなわちバトラーは、ユダヤ人とイスラエルが一体でないのはもちろんのこと、イスラエルの内部にいてさえもイスラエルと一体化することを拒否し、占領政策に反対するユダヤ人が少なからず存在することを強調することで、サマーズ的な「イスラエル国家＝ユダヤ人」、「イスラエル批判＝反ユダヤ主義」といった言説を無効化しようとしているのだ。

さらにバトラーは、シオニズムの歴史を建国期にまで遡り、「シオニズムに反対を唱えた」人物として、さらりとハンナ・アーレントとマルティン・ブーバーの名前に言及する。だが、この論考の時点では、詳しい議論は展開していない。

そこで次に、〇四年のバトラーによるエルサレム講演「ユダヤ人と二民族一国家構想《バイナショナル》」を参照しよう。

この講演でバトラーは、最初に、「二国家解決でいくべきであるとも二民族共存の一国家解決でいくべきだとも私は言うつもりはないが、いかなる国家も宗教に基づいて市民権を制限したり、あるいは市民権に段階を設けるなどということがあってはならないと考える」という前置きで自らの立場を明らかにしたうえで[11]、ブーバーとアーレントについて、それぞれやや踏み込んだ言及を行なう。前論文で展開できなかったことを補足するかのように。

ブーバーはシオニストではあったが、ブーバーの主張するシオニズムは「国家間の協力と民族間の協力、そして普遍的人権を約束するもの」であり、つまり、「ユダヤ人とパレスチナ人の文化的自律が保持された連邦的一国家においては、マジョリティがマイノリティに圧制を振るうことは決してない」。そうしたブーバーの主張（文化シオニズムとも呼ばれる）は、初代首相となるダヴィッド・ベン＝グリオン主導のイスラエル建国（テオドール・ヘルツルを継承する政治シオニズム）によって敗北し、ブーバーの考えるシオニズムは、偏狭なユダヤ・ナショナリズムとその排他的執権によって、むしろ「台無しにされてしまった」ということになる。バトラーは、このブーバーの思想が現在の政治地図のなかでは事実上不可能になってしまったことを認めつつも、「なぜ、どのようにそれが不可能にされてしまったのか、そしてどうすればそれが再び思考可能になるのかをこそ、われわれは問わなければならないのだ」と訴える[12]。

そしてこの講演を締めくくるところで、バトラーは今度はアーレントに言及する。そこで引用されているのは、アーレントがアイヒマン裁判を分析した『エルサレムのアイヒマン』を刊行したことをきっかけに起きた、アーレントとゲルショム・ショーレムとのあいだでの論争（公開書簡）だ。ショーレムが、辛辣にイスラエル批判をするアーレントに対して、「わが民族の娘」であるにもかかわらず「アハヴァット・イスラエル（イスラエルへの愛）、つまりユダヤ民族への愛」が欠けている、と非難を差し向けた。それを受けてアーレントはこう返している。

「ユダヤ民族への愛」あるいは「アハヴァット・イスラエル（イスラエルへの愛）」から始めさせてください。あなた［ショーレム］はまったく正しい――私はこの種の「愛」によっては心を動かされません。それには二つの理由があります。第一に、私はいままでの人生において、ただの一度も、何らかの民族あるいは集団を愛したことはありません。（…）私はただ自分の友人「だけ」を愛するのであり、私が知っており、信じてもいる唯一の愛は、個人への愛です。第二に、この「ユダヤ人への愛」は、私自身がユダヤ人であるからこそ、私にはむしろ何か疑わしいものと見えるのです。私は、自分自身を、あるいは自分と言う人間の一部であるものを、愛することはできないのです。[13]

このアーレントの返答についてバトラーはあらためて解説を加えることはせず、ただパレスチナの詩人マフムード・ダルウィーシュによる、アラブ人男性（自分）とユダヤ人女性のカップルの、やはり「愛」をめぐる対話詩をその応答として対置することで、この講演を終えている。その詩においては、一九八二年のイスラエルによるベイルート侵攻を背景にした二人のカップルが、互いに「あなたはアラブ人を愛しているのか」、「あなたはユダヤ人を愛しているのか」と問うては、互いに明確に答えられない。ユダヤ人を／アラブ人を、愛しているのか／憎んでいるのか、「それは問題ではない」と。そうして二人の対話は巡って、「私を愛しているのか」という問いに変わり、その答えは、「愛していない。あるいは、愛している」というパラドクスで終わる。[14]バトラーはただ、それを「決定不可能な状態のまっただなかに、アンビヴァレントな不安のなかにとどまりたいという欲望」と呼ぶことができるかもしれない、と言う——「何か新しいものが現れるまで互いにそばに寄り添い力を合わせていられるために[15]」。

この最後の抽象的な提起については、最後に立ち戻ることとしよう。

2. ユダヤ「人種」の矛盾とディアスポラ主義

イスラエル批判を反ユダヤ主義とみなして批判そのものを封じ込めるすり替えのレトリックを徹底してあばく議論にせよ、そうしたすり替えが前提するイスラエルとユダヤ人の同一視に反駁するための、イスラエル批判をするユダヤ人の言説の例示にせよ、バトラーの論旨はきわめて真っ当であり、その議論の運びは明晰だ。

だが、それにもかかわらず、そもそもジュディス・バトラーという人物がこれまで成し遂げてきた理論的功績に鑑みると、ある種の不満を感じることは否定できない。こうしたイスラエル批判は、バトラー固有の仕事であろうか、そしてバトラーだからこそ可能な貢献をなしているだろうか。

第一に、イスラエル批判とユダヤ人憎悪が別物であるという指摘は、あまりにも基本的なものであり、むしろバトラーまでもが介入せざるをえない言論状況の貧困と危機こそが浮き彫りにされている感がある。この種の言語行為論的な立場からの言説批判は、バトラーならずとも、つねにその都度の場面でわれわれ自身が反復すべきことであり、ここにバトラーの本領が発揮されているとは思われない。

第二に、バトラーが肯定的に論及する平和団体や思想家らは、バトラー自身も認めるように、そのことごとくが基本的には「シオニスト」である。ここでシオニズムの含意は、歴史的なパレスチナの地（ユダヤ人の呼称では「エレッ・イスラエル」）にユダヤ人が居住する権利を絶対的に肯定する立場、としておく。なかにはユダヤ人にのみの排他的な権利を主張する者もいるが、排他性を主張しなくとも、他の諸民族に同様の権利を等しく認めるということが事実上かつ論理上ありえないことからして、いかなるシオニストもユダヤ人に「特権」を要求していることは否めない。

逆に言えば、バトラーが触れた諸団体・個人らは、イスラエル国家のユダヤ的性格を部分的にではあれ不可侵の前提として認めたうえで、あくまでイスラエル政府・軍の具体的な横暴を非難しているのであって、イスラエル国家それ自体に対する根源的な批判はしていない、ということになる。

実際、占領地での軍務拒否であれ（イェッシュ・グヴール）、パレスチナ人被占領民への人権侵害の告発であれ（ブツェレム）、パレスチナ自治政府との和平交渉の推進であれ（ピース・ナウ）、そして占領地の返還・占領終結の訴えであれ（グッシュ・シャローム）、占領政策の見直しを求めているのであって、イスラエルという国家のあり方そのものを問うているのではない。また、ブーバーもアーレントも、ともにイスラエル建国期に排他的なユダヤ人国家となることに反対し、アラブ・パレスチナ人との共存を訴えてはいたが、あくまで排他的特権を否定したのであって、ユダヤ人がこのパレスチナの地で国家をもつことそのものに異を唱えたのではない。その意味では、（バトラーも認めるとおり）この二人ともシオニストであったことには疑いはない、という点についてはあらためて確認をしておく。

こうしたことは翻って、バトラー自身がシオニストではないこと（言い換えればシオニズム批判者であること）を決して保証はしない、ということを意味する。

加えて、こうしたイスラエル批判では、アイデンティティのカテゴリー化の問題をラディカルに論じた『ジェンダー・トラブル』や『問題＝物質となる身体』によってバトラーが切り開いてきた理論的地平が、何ら反映されていないという不満が強く残る。[16]

むしろ、バトラーの意図を超えてバトラーの思想的可能性を敷衍したイスラエル批判や、あるいは、バトラーの仕事に触発されたり呼応するようなラディカルなシオニズム批判がありうるし、また実際に提起もされている。

ここではそうした議論のいくつかを挙げておきたい。

まずはサマーズ学長批判のところで焦点となっていた「反セム主義」というそれ自体が問題含みの用語についてだ。文脈からそれが「反ユダヤ主義」のことを意味しているのは明らかではある。だが、聖書に照らした「セム族」という呼称[17]には、いわゆるユダヤ人もアラブ人も含まれる。そして、もっとも重要なことだが、イスラエル建国以前には、ないしシオニズム以前には、アラブ文化圏のなかにムスリムとユダヤ教徒とキリスト教徒がいたのであって、アラビア語を話し、アラブの諸文化を背負っている「アラブ人」が同時に「ユダヤ教徒」であることはごく普通のことであったはずだ。すなわち、一般的には「ユダヤ人対アラブ人」という対立図式でイスラエル／パレスチナ問題が「紛争」として表象されるが、ユダヤ人とアラブ人は本来的に別個の実体として対立するのではなく、「アラブ系ユダヤ人」ないし「ユダヤ系アラブ人」という存在がありえたのだ。

こうしたかつての「アラブ系ユダヤ人」らは、いまではミズラヒーム（東洋系ユダヤ人）というカテゴリーのなかに含み込まれ、ヨーロッパ系のアシュケナジームとは区別／差別されながらも、もう一つの主流をなす「確固たるユダヤ人」として認知されており[18]、同時にそのことで、「ユダヤ人対アラブ人」ひいては「イスラエル対パレスチナ」という対立図式が強化・反復されてしまっている。近年、イスラエル国内でもあらためてこうした問題提起がなされてきており、シオニズムがいかなる意味で人種差別《レイシズム》であり、植民地主義《コロニアリズム》であるのかを検証するにあたって、重要かつ不可欠な論点となっている。[19]

行為遂行性《パフォーマティヴ》の観点からアイデンティティ・カテゴリーをこそ問題視してきたバトラーが、「反セム主義」をめぐる言説批判をするときに、「セム」というカテゴリー自体を、そして「ユダヤ人アイデンティティ」をこそ、揺さぶり不安定化させる戦略をとることは、十分にありえたはずだ。いかなる「効果」としてユダヤ人が人種的カテゴリーへともたらされるようになったかを検証することは、アラブ・パレスチナ人に対する制度的差別・軍事的弾圧を正当化するイデオロギーを暴露することにつながるからである。

さらに、直接的にバトラーの仕事に隣接する本質的なイスラエル批判を参照しよう。『ジェンダー・トラブル』においてバトラーは、異性愛《ヘテロセクシュアリティ》の規範化というイデオロギーの分析をみごとに主題化してみせた。この理論的貢献は、たんにホモセクシュアルやレズビアンあるいはクィアという分野にとどまらない。それは、近代国民国家と家父長制との根深いイデオロギー上の共犯関係を分析することに対し、文字どおり画期的な貢献をなしたと言っていい。さらに、『問題=物質となる身体』においては、ジェンダー／セクシュアリティの問題に、「人種」アイデンティティを絡ませた議論に取り組み始めている。

ところで、近代シオニズムとイスラエル国家ほどあからさまにマッチョとヘテロセクシュアリティを深く刻印している例もほかにないだろう。シオニズム運動初期のパレスチナへのユダヤ人入植者を「力強い開拓移民」のように描き、「健全な男女」が農具を手にして夢見た新天地に立っている場面が、ポスターや紙幣などのデザインに頻繁に登場してきた。また、集団入植の増加とともに激化してきた先住アラブ・パレスチナ人との戦闘と、入植統制をするイギリス委任統治当局との戦闘においては、「民族（ないし未来の国家）のために命を捧げる」というイデオロギーが強調されてきた。

このシオニズム／イスラエル国家とヘテロセクシュアリティの関係を、ユダヤ教文化の内在的観点から批判的に分析を加えているのが、ジョナサン・ボヤーリンとダニエル・ボヤーリンの兄弟である。彼らは、ユダヤ教文化の真髄はむしろディアスポラにこそある、つまり国家なき離散状態で育んできた思想文化にこそあるという立場から、シオニズム／イスラエルの国民国家主義とはまったく異なるユダヤ的伝統を提示してみせる。

ボヤーリン兄弟とバトラーの『ジェンダー・トラブル』の問題視角が重なることがもっとも端的に現れているのは、二人の共著『ディアスポラの力』[20]に収められたダニエル・ボヤーリンによる「トリックスター、殉教者、利敵協力者《コラボレーター》――ディアスポラと抵抗のジェンダー・ポリティクス」であろう。その基本的主張は、「マッチョ」の対極としての「女々しさ」こそがタルムードを聖典とするラビ・ユダヤ教の特徴をなしていたのではなかったか、そしてシオニズムはまさにその転覆ではないのか、というものだ。あるいは、『問題＝物質となる身体』の一章を充ててバトラーは、ネラ・ラーセンの小説『パッシング（白い黒人）』を分析し、人種と性との関わりを主題的に論じたが、「パッシング」すなわち「なりすまし」（他者として通用すること）の問題については、ジョナサン・ボヤーリンが論考「ユダヤ人問題と国家理性」において、「カミングアウト」の概念とともに、周到な議論を提示している。

このボヤーリン兄弟の『ディアスポラの力』については、その錯綜した慎重な議論の全体をここで要約することもできないため、訳書にゆずる。むしろここでは、この著書の周囲にあるその他のボヤーリン兄弟の仕事を紹介しながら、いかに彼らの関心とバトラーの仕事とが呼応しうるものなのか、そしてそれがシオニズム批判／イスラエル批判につながるものなのかを見ておく。

実際、ジョナサン・ボヤーリンとダニエル・ボヤーリンが、それぞれの議論のなかでバトラーの著書に要所要所で言及することは少なくない。ジョナサンはたとえば、『ユダヤにおいて思考する』のなかの一章「法の前には女性が立つ――チャールズ・テイラー対ジュディス・バトラーに関して」[21]で、バトラーの議論を立ち入って検討しているし、ダニエルの『ラディカルなユダヤ人――パウロとアイデンティティ・ポリティクス』のなかの一章「男性も女性も存在しない――ガラテアびととジェンダー・トラブル」[22]は、その副題が示すとおり、バトラーの『ジェンダー・トラブル』からの引用で始まり、同じ引用で終わっている。

そうしたバトラーと接点をもつ仕事のなかでも特筆すべきは、ダニエル・ボヤーリンも編者の一人を務め、バトラーも小文を寄せている一冊の論集の存在であろう。『クィア理論とユダヤ人問題』というタイトルのその論集の編集意図は、ユダヤ人と同性愛《ホモセクシュアリティ》の交差と、それに基づいて反ユダヤ主義と同性愛嫌悪《ホモフォビア》を重ねる近代的言説の背景にあるさまざまな問題を、多くの論者が多方面から論じるというものだ。そこに収められているアリサ・ソロモンによる論考「ビバ・ラ・ディーバの市民権――ポスト・シオニズムとゲイの人権」は、バトラーが言及したポスト・シオニストたち――事実上それはシオニズム自体を揺るがすものではなく、たんに占領政策を批判するにとどまっていた――よりもラディカルに市民権思想を敷衍し、特権的な「ユダヤ人の帰還法」の廃止と、「女性たち、クィアたち、ミズラヒームのユダヤ人たち、パレスチナ人たち」にも平等な市民権を附与することを主張する。

ここに「クィアたち（同性愛者／変態）」が入るところが重要だ。つまり、シオニズムが異性愛《ヘテロセクシュアリティ》の規範化を核心部分にもっているのであれば、シオニズム批判は必然的にクィアの擁護でなければならないからだ。実際、ソロモンが指摘するのは、「シオニズムの父」テオドール・ヘルツルにおいて理想化されたユダヤ人は「筋肉質のユダヤ人（Muskeljuden）」、つまりマッチョなユダヤ人であり、それが現在のイスラエル国防軍を支えるイデオロギーにもなっているということだ。だからこそポスト・シオニズムの潮流のなかには、ゲイの運動団体が含まれる[25]。

ところで、このソロモンによるポスト・シオニズムとゲイの関係を探る議論が下敷きとしているのは、ダニエル・ボヤーリンの『非英雄的な振る舞い――異性愛《ヘテロセクシュアリティ》の高まりとユダヤ人男性の発明』[26]だ。このタイトルは端的に、非英雄的（unheroic ＝ 臆病／女々しい）であることを特徴としてきたはずのラビ・ユダヤ教の伝統にあっては、異性愛と男性性は近代的な発明品である、ということを示している。とりわけ、近代シオニズムにおけるセクシュアリティの転換を問題視している箇所でのボヤーリンの論述は鮮烈である。やや長くなるが、その一節を引用する。

> ヨーロッパにおけるディアスポラのユダヤ人男性が、［国家主権をもたず］政治的に無力化されている状況は、そのユダヤ人男性がクィアであるという性的な解釈を生み出した。というのも、政治における受動性は、フロイトの世界にあっては、同性愛《ホモセクシュアリティ》と同一視されるからであった。（…）ユダヤ人のこうした「女性的特徴」はまた、まさしくユダヤ人に固有の属性であるとみなされもする――反ユダヤ主義者とシオニストの双方にとって。離散《ディアスポラ》は本質的にクィアであり、反対にディアスポラの終焉は非同性愛《ストレート》になることに等しい、ということになろう。したがって、異性愛《ヘテロセクシュアリティ》の発明と同時に「ヘルツル的な」政治シオニズムが発明されたという事実を読み取ることは、完全に可能なのだ。（…）シオニストの夢の要素は、同性愛的要素の否定とすっかり適合している。フロイトのシオニズムは、同性愛嫌悪《ホモフォビア》として露見しているのだ。[27]

こうしてダニエル・ボヤーリンは、「シオニズムは、パレスチナへの帰還ではなく、ファルスへの回帰であった」[28]とまで皮肉っている。辛辣というほかはない。

こうして、ありえたはずの批判のあり方を、バトラーに隣接する分野に見いだすと、あらためて

『ジェンダー・トラブル』と『問題＝物質となる身体』の著者としてのバトラーが、もう一歩踏み出すことを躊躇しているように見える。バトラーならではのシオニズム批判／イスラエル批判には届いていないのだ。

3．パレスチナ人からの応答

だが、バトラーのイスラエル批判、あるいはイスラエル批判を反ユダヤ主義として封じるレトリックへの批判は、本人の意図を超えて、パレスチナ人の側に応答者を見いだす。イスラエル国内でイスラエル国籍をもつアラブ・パレスチナ人とユダヤ人とが共同で地道な活動を重ね、反シオニズムを鮮明にしている団体「民主的行動機構」の活動家アスマ・アグバリーエ（イスラエル国籍のパレスチナ人）は、「拡散する染み――反セム主義か反シオニズムか」と題する文章を発表し[29]、バトラーの「反セム主義という嫌疑」における問題提起を受けつつ、アラブ世界の知識人のなかに、実際に反シオニズムと反セム主義（反ユダヤ主義）とを区別しない悪質なプロパガンダを流している者がいることを、厳しく指弾する。

バトラーは、あらゆるイスラエル批判が「反ユダヤ主義だ」と叫ばれるようになると、われわれは真に反ユダヤ主義が起きたときに、それを判別することができなくなってしまう、という危険性を指摘しているが、それを受けてアグバリーエは以下のように述べている。

アラブの知識人が、「ユダヤ教＝シオニズム」という公式を説いて回り、たんにユダヤ人であるという事実のために、ユダヤ人はすべてシオニストで「敵」であると主張すれば、イスラエル批判を反ユダヤ主義だとレッテル貼りする人びとの思うつぼとなってしまう。反ユダヤ主義は、イスラエルがその国家存在を正当化するのを手助けしている。（…）もしシオニズムとユダヤ教が同じ一つのものだと言うのであれば、反シオニズムも反ユダヤ主義と同じであるということになってしまう。[30]

こうした論調がアラブ世界で広まりつつある原因については、アグバリーエは、アラブの政治的退行と宗教原理主義者の台頭があると言う。一九八七年からの第一次インティファーダの際には、多くのパレスチナ人たちが、闘争を政治の次元に保ち、宗教紛争や人種対立に陥らないよう、意識的に慎重にシオニストとユダヤ人とを区別していたことを想起しよう、とアグバリーエは注意を促す。だが、九三年のオスロ合意以降も巧妙に継続・拡大される占領政策に囲い込まれ閉塞するなかで、アラブ・パレスチナの指導者・知識人たちは、世界規模での政治経済を視野に入れたオルタナティヴな思想運動を構想するよりは、格差や差別に対する不満の捌け口を「ユダヤ人一般」に差し向け、「陰で糸を引いている裕福で悪魔的なユダヤ人」というステレオタイプに訴え、「古くて新しい反ユダヤ主義」

を欧米から輸入してしまう。

自分たちの不幸の原因としてユダヤ人を一般化して扱うことで、アラブ人たちは、占領に対抗するための連帯の可能性を失ってしまった。アラブの知識人らは、共通の利害をユダヤ人と分かち合うよりも、むしろ、ユダヤ人と距離をおいてしまっている。この紛争を国際的に解決することを信じているユダヤ人が、イスラエルの内外に数多く存在すると言う事実を、彼らは無視しているのだ。[31]

そのために、パレスチナ／イスラエル問題は、シオニスト対アラブや、植民地主義者対植民地下におかれた人びと、という観点からではなく、「ユダヤ人対ムスリム」といった宗教的観点から見られるようになってしまった。

つまり、反ユダヤ主義とイスラエル批判が判別できていない言論は、パレスチナにおいて、蔓延しているとまでは言えないが、実際に一定流通しているのだ。もちろん、だからこそアグバリーエは、イスラエル批判ないしシオニズム批判と反ユダヤ主義とを切り分けなければならないというバトラーの訴えに呼応したわけだ。

ここで付け加えなければならない重要な事柄は、こうした罠に気づき、そこに陥らないよう訴えているアラブ・パレスチナ人の知性（アグバリーエもその一人）が具体的に存在するということであり、また、そうしたアラブ・パレスチナ人と反シオニズムの理念を共有できるユダヤ人がイスラエルにおり、共同で地道な活動を積み重ねているという事実だ。[32] バトラーは、あくまで「アメリカ社会に住むユダヤ人」として発言をしているのだが、その声がパレスチナに届き、かつ、別の角度からの内省的考察を促すことに繋がったということは、特筆に値する。

そうした認識は、とりわけ日本の言論界でも、昨今ひじょうに危うい議論が流通していることに鑑みて、重要なことのように思われる。それが端的に表れているのは、たとえば池内恵という中東研究者においてだ。池内は『現代アラブの社会思想』などで、アラブ世界にいかがわしいユダヤ陰謀論やカルト思想が蔓延し、言論の自由も自己内省も民主主義も欠けていると説き、それをもって、イラク戦争を含むアメリカの中東政策および、日本の自衛隊派兵も含むアメリカへの協力を全面的に支持する言動を繰り返している。[33] むしろ、池内本人にこそ自己内省の欠如が指摘されるべきだろう。また、池内は、長年誠実にイスラエル批判／シオニズム批判を重ねてきた板垣雄三に対し、「反ユダヤ的」というレッテルを貼っている。[34] バトラーが批判をしていたサマーズ学長の日本版がここにある。

おわりに

最後に、バトラーが、「愛」をめぐってアーレントとダルウィーシュを対置させたところに立ち戻り、何を伝えたかったのかを考えたい。

バトラーは、二人の錯綜した「愛」――民族を愛することはできるのか／あなたを愛することはできるのか――に関するテクストを受けて、そこにはらまれるパラドクスとは、「何か新しいものが現れるまで互いにそばに寄り添い力を合わせていられるよう、決定不可能な状態のまったただなかに、アンビヴァレントな不安のなかにとどまりたいという欲望」であると記した。ボヤーリン兄弟に倣うなら、このきわめて受動的で「非英雄的」な態度こそ、まさにディアスポラ的と言うべきではないだろうか。バトラーは、一連のイスラエル批判に関する議論のなかで、ほとんどユダヤ教やユダヤ文化そのものを主題的には語ってこなかった。だがこの最後の最後で言い添えられた一言は、見事なまでに、ディアスポラのユダヤ的伝統を体現している。

アーレントは、本書第四章でも引いたように、あるインタヴューで次のような発言をしていた。

世界喪失こそ、ユダヤ民族が離散において被ったものです。世界喪失は、すべてのパーリアたちに見られるように、そこに属していた人びとのあいだに、一種独特の暖かさを生み出しました。これは、イスラエルの建国とともに変容してしまいました。（…）世界喪失という徴を帯びた、特殊な意味でユダヤ的な人間性というものは、何かとても美しいものだったのです。あらゆる社会的な結びつきの外に立っているということのこと、一切の先入観から離れているということのことは、とても美しいものだったのです。（…）当然のことながら、イスラエル建国とともにそれらすべてが徒途方もなく大きな損害を被りました。解放の代償です。[35]

これこそが、国家なきディアスポラの民こそがもちえる／もちえた特性と言えよう。そして必然的に、ディアスポラを終焉させ、ユダヤ人が「国民」となったことで、それはその「代償」として失われてしまった。いや厳密には、シオニズムの興隆と展開につれて徐々に失われてきたが、いまのイスラエルを拒絶しようとするユダヤ人たち――バトラーもまたその一人だ――にはまだ残っているかもしれない、そういった特性だ。

バトラーのイスラエル批判は、一方で占領政策批判にとどまろうとするネガティヴな躊躇を見せながらも、他方で「アンビヴァレントな不安のなかにとどまりたい」というポジティヴな躊躇をも示していた。その後者の躊躇のなかで、「互いにそばに寄り添い力を合わせて」活動をしているパレスチナ人とユダヤ人たちが具体的に存在し、「ユダヤ人国家」でもなく「アラブ人国家」でもない、決定不可能でアンビヴァレントな解決の方向を模索している。それを人によっては「二民族共存の一国家《バイナショナリズム》」と呼ぶかもしれないが、バトラーは先のエルサレム講演で、解決が一国家か二国家かのどちらにあるのかをあえて明言せずに、とりあえず市民権の平等に訴えたのだった。[36]だが、もしバトラーがもう一歩を踏み出すのであれば、占領批判と市民権思想にはとどまらないシオニズム批判が展開されうるだろう。

第七章

アイザイア・バーリンの「矛盾」

はじめに

本章ではもう一人、リベラルなユダヤ系の思想家としてイスラエルと屈折した関係をもっていた、アイザイア・バーリンについて見ていきたい。

政治哲学および思想史の研究者でリベラリストとしても著名なバーリンは、他方で、政治的理念としてのシオニズムを堅持し、建国後のユダヤ人国家イスラエルを強く支持しつづけたことでも知られる。もちろん、ユダヤ人としての確固たるアイデンティティをイスラエル国家に直結させていたとはいえ、ラトビアに生まれ育ち、移住した先のイギリスを終の住処とした（つまりイスラエルへの移民をしなかった）バーリンの思想的源泉が、ユダヤ的なものに劣らずロシア的なものとイギリス的なものにもあることは、自他ともに認めるところであり、バーリンの思想はユダヤ思想やシオニズムとの関係にのみ規定されているわけではない。

だが、そうとはいえ、バーリンのリベラリズム思想が、具体的なシオニズム国家としてのイスラエル支持とどのように両立しうるのか、あるいはその両者がいかなる関係にあるのかは自明ではない。というのも、ユダヤ教ないしユダヤ思想と政治思想としてのシオニズムとは異なる位相にあり、論理必然的な関係にないどころか、むしろユダヤ教とシオニズムには相互に矛盾・対立する側面が多々あるからだ。したがって、バーリンがシオニストであることは、その思想的背景に「ユダヤ的なもの」があることからは説明することができず、あくまでバーリン自身のリベラリズム論やナショナリズム論との関連において検討しなければならないことだと言える。

他方で、バーリンを哲学・思想の観点からのみ論じるには、ある種の困難が伴う。実際、バーリンを純粋な理論家として見立て、そのリベラリズム論やナショナリズム論を徹底した哲学的な厳密さでもって、その不備や矛盾を指摘しつつ批判を加えていくことは容易なことだ。しかし、それでは本質的なバーリン論ないしバーリン批判になりえないのは、彼が「自分の任にあらず」とあえて抽象的な哲学の次元での理論的探究を放念し、つねに思想史のなかで議論を提起しているからである。同時にバーリンは、たんに政治力学のリアリズムの次元にとどまって抽象的考察を放棄しているわけではなく、そういった観点からの政治論的なバーリン批判もまた有効ではない。彼の思想史は、その「中庸」において均衡と緊張を維持している点に独自性をもっており、バーリンへの批評はあくまで彼自身の見定めている議論の水準でなされなくてはならない。

1. リベラリズム／ナショナリズム／シオニズム

1-1 文化的ナショナリズムとシオニスト左派

まずはバーリンのナショナリズム論の確認から入ろう。周知のようにバーリンは、ナショナリズムを二つの類型に分け、一方を排他的・攻撃的に作用するものとして拒否しつつ、他方を「非攻撃的なナショナリズム」として擁護した。[1] この後者は、バーリンがヨハン・ゴットフリート・ヘルダーにその起源を求めた、共同体への「帰属意識」を基底とする文化的なナショナリズムのことであり、決して膨張主義的な他者支配には走らないものである。これは、いわゆる自民族中心主義の否定でもあり、バーリン自身の思想的特徴とされる「消極的自由」や「多元主義」といった概念と通低している。[2]

バーリン自身は自らを合理主義者の系譜に位置づけていたが、方法論的には、対立概念の理論的先鋭化よりも、むしろその緊張関係の均衡を志向しており、合理主義の対極に位置づけられうるロマン主義者としてのヘルダーおよびその師ともされるヨハン・ゲオルク・ハーマンへと、こうした文化的ナショナリズムの考え方を遡らせた。ヘルダー論のなかでバーリンは、「大小の人間集団は、風土、地理、物理的・生物的必要などの因子の産物であり、共通の伝統、共通の記憶から成立しており、その主要な結びの環、伝達の具は、言語である」[3] とし、またハーマン論において「言語」の果たす役割を詳細に論じている。[4]

ヘルダーとハーマンに依拠しながら言語をはじめとする文化の「自然的基盤」を強調しつつ、バーリンは、一方では上記のように政治的覇権主義を戒め、他方では普遍主義やコスモポリタニズムを戒めた。「自然が言語・風習・特徴によって分けたものを、人が化学によって人工的に繋ぎ合わせるべきではない」というヘルダーの言葉を引用し、[5]そうした企てを進めれば、「架空の抽象的対象、言い換えれば理想化させた実在物をでっち上げて、現実を人工的虚構物の寄せ集めに変形してしまう」と難じた。[6]

またバーリンは、シオニズムの先駆的主張を打ち出したモーゼス・ヘスを手放しで絶賛し論ずるなかで、ヘスが矛盾なく同時に社会主義者でありシオニストであることを強調し、前述の意味での文化的ナショナリズム論者であったとする。[7]すなわちバーリンは、「ヘスにとってのユダヤ教は、（…）熱狂的ナショナリズムを排除し、（…）同じように空虚で作為的なコスモポリタニズムも排除する。（…）真のインターナショナリズムのための第一条件は、国民が存在するということである。インターナショナリズムは、国民を消滅させるのではなく、結合させるための運動である［とヘスは主張していた］」[8]と論じ、文化的ナショナリズムを肯定したうえで、それをシオニズムと併置したのだった。

シオニズムとは、ユダヤ人がユダヤ人自身の国家をもつべきだという考え方（差異はあれども）であり、ユダヤ人が「国民」になるべきだという意味で原則的に「ユダヤ・ナショナリズム」である。このシオニズムは、一九四八年にユダヤ人国家としてのイスラエル建国によって具現化され、建国後現在にいたるまでイスラエル国家を支えるイデオロギーでありつづけている。こうした広い意味で、バーリンは一貫して確固たるシオニストであった。

バーリンは、ナショナリズム論と自らのシオニストとしての信念の関係を、晩年のインタヴューではっきりと述べている。

シオニズムの目的は正常化である。ユダヤ人が他の国民と同じく一つの国民として生きていける状態をつくり出すことであった。(…)少数民族集団であることを厭わないなら、それもいいだろう。少数集団であることには悪いことは何もない。(…)もし少数派に属することを望まないなら、そして正常な生活を望むなら、それを得られるのは自分と同じ文化を有している国でだけである。この道は開けておかなければならない。[9]

そうした意味において、シオニズムは国民《ネイション》を生み出す「ナショナリズム」にほかならない。シオニストであるバーリンが、自らの提起する二分法である攻撃的ナショナリズムと文化的ナショナリズムのどちらにシオニズムを置くのかと言えば、もちろん後者だ。「シオニズムの起源はひじょうにまともなもの、ヘルダー主義的なものであった」[10]。つまり、「ヘルダーにとって国民《ネイション》とは国家《ステイト》ではなく、同じ言語を話し、同じ国土に住み、同じ習慣、共同の過去、共通の思い出をもつ人びとという文化的実体」[11]であったのだが、シオニズムはそうした意味でのヘルダー主義的な文化的ナショナリズムであるというのである。

さらにバーリンは、現代イスラエル政治の政党的配置のなかでの自らの位置取りについてまで、あからさまに語っている。「私は、シャミル氏、シャロン氏、ベギン氏の支持者ではない。彼らは文化的、道徳的、政治的、物質的にイスラエルに大きな害を与えたと思う」[12]と。この言明についてはこれ以上の詳しい説明はその場ではなされていないが、シオニズムと現代イスラエルについて多少とも知っている者には、これの意味するところは明確だ。端的にこれは、バーリンがイスラエル労働党（およびその系譜）に代表されるシオニズム左派を支持しているのであって、その対抗勢力であり上記三人が党首であったリクード党（およびその系譜）のシオニズム右派に対しては批判的である、という意味だ。

本書第一部で見てきたように、建国以前からシオニズムには諸派が存在し、一般にシオニズム左派とシオニズム右派とに分かれるとされる。相対的に武力よりも外交・国際支援を重視したハイム・ワイツマン（後に初代大統領）やダヴィッド・ベン＝グリオン（後に初代首相）らが主流派を形成し、後に労働党へと発展していく。これが「シオニズム左派」と呼ばれる。これに対してウラディミール・ジャボティンスキーを祖とする原理主義グループ（シオニスト修正主義と呼ばれた）は、外交力によるのではなく武力によってパレスチナ全土を実効支配し、パレスチナ人を徹底的に追放することこそが純粋なユダヤ人国家への早道でありまた理想形であるとし、反主流派をなした。彼らは主流派に比して小さな組織であったが、武力行動においては過激に走り、政治組織としては建国後に他の右派組織とともに後にリクード党結成へと発展していった。これが「シオニズム右派」と呼ばれる。この左右両派に代表されるシオニズムの対立・競合がイスラエルの政党史を形成していると一般には了解されている。

つまり一方で、バーリンが不支持を表明し害悪であると非難までした、メナヘム・ベギン、イツハク・シャミル、アリエル・シャロンは、代々のリクード党首であり、代表的なシオニスト右派だということになる。他方でバーリンは、ワイツマンと長く親交を深め、その評伝まで著わし[13]、またベン＝グリオンとも政治的な接点を維持するなど[14]、外部にいながらもイスラエル労働党とは深い関係を保った。このことはすなわち、バーリンがシオニズムの二類型についてはこれ以上明示的に語っていないとしても、二つに類型化された文化的ナショナリズムと攻撃的ナショナリズムが、それぞれシオニズム左派とシオニズム右派に対応しているということであり、バーリン自身は文化的ナショナリズム＝シオニズム左派の側に立つということを意味する。

1-2　バーリンの遺言

バーリンは、思想史家を自任していることや、イスラエルへの移民をせずにその外部にいることなども作用してか、イスラエルの政治事情について踏み込んだ発言は控えるか、あるいは少なくともそうした発言の活字化は抑制していたようだ。しかし、バーリンが労働党の支持基盤のひとつでもある穏健派和平団体「ピース・ナウ」の一員としてコミットしてきたことは公然の事実であり、このことはシオニスト左派としての個人的立場とも合致している。ピース・ナウは、実際には左派と言うほどのラディカルさはなく、先の二分法で見た場合の「シオニズム左派」である労働党と近い団体である。右派があくまでパレスチナ全土のユダヤ化（いわゆる大イスラエル主義）を理念として堅持するのに対して、左派は、入植活動などによってこれまで支配・獲得した領土を既成事実として線引きし、そのこちら側をイスラエル国家として国境を最終画定し、その向こう側に「パレスチナ国家」の建設を認めるという、いわゆる「二国家解決案」を主張している。いわば小イスラエル主義のほうが、その領域内でのユダヤ性（端的にユダヤ人の人口比率に反映される）をできるだけ純粋に保つことができる、という考え方から来ている（対して、大イスラエル主義は、パレスチナ人全員の抹殺ないし追放が現実化しないかぎりは、獲得した広大な領土内に多くのパレスチナ人を抱え込んでしまい、「純粋なユダヤ人国家」がかえって遠のくという矛盾を抱えている）。つまり、バーリンにとっては左派的理念こそがユダヤ人国家を維持するための現実主義的な選択肢であったと言えよう。

このことをバーリンが、「遺言」とも言える形で最期まで強く主張していた事実は、その思想的立場の一貫性を鮮明に浮かび上がらせる。バーリンが病に伏し、自らの余命が長くないことを悟った一九九七年一〇月一六日に、イスラエルのユダヤ人の親しい友人を呼び寄せ、口述筆記をさせた「イスラエルとパレスチナ人たち」と題された文章がそれだ。実際バーリンは、それからわずか二〇日後の一一月五日に他界し、その遺言はその二日後の七日に、イスラエルの全紙に掲載された。さほど長い文章ではないため、以下に全文を示す。

両者がともにパレスチナの地の全面的領有を歴史的権利として主張しているが、現実的にはそのいずれもが、重大な不正義をもたらすことなしに受け入れられることはありえない以上、オスロ合意の線に沿った領土分割——そのためにラビン［当時首相］が頑迷なユダヤ人によって暗殺をされたのだが——といった妥協が唯一の正しい解決策であることは明白である。

理想を言えば、われわれが呼びかけているものとは、善き隣人としての関係構築であるが、しかし頑迷なテロリストの排外主義者が数多く存在することを考えると、そうした関係は実現不可能である。

したがって解決は、取り返しのつかない深刻な損害を両方に与えかねない残忍な戦争といった最悪の事態を避けるために、不承不承であろうとも忍耐をするという線に沿ったところにしかありえない。

エルサレムについては、イスラエルの首都として維持されなければならないが、ムスリムの聖地としての権利はその境界線を越えて認められ、またアラブ人地区は国連によって、必要であれば力ずくでもその地位が保障されなくてはならない。

アイザイア・バーリン
一九九七年一〇月一六日15

こうした主張内容そのものは、そのどれをとっても労働党やピース・ナウなどのシオニスト左派の主張としてありきたりのものであり、とくだん注目すべき点も見当たらないが（それよりもバーリンが自らの死の間際まで気にしていたという事実が重要であろう）、むしろだからこそバーリンらしい「現実主義」の表明であるとさえ言える。「オスロ合意」とは、一九九三年にイツハク・ラビンが首相として率いる労働党政権下で結ばれた、イスラエル政府とパレスチナ解放機構（PLO）の相互承認と、パレスチナの暫定自治を段階的に進め、将来的には独立し二国家方式によって最終解決を図るという方向性の確認のことである。[16] これに異を唱える右派（大イスラエル主義者）のユダヤ人によって、バーリンも記したように、のちにラビンは暗殺された（九五年一一月四日）。またバーリンはこのなかで、一方ではエルサレムが、国際的には軍事占領地にほかならない東エルサレム（旧市街を中心にアラブ人居住地域がある）をも含めてイスラエルの首都であると言い、他方ではイスラームの聖地やアラブ人地域への配慮を示した。つまり、エルサレムを含むイスラエルのユダヤ性を不可侵の一線として強固に主張しつつ（シオニズム）、同時に一定のパレスチナ側の権利を尊重してみせた（リベラリズム）、ということになる。この二面性こそ、バーリンならではのものであろう。

1-3　リベラル・ナショナリズム

この立場を思想と行動の双方で受け継ぎ体現しているイスラエルのユダヤ人研究者・活動家・政治

家に、ヤエル・タミールがいる。タミールの『リベラル・ナショナリズム』[17]と題された著書は、もともと留学先のイギリスでバーリンの指導下で書かれた学位論文であった。そしてタミールは、ピース・ナウの活動家でもあり、また労働党政権下（または連立内閣）で入閣したこともある。まさにバーリンの正嫡にふさわしい人物と言える。

『リベラル・ナショナリズム』の主眼は、端的にそのタイトルに表されており、現代の政治理論において相対立する概念であるとされているリベラリズム（個人の自由）とナショナリズム（共同体への帰属）を原理的に融合させることにある。その特徴は以下のようにまとめることができよう。第一に、バーリンが自らの思想史的特質ないし源泉として論及してきたリベラリズム（「二つの自由」のうちの「消極的自由」）とナショナリズム（「二つのナショナリズム」のうちの「文化的ナショナリズム」）との両立・相互補完を理論的に説明したこと。第二に、バーリンが概念化するあるいは名づけることをしなかったそうした融合に、「リベラル・ナショナリズム」という端的な名称を付与したこと。第三に、ピース・ナウでの活動経験もふまえて、こうした主張が現代イスラエル政治においてもつ意味についても積極的に論じたこと。この三点だ。

実のところ、師バーリンと同じように、タミールの主張も理論それ自体としては常識の範囲を超えるものではなく、またそもそも理論的な厳密さや限界的な可能性を追究したものではない。その点においてもタミールはバーリンに忠実であった。個人の自由意志と文化的共同体への帰属との両立に関する議論においては、たんに「健全なナショナリズム」が無条件に前提され、そこに消極的自由という要素を付加するにとどまる。

これは理論的考察ないし論理的帰結だとはとうてい言えず、そのことは、同書のイスラエルやシオニズムへの言及箇所において露呈している。ユダヤ人の民族的一体性とイスラエル国家のユダヤ性、つまりユダヤ・ナショナリズムについては、それ自体が攻撃的だったり排他的である可能性が省みられることがなく、せいぜい占領地（ヨルダン川西岸地区とガザ地区）におけるイスラエル軍の暴力を非難するにとどまる。どれだけ豊富な事例を世界史から引き出し、どれだけ多様な思想家のロジックを援用しても、シオニズムやナショナリズムそれ自体が問いに附されることだけはぜったいにない。逆にそれを文化的実体に基づく共同体への帰属意識として自明視したうえで、それに抵触しない範囲でリベラルな要素を持ち込もうとしているのだ。

アメリカのユダヤ人政治思想家マイケル・ウォルツァーは、バーリンとシオニズムの関係を論じたときに、タミールのリベラル・ナショナリズム論に言及しつつ、バーリンを「リベラル・ナショナリスト」ではなく「リベラル・シオニスト」と呼んだ[18]。バーリンもタミールも使用していない名称であるはずだが、公然とピース・ナウの支持者であるウォルツァーにして、蓋し適切な表現であろう[19]。

2. シオニズムにおいて「左派」で「和平派」であること

2－1　政治シオニズムと文化シオニズム

しかしながら、以上のようなバーリンのナショナリズム論とシオニズム論の類型化が、あえて触れようとしないシオニズムの対抗的な潮流が歴史的に存在する。これまでもたびたび言及してきた政治シオニズムと文化シオニズムと呼ばれるものがそれだ。そして実のところ、その対抗関係ほうがむしろ、イスラエルの国家的な性格を決然と分けるはずのものであり、バーリン自身による二つのナショナリズムの類型化にそれぞれ該当するはずのものではないだろうか。

政治シオニズムと文化シオニズムの概念区分はすでに本書第一部で見たところだ。政治シオニズムは、「ユダヤ人はユダヤ人だけの純粋な民族国家をパレスチナの地にもつべきである」という理念だ。先に触れた「シオニズム左派」も「シオニズム右派」もともにこの理念を共有しており、いずれも「政治シオニズム」の一系譜である。その二つの違いは、たんにそうしたユダヤ人国家を実現するための手法と急進度の差にすぎない。左派は相対的に外交交渉を重視し、その妨げになりうる過度な武力行使には慎重になる傾向があり、逆に右派は武力行使が外交に対する圧力として作用する点を重視し、極端な主張と手段に訴える。だがその目標は「純粋なユダヤ人国家」という点で一致しており、そのために組織的入植活動により最大限の土地を既成事実として獲得し、一人でも多くのユダヤ人を世界から結集させ、一人でも多くのアラブ・パレスチナ人を放逐することを是とする点も共通する。

左右両派のシオニズム運動は、建国以前から現在に至るまで、一貫してこの枠組みの内部にいると言っていい。

それに対して、文化シオニズムの立場は、「ユダヤ人が民族意識と自決権をもつためにパレスチナの地との文化的・精神的な繋がりを重視するが、それはユダヤ人だけの民族国家を意味しない」というものだ。これが思想運動としての興隆を見せたのは、イスラエル建国以前の一九二〇—四〇年代のことだ。理念的には、ヨーロッパの「国民国家」によって自分たちユダヤ人が「非国民」として排除されてきた以上、別の自分たちだけの純粋な民族国家をつくることは新しい排除を生み出すにすぎない、と考えていた。民族＝国民＝国家という単一の政治的覇権の理念そのものへの批判である。また現実的にも、先住のアラブ・パレスチナ人がいたるところに住んでいるなかでは、いかなる土地の分割によっても、「純粋な」ユダヤ人国家など不可能であり、それを強引に実現させようとすれば暴力的排除は不可避だと文化シオニストらは考えていた。そして、代案として、ユダヤ人とアラブ人のどちらもが多数派を目指すことのない二民族共存《バイナショナリズム》の一国家を提案したのだった（本書第二章参照）。

建国期前後の政治シオニストの代表者は、先に触れたベン＝グリオン、ジャボティンスキー、ワイツマンらが挙げられ、文化シオニストないしバイナショナリストの代表的人物としては、マルティン・ブーバー、ユダ・マグネス、ハンナ・アーレントらが挙げられる。バイナショナリストは一九四八年のイスラエル建国のギリギリまで政治シオニストらに抵抗し、そしてその建国とともに敗れ去った。運動を中心的に担っていたマグネスが建国直後に死去したこと、後継と目されたブーバーとアーレントのあいだにはマグネス抜きでは直接的接点がなく共闘関係にならなかったこと、そして二人ともに運動を組織する活動家というよりは孤高の哲学者であったことなどの要因もあり、この文化シオニズムないしバイナショナリズムはイスラエル建国とともに事実上の終焉を迎えた。

2-2 「政治的／文化的」と「右派／左派」の(非)対応

政治シオニズムと文化シオニズムとの対立関係に照らして、あらためてバーリンの文化的ナショナリズムを検討しよう。二つのシオニズムの決定的な差異は、ユダヤ人の独占する国家覇権の有無にある。先に概観したように、バーリンの肯定する文化的ナショナリズムは、ヘルグーに起源を見いだすことのできる非攻撃的ナショナリズムのことであった。バーリンはこのことに関して、「ヘルダーは、文化的な民族自決以上のものを決して要求しなかった。(…)政治的な枠組みをもたない文化的な民族自決がまさにいま重要なのだ」[20]と明確に述べている。つまり、たんに攻撃性の有無という曖昧な程度問題なのではなく、民族自決あるいはナショナリズムが政治的覇権を伴うのか否かという、原理的な区別をこそ厳然として認めていた。少なくともバーリンは、ヘルダーからそういった意味合いでのナショナリズムを読み取り、それをこそ評価していたはずである。

また、ヘルダーが、「自然に基礎をもつ文化が創り出すものは国民《ネイション》であって国家《ステイト》ではなく、またある国民が他の国民に対して優越しているという考え方に反対していた」、という点をバーリンは繰り返し強調している[21]。文化的ナショナリズムが国家をつまり政治的覇権を生み出すのではないということとは、自民族の優越性という考え方つまり自民族中心主義を破棄しているということを意味する。これは、バーリンが一貫して保持していた「シオニズム右派」対「シオニズム左派」の対立における左派（労働党やピース・ナウ）に合致するのではなく、「（左右両派の）政治シオニズム」対「文化シオニズム」の対立構図における文化シオニズムにこそ合致する。前述のように、ブーバーらの文化シオニズムや、ブーバーとアーレントがともに提唱したバイナショナリズムの特徴は、ユダヤ人のみによる純粋な国家という理念への批判であり、アラブ・パレスチナ人と同じひとつの政治的枠組み内部での共存にある。パレスチナの地とユダヤ人との繋がりは文化的・精神的なものにこそあり、その地を政治的に占有することは含意されない。そうであれば、バーリンの称揚する非攻撃的なナショナリズムと呼応するのは、政治シオニズムとしてのシオニズム左派ではありえず、文化シオニズムにほかならないことになるはずだ。

にもかかわらず、バーリンは、政治シオニズム／文化シオニズムの区分に言及することもブーバーについて論ずることもない。宗教的なブーバーと比較的世俗的なバーリンとのあいだに距離があったことも一因かもしれない。さらに、世俗的なアーレントに対しては、晩年のインタヴューにおいてバーリンは感情的なまでの反発さえ示している。インタヴュアーから、バーリンとアーレント両者のヘルダー理解は近いのではないかと指摘されたのに対し、『エルサレムのアイヒマン』などの「イデオロギー的な著作」に反感を覚えると返している（が、それ以上立ち入った説明までは展開されていない）[22]。

2-3　シオニストにおける「和平」

シオニズム左派とシオニズム右派との区別のしがたさは、実際、バーリン自身が「遺言」で支持を表明したラビン当時首相によるオスロ合意においていっそう明白になってくる。この区分は、イスラエルの現代政治における政党力学のなかでこそ、選挙や組閣や連立をめぐる利害から、過度に際立たせられてきたが、政治イデオロギー的には本質的な差がないことはすでに述べたとおりだ。バーリンの「二つのナショナリズム」の区分と左右両派のシオニズムの区分とが適合しないのも必然的と言える面がある。

このことがラビン政権のオスロ合意以降明白になるというのは、以下のような構図においてである。左派労働党政権と右派リクード党は、ラビン暗殺後はシーソーゲーム的な浮沈を選挙のたびに繰り返したが、双方がラビン路線の継承を訴えた（ちなみにバーリンの「遺言」と死去はその時期と重なる）。というのも、ラビンがその長い軍人経験においてタカ派的な戦歴を数多く残しており、政治家としても理念的な平和論者であるよりははるかに「力による和平」論者であったために、ラビン個人としては左派のみならず広く右派からの支持も得ることができたからである。そしてオスロ合意とは、その内実は決して対等な「和平合意」などではなく、ひじょうにいびつで不均衡な「二国家分離解決」路線の始まりであった。すなわち、パレスチナ占領地にあるユダヤ人入植地の大半がそのままイスラエルの正式領土となる可能性を許容しており、それ以外の「不要で不効率な（つまりパレスチナ人の多い）土地」を切り離すという、「一方的分離」政策の開始だ。これは、パレスチナ国家独立の承認ではなく、むしろ正反対にパレスチナが国家としては独立できない状態に永続的に追いやることを、オスロ合意は最初から目論んでいたということであった。

そしてその路線を見事なまでに継承し具体化してみせたのが、皮肉なことに、バーリンが不支持を明確にしたアリエル・シャロン（のちにリクード党首および首相）であった。ラビンと同じく、軍人としても政治家としてもタカ派を貫いたシャロンは、右派連合としてのリクード党結集の立役者であったばかりか、ラビンの死後一〇年を経た二〇〇五年に、圧倒的支持を背景に自らリクード党を飛び出し新党（カディマ）を結成し、労働党との連立路線を打ち出した。それは連立の足枷となる一部の極右を切り離すのと同時に、ラビンの後継を競う労働党をそのまま取り込むという狡猾な戦略であり、外見的な左右対立の構図もそこで崩壊させられた。シャロンは、ガザ地区およびヨルダン川西岸地区の一部の領土化を断念し切り離すのと引き換えに、西岸の入植地の大半を領土化する分離壁建設を着実に進めるという、あからさまに攻撃的なナショナリストを超えて、もはやショーヴィニストとしか言いようのない政策を押し進めたが、逆説的にもそのために「和平の人」の称号を手にすることとなった。占領地を一部でも手放すことに反対する絶対的な大イスラエル主義者の非妥協的な批判からシャロンを断固として擁護したのは、ほかならぬピース・ナウをはじめとする平和団体であったのだ。不幸にして新党結党後まもなく昏睡状態に陥ったシャロンは、もの言わぬ伝説の「和平の人」となり、その後は各党がこぞって「シャロン路線の継承」を訴えることとなる。すなわちそれはラビン路線の継承でもあるのだ。

そうした目でもう一度バーリンの遺言を読むと、リベラル・ナショナリストならぬ「リベラル・シオニスト」でさえなく、「リベラル」の抜け落ちた純然たる「政治シオニスト」の様相を呈してきてしまうのだ。

3．シオニストの自己矛盾

3-1 「平和のメッセージ」

二〇〇六年一一月四日、ラビンが暗殺されてから一一年目の命日の追悼の式典でも、例年のようにやはりバーリンが峻別したはずの左右両派のシオニストらが全国民的に結集し、ラビン-シャロン路線の踏襲を再確認し合った。その式典の基調講演をしたのが、イスラエルの国民的作家であり、最も良心的とまで言われる和平派知識人であり、ピース・ナウの広告塔でもあるダヴィッド・グロスマンであった。グロスマンの講演の全文は、翌五日（偶然だがバーリンの命日でもある）の新聞に掲載され、即座に英語にも訳され、「平和のメッセージ」として世界へ伝えられていった。[23] 真摯に「パレスチナ人との対話」を呼びかける姿勢を失うことのないグロスマンの姿勢は、世界的な評価を得つつある一方で、保守的なイスラエル人からは煙たがられるほどに「左派的」とみなされている。

だが、グロスマンの立場は、徹底してバーリンの立場と共通しており、「リベラル・シオニズム」

（リベラルを装ったシオニズム）をそのまま具現化していることには注意を要する。この基調講演においてもそれは貫かれている。世俗的（非宗教的）なユダヤ人を自任するグロスマンでありながら、イスラエルというユダヤ人国家の存在を宗教的な「奇蹟」として褒め讃え、国家がユダヤ人アイデンティティとユダヤ的エートスの根幹をなしていることを認めたその同じ口で、非ユダヤ人市民の「完全な平等」を訴える（イスラエルには人口の二割に達するアラブ・パレスチナ人が存在する）。そうした「リベラル」な「ユダヤ人国家の民」である自分たちは、オスロ合意の精神で二国家的和平を遵守する、というわけだ。そしてグロスマンは、首相に対して、「パレスチナの現ハマス政権（民主的選挙で選ばれたが、ＰＬＯの結んだオスロ合意をつまりイスラエル国家を承認していない）の頭越しに、別の穏健なパレスチナの指導者と対話をすること」を呼びかける。そうした二国家路線の訴えのなかで、グロスマンは、イスラエル内の「左派と右派の差異は大きくない」として、パレスチナ独立による解決について国民的コンセンサスを求めている。

　グロスマンの講演で正鵠を射ているのは、そしてグロスマンがバーリンと見解を異にするのは、おそらく「左派と右派の違いは大きくない」という主張の一点だけだ。

　イスラエル国家のユダヤ性の賞讃と非ユダヤ人市民の「完全な平等」は論理的にも現実的にも両立不可能であり[24]、パレスチナのヨルダン川西岸地区の内部を切り刻んでいる入植地と分離壁の撤去に一言も触れることなくパレスチナの独立と二国家解決を呼びかけるのも、現実性と説得力を欠いた一方的な自己主張の域を出ない。そして、オスロ合意を認める穏健な対話者を探せというのは、異なる他者への真摯な呼びかけなどではなく、パレスチナ市民の民主的選択（ハマス政権）を尊重せずに、予め取り込み可能な都合のいい相手を捏造することにほかならない。バーリン流のリベラリズムは、自分とは異なる見解の尊重であるとされるが、ラビン政権のオスロ合意がそれとはほど遠いものであったことは、バーリン自身にも、グロスマンという「現代イスラエルの良心」で「左派ピース・ナウの顔」にも認識することはできなかった。

3-2 形式的な「対等」関係

バーリンやグロスマンといったリベラリスト（リベラル・シオニスト）らがつねにこういった認識枠から抜け出ることのできない根本的な理由は、グロスマンが講演で発した次のさりげない一言におそらく反映されている。「パレスチナに目を向ければ、そこにはわれわれとまったく同じように苦しめられている人びとがいることに気づくだろう」。これはもちろん、イスラエルの政治家や国民に対してパレスチナとの対話を促す文脈で発せられている。パレスチナ人たちも自分たちと同じ人間なのだ、と。だが、「われわれ」イスラエルのユダヤ人の「苦しみ」は、占領下におかれたパレスチナ人たちの「苦しみ」と「同じ」なのか。

こうした発想は、バーリン自身のなかにも見られる。先の「遺言」では、「両者がともにパレスチナの地の全面的領有を歴史的権利として主張している」という現状認識から語り始められ、両者がともに「妥協」と「忍耐」が必要だという呼びかけにつなげられる。つまりは、お互いが対等な権利と力関係において対立しており、それこそが紛争の原因であるという認識だ。バーリンは、従来からこうした発想を保持しており、一九七二年のナショナリズム論のなかには、「シオニズムそっくりにその対極にあるパレスチナ・アラブの運動」[25]という記述がある。だが、いかなる位相において、シオニズムとそれに抵抗するパレスチナ人の運動が「同じ」なのだろうか。

まったく形式的にのみ語れば、いかなる他民族も「他者」であり、その他者を尊重することが、リベラリストのとるべき多元主義ということになろう。イスラエル人とパレスチナ人、あるいはユダヤ人とアラブ人は、対等な他者として相互に承認されるべきである、と（オスロ合意の内容はたしかに「相互承認」であった）。だが皮肉なことに、こうしたイスラエル対パレスチナ、ユダヤ対アラブという発想は、和平を望むシオニスト左派だけでなく好戦的なシオニスト右派にも共通する。違いは、和解すべき対立か、極められるべき対立かという点でしかない。

しかし、こうした形式主義がいかに非歴史的かつ非現実的な態度であるかは、シオニズムとパレスチナの現代史を少しでもひもとけば明らかなことだし、また、形式論理や抽象哲学の世界を意図的に離脱し思想史家へと転向したバーリンにあっては、むしろ非バーリン的態度、すなわち自己矛盾と言えるのではないだろうか。ヨーロッパ史におけるユダヤ人の歴史や精神史に徹底的にこだわったバーリンは、屈折したユダヤ人アイデンティティを探究する論考を数多く残しているが、その一つの冒頭をこう書き出している。

自分がユダヤ人であることを自覚しているユダヤ人は、すべて深く歴史を意識している。彼らは、これまで生き延びた他のいかなる共同体にもまして長い記憶をもち、共同体としての長い連続性を意識している。彼らを繋ぎ合わせる絆は、彼らを迫害し中傷した人びとの武器よりも強いことが証明された[26]。

もしそのとおりであるならば、シオニズムそのものによって苦しめられている占領下におかれたパレスチナ人が（そしてシオニズムによって難民化され世界に離散したパレスチナ人も）、シオニズムによってパレスチナに移民・入植をしてきたユダヤ人と「同じ苦しみ」にさらされているなどと言えるはずがない。支配／被支配、占領／被占領という関係性のもとで強いられた緊張のために、その双方が「苦しんでいる」ときに、その苦しみが「同じ」だなどと言えるのは、たんなる歴史性の欠如以上の根本的な認識の歪みが背後にあるからにほかならない。

3-3　矛盾したシオニズム認識

バーリンの言う文化的ナショナリズムは、シオニスト左派のものであるというバーリン自身の認識に反して、シオニスト左派も含めた政治シオニズムと対抗関係にあった文化シオニズムのほうにこそ合致するはずである、と先に述べた。そうであれば、文化シオニズムにはリベラリズムが貫徹していると言いうるのだろうか。だが、本書第一部で見てきたように、一国家内での二民族共存を呼びかけていたはずの当時のブーバーやアーレントにおいてさえ、ヨーロッパ中心主義的な観点からの反アラブ性や植民地主義的偏見が否定しえないうえに、彼らの「共存」の呼びかけが、理念的なものというよりは、建国前のパレスチナにおいてアラブ人が圧倒的多数派であったという事実（一九四七年の国連パレスチナ分割決議の時点でユダヤ人対アラブ人の人口比は一対二、しかもユダヤ人所有の土地はわずか七パーセントであった）を前にした、「現実的な要請」からきていたという面は否定できない。すなわち、武力に依拠した左右両派の政治シオニストらとは異なり、武力に頼らずにその地に生存する権利を得るためには、しかも人口数においては少数でありながらもいわゆる民族的マイノリティとして従属的な地位に置かれることのないようにするためには、「平等な共存」を移民入植者であるユダヤ人の側から先住アラブ人の側に呼びかけるしか選択肢がなかったという現実からの要請だ。

したがって、文化シオニズムだからといって攻撃性の問題が回避されているわけではない。いかなる系譜に属するシオニズムであれ、シオニズムそれ自体が問われているのだ。そうして、その歴史と思想の変遷を厳密に検証すると、自然的な文化に基づくユダヤ・ナショナリズムとしてバーリンが無条件に肯定しているシオニズムは、実のところ伝統的ユダヤ教文化の否定のうえにこそ成り立っているということに気づかせられる。

第一に、バーリンがヘルダーとハーマンに依拠しながら強調していた、民族的紐帯としての「言語」についてだ。バーリンはヘルダーを引用しつつ、こう述べていたはずだ。「自然が言語・風習・特徴によって分けたものを、人が化学によって人工的に繋ぎ合わせるべきではない。さもなくば、架空の抽象的対象、言い換えれば理想化させた実在物をでっち上げて、現実を人工的虚構物の寄せ集めに変形してしまうだろう」と。シオニズム運動のなかで作り上げられ、のちに建国後のイスラエルで公用語となった現代ヘブライ語が、最初から近代国語として発明された「人工的言語」であることは厳然たる事実であるが、このことはバーリンのなかでは認識されていないように見える。また、ヘブライ語が発明・改良・採用されていく過程で、とりわけ東欧ユダヤ人の母語としてのイディッシュ語は、「前近代的な非国語」として侮蔑され抹殺されていった。おそらくそれは、イディッシュ語に対するそうした否定的なイメージのためだけでなく、世界中からのユダヤ人移民が集合する多言語的状況下で「新しい国民」を、つまり「新しい国民文化」を形成するにあたって、多言語を一つに統合する近代的国語が必要とされたという事情にもよる。いずれにせよ、これほどまでに非ヘルダー的、非バーリン的な事態もないだろう。

第二に、さらに敷衍すれば、シオニズムは言語の問題だけでなく、離散した世界でこそ発展させてきたさまざまなディアスポラのユダヤ教・ユダヤ文化の全面的な否定でもある。シオニズムは「ディアスポラの人為的な終焉」と言われる。バーリンの言うように「シオニズムの目的は正常化」なのだ。だが、「正常化」とは翻って、ディアスポラを「否定すべき異常な状態」とみなすことでもある。前章で見たように、ディアスポラ主義者のユダヤ人思想家であるダニエル・ボヤーリンとジョナサン・ボヤーリンの兄弟が指摘するところによると、ヨーロッパの近代的・家父長的なナショナリズムから芽生えたシオニズムは、旧来のディアスポラ・ユダヤ教を「女々しく」、「同性愛的」なもの、つまり異常なものとみなすようになり、それを否定すべく、「マッチョで」、「異性愛的」なユダヤ人をつくり上げていった。それに対してボヤーリン兄弟は、シオニストから唾棄された「女々しさ」にこそ、ユダヤ人が異民族・異教徒と共存することを可能にしたという歴史的価値を認める。[27] 逆に言えば、シオニズムはその起源と本質からして、排他的で他者支配的で攻撃的であるということになる。バーリンのシオニズム理解は、はじめから裏切られていたのだ。[28]

おわりに

そうとは言いながら、バーリンその人は、イスラエル国家への移民を拒否し、最期までディアスポラ的な生を貫いていたことには、あらためて注意を要する。バーリンはインタヴューで、なぜイスラエルに移民しないのかと尋ねられ、「自分はこれまでの生活から自らを切り離し移民するには歳をとりすぎた」と答えている。[29] だが、その一言では説明にはなっていないだろう。ラトビアで生まれイギリスに移住し、その後もアメリカ、ソ連／ロシア、パレスチナ／イスラエルを中長期的に自在に移動している。使いこなせる言語もロシア語・英語・ドイツ語・ヘブライ語（「得意ではない」と本人は言うが）だけではないだろう。移民をする能力的・物理的条件は揃っていたはずだ。バーリンが二十代であった一九三〇年代から数えても、半世紀ものあいだ移民の機会はあった。

ここでマイケル・イグナティエフの伝記に頼ると、バーリンはイスラエル建国直後の一九四八年九月に、ワイツマン宛に手紙を書き、「自分はつねにシオニストでありつづけるが、人生を新しい国家と共にするつもりはない」とはっきり伝えている。[30] このことをイグナティエフは、「ワイツマンからの、イスラエルからの、そしてシオニズムからの独立宣言であった」と評しているが、これは伝記としての記述の範囲を越えた、過度な脚色と短絡である。これまで見てきたように、バーリンがシオニズムから「独立」などしていたためしはない。そうではなく、自身の移民を拒絶させる何かがバーリンのなかにはあったのだ。

バーリンは、各地域での完全な同化による国民化かあるいはイスラエルへの移民による国民化かという二者択一をユダヤ人が迫られることには、強く反対していた。いかなる国民への同一化も拒否する「根無し草」であることをバーリンは好んだのだ。そのことをバーリンは、一九五二年に出した知人への手紙のなかで、自らをプルーストになぞらえて、「自分の根無し性を、あらゆる世界の外側にあるアルキメデスの点、すなわちそこから世界を測量する優位性に転換するのだ」と述べている。[31] ディアスポラだからこそ得られる視点にほかならない。こうした根無し草であることによるユダヤ人の特異な能力について、バーリンは、一九五一年の論考でこうも記していた。

すなわち、しばしば外のどこでも察知されないうちに、ものごとの傾向性を見抜き、変化する個人的・社会的状況の陰影と色彩を見分ける能力の途方もない過剰発展。あるいは、鋭い批判で知られる洞察力、過去、現在、そして時には未来までも分析する驚くべき眼力。[32]
ユダヤ人はこうした能力を、自らが置かれてきた状況のために獲得せざるをえなかったという歴史的特性をもっている。しかもそれは、バーリンが嫌悪したはずのアーレントが、「ユダヤ人が離散状況において被ってきた世界喪失」、つまり「あらゆる社会的な結びつきの外に立っているということ、一切の先入観から離れていること」[33]と説明したものとほとんど同じことを言っている（ヘルダー理解がアーレントと近いと指摘されたときと同様、もしバーリンがこれを聞いたら間違いなく憤慨したことだろう）。しかもアーレントは、ユダヤ人が「解放」され、新生イスラエル国家の「国民」になった代償として、この「世界喪失」の能力が失われてしまったことを歎いていた。バーリンもまた、イスラエルへの移民により「国民」となってしまうことで、こうした能力を失うことを恐れていたのではないだろうか。その意味でバーリン自身は、強固なシオニストでありつづけたと同時に、逆説的ながらも生涯ディアスポラ主義者でもあったのだ。そしてこの逆説こそが、例によって対立の均衡を好むバーリンの特質でもあるかもしれないのだ。

第八章

エドワード・サイードの「格闘」

はじめに

本章では、「エクソダス（出エジプト）」というイスラエルの起源をなす神話の解釈をめぐってなされた、パレスチナ人思想家であるエドワード・サイードと何人かのユダヤ人思想家との論争を通じて、サイードがいかにシオニズムおよびイスラエルと対峙していったのかを見ていきたい。

エドワード・サイードが生前に自ら刊行した最後の著書となった『フロイトと非‐ヨーロッパ人』[1]は、モーセの指導による古代イスラエルの民の「出エジプト」＝エクソダスという物語が、ユダヤ人の「約束の土地」への移住という、シオニズムのイデオロギーの供給源となっていることへ批判を加え、さらにユダヤ人アイデンティティ構成に根源的な考察を行なっている。

ところで、サイードが、エクソダスの物語のイデオロギー批判を主題として扱ったのはこれが初めてではない。一九八五年にマイケル・ウォルツァーが『エクソダスと革命』[2]という本を刊行したのに対して、即座に強い反発を示し、論争に発展した。『フロイトと非‐ヨーロッパ人』にはウォルツァーの名前は登場しないが、「出エジプト」＝エクソダスの物語のシオニズムによる利用の問題を主題にしている点は一貫している。また、八〇年代後半にかけてサイードは、「ユダヤ人アイデンティティ」に関して、この最後の著書の問題構制につながる別の論争も展開していた。一九八五年に発表されたサイードの「差異のイデオロギー」[3]および、それをめぐって八九年に行なわれた批判とそれへの反論である。ロバート・グリフィンおよび、ボヤーリン兄弟から批判的コメントが寄せられ、それに対してサイードが応答している。[4]

本章においては、これら八〇年代後半の論争を検証しつつ、最後の著作『フロイトと非‐ヨーロッパ人』を考察する。この著作は、凝縮された短いテクストのなかに、根源的な問題提起を行なっているからだ。

1. サイード／ウォルツァー論争

1‐1　エクソダスは西欧の物語か

エドワード・サイードとの論争の発端となるマイケル・ウォルツァーの『エクソダスと革命』は、

そのタイトルが端的に示すように、旧約聖書の「出エジプト記」を再解釈し、独自の近代市民社会理論に接続する試みである。エジプトで隷属状態におかれていた古代イスラエルの民が、最初の預言者モーセに率いられエジプトを脱し、「約束の地」であるカナンの地へと向かう。この過程で、民族意識が形成され、そしてまた自発的な意志でもってこの民族の共同体が構成される、という物語になっている。

この「民族の物語」が、ウォルツァーによると、近代ヨーロッパ政治史における民族解放と市民革命の物語の範例であるという。「出エジプト記は一つの物語、大いなる物語であり、西欧の政治文化意識の一部となってきた。一連の政治的出来事は、この物語が用意する語りの枠組の中で位置づけられ、理解されてきた」[5]として、ピューリタン革命、アメリカ革命、フランス革命などが引き合いに出されるのだ。「神との契約」は、契約主体としての自由意志をつくりだすという意味で、「古い部族組織ではない、意識的な構成員による新しい国家を創設するという行為」であり、それによって古代イスラエルの民は、「真の意味での民」となることができた、とウォルツァーは言う。この意義が、「世俗の政治思想の中で勝利を獲得し」、ウォルツァーが例として挙げるマサチューセッツ憲章にあるように、「政治体は、自発的な個人の結びつきによって構成される社会的な盟約であり、それによって民全体が市民個人と契約し、市民個人が民全体と契約を結ぶ」という思想へと発展してきたというのだ。[6]

これに対して、サイードはまず、「出エジプト記」がどうして「西欧」の範例なのかを問う。そしてウォルツァーの著作のなかにはこの問いへの答えが見られず、トートロジーにしかなっていない論述の形式の問題を指摘する。

ウォルツァーの打ち解けた文体は、証拠や論証や根拠を探そうとする者の疑いを和らげようとする効果をもつ。（…）ウォルツァーの政治倫理研究は、「西欧にいる」私たちに向けられており、彼の文章には「われわれ」や「われわれの」といった言葉が点在している。（…）そして彼は、「究極的には（ultimately）、これは非ユダヤ人の構想力にとっても役に立つのだ」と付け加える。「究極的には」という単語は、ここで決定的に戦略的な役割を果たしている。（…）私たちも時間があったら、「出エジプト記」が、さまざまな不特定の非ユダヤ的世俗観のモデルとして、どんなに重要であるかを究極的には発見できるかもしれない。究極的には。[7]

このようにサイードは、ウォルツァー自身のレトリックを反転させて突きつけたうえで、ウォルツァーの戦略的な論述を「遅延による包括」と呼んだ。打ち解けた文体によって、根拠づけや論証を回避し、問題を延々と後回しにしているからである。「西欧＝われわれ」という図式的理解と「究極的には」という言い回しによって、たしかにウォルツァーの論述は完結しており、実際のところ結論部分においても、この物語が「西欧世界に属し」、「西欧的思考の中心的テーマ」であることが繰り返されている。

さらにウォルツァーの用語法について言うと、ウォルツァーが「出エジプト」の物語を近代西欧市民社会の政治に引きつけて再解釈をするときに頻繁に用いる、「進歩的（progressive）」、「倫理／道徳的（moral）」、「急進的（radical）」といった用語や、「民族解放（national liberation）」や「抑圧（oppression）」といった用語は、サイードによれば「出エジプト記」に由来するものではない。

それらの用語は、第二次大戦後に民族解放運動を弾圧する植民地戦争の文脈において、アメリカやヨーロッパの政治的な語彙の中にもたらされた。第三世界の闘士、たとえば［アミルカル・］カブラルや［フランツ・］ファノンといったもともと反植民地主義の叛乱運動と結びついていた人たちの著書にある「解放」や「抑圧」といった言葉のもつ力は、その概念が反植民地主義に共感をもつ第一世界の作家らの言説のなかで、のちに闘争する正統性を獲得することができたという点にある。[8]

ここで言う「第一世界の作家」としては、J・P・サルトルやノーム・チョムスキーらが挙げられるが、彼らは「植民地主義側の陣営内にいて、かつそれに抗って」書いていたのだ。ファノンら「第三世界」の反植民地闘争から紡ぎだされた語彙が、サルトルら「第一世界」の知識人らが自己批判を行なう際に取り入れられて初めて、「西欧世界」の政治的な語彙となったにもかかわらず、その歴史性をウォルツァーは、意図的にか無意識にか欠落させている。その歴史性の欠落こそ、ウォルツァーが「出エジプト」の物語を「西欧世界」に直結させることを可能にする思考回路なのだ。

ここに、サイードによるウォルツァー批判の最大のポイントがあり、また両者の立場の決定的な断絶がある。サルトルは、第一世界の人間として植民地支配の問題を、自らと自身がその一員である支配国家フランスに問うていた。サイードからすれば、ウォルツァーにはこうした植民地主義／反植民地主義の構造の認識も、自分が植民地支配側の陣営にいるという意識も欠けている。

それどころかウォルツァーは、翌八七年に刊行した『解釈と社会批判』で、具体的にアルジェリア戦争に関して、フランスを批判したフランス人としてサルトルの名前を挙げ、「批判の営為をまるごと放棄して、向こう側＝敵陣に鞍替する別の道」に進んだとして反発を示している。というのも、ウォルツァーがモデルとして考える批判の立場とは、内在的な批判、「地域に根ざした批判」、「社会との繋がりを維持した批判」であって、それこそがその内部において説得力をもつとしているからだ。反対に、超越的なあるいは外在的な批判は、社会のなかには「場所をもたず」、「無視される」という[9]。

ウォルツァーは、サルトルをそう批判する根拠として、サルトルが自分をフランスの「敵」「裏切り者」だと公言したことを挙げている。しかし、挑発的レトリックをもって、植民地支配批判そのものの意義を黙殺し、その批判の立場を「超越的・外在的」とレッテル貼りをするウォルツァーの議論は、論証よりも政治イデオロギーに基づいている。実のところ、「味方／敵」「こちら側／向こう側」という絶対的な区分を強固に保持しているウォルツァーの基本的な発想にこそ、多くの問題が集約されている。

1-2　イスラエルを正当化するダブルスタンダード

まずこの「味方／敵」という区分には、ウォルツァーにおいて、「西欧／非西欧」という区分が直接的に重ね合わせられている。「西欧」の「われわれ」の世界が「こちら側」であるという、「味方／敵」＝「西欧／非西欧」というウォルツァーの暗黙の前提と、そこから帰結する植民地主義問題の観点の欠如ないし無視を、もっともはっきりと露呈させているのが、イスラエル／パレスチナ問題に関するウォルツァーの認識である。ウォルツァーは、土地（約束の地）における「もともとの支配と占領」は出エジプトの政治のなかでは「ごく小さな役割」しか果たしていないと断言し、先住民の存在をあらかじめ物語から排除する。この物語がウォルツァーによってそのまま重ね合わされた現代のイスラエル／パレスチナにおいては、イスラエルが攻撃・排除する非ユダヤ人住民（アラブ・パレスチナ人）は、「道徳的関心の世界から除外され」、ユダヤ人と同等の市民としての権利を否定されるのだ。[10]

サイードは、このイスラエル認識を例にとって、ウォルツァーの段階的な論理展開を示す。それは次のように整理される。1．イスラエルに不利な現状を示す（ユダヤ教過激派や占領）。2．手近なところでそれを非難してみせる（相手には了承済で）。3．しかし、ユダヤ教やイスラエルの歴史上の事例のすべてが非難に当たるわけではないことを示す。4．理論を定式化し、政治‐倫理的行動の新しいカテゴリーをつくる（「出エジプト記」もそのひとつ）。5．道徳的に響き、政治的に口当たりの良いレトリックをできるだけ集めて、寛大さと妥当性を装い、手続き的な非一貫性を隠蔽する。[11]

このウォルツァー一流のレトリックと、植民地認識の欠落・否定が掛け合わされると、そこに発生するのは、イスラエルに都合のよいダブルスタンダードだ。「メンバー」と「よそ者」、「ユダヤ人」と「非ユダヤ人」というウォルツァーが頻繁に用いる区分は、先にサルトル批判の文脈で用いた「味方／敵」の区分とも通じるものだ。この区分でいくと、イスラエル国内では、国籍者保持者であれユダヤ人ではない者（人口の約二割に達するパレスチナ人）には、市民権が認められないという社会になるのだが、ウォルツァーの論理ではそれは是認されてしまう。[12]

こうしたイスラエルびいきのダブルスタンダードは、ウォルツァーの『正義の戦争と不正義の戦争』にも顕著に見られる。その他の事例では「不正義」としかなりえない戦闘行為も、ことにイスラエルの場合には、異様なまでにイスラエルの自己正当化の論理をそのまま是認してしまう。実際のところ、『正義の戦争と不正義の戦争』にあるイスラエルの戦争ないし戦闘行為に関する論述は、分析的であるよりは、むしろイスラエルの理屈の全面的な支持、イスラエルの立場への一体化であるとさえ言える。イスラエルに関わる主要な論述は二箇所ある。一つは、国家の危険が予期される場合はそれを未然に防ぐための先制攻撃が正当化されるという議論の箇所で、イスラエルの「六日戦争」（一九六七年の第三次中東戦争のことだが、この呼称からしてイスラエル側の見方だ）がそれに該当するというのだ。隣国エジプトなどの当時の軍事的動向を分析したうえでの先制攻撃は、「重大でかつ道徳的な出来事」だったとする。[13]

だが、歴史上いかなる戦争・紛争でも、その先制攻撃は「必要な防衛措置」であるという正当化が行なわれてきたのではなかったか。正戦論の困難は、「先制攻撃」と「専守防衛」の区分の困難にこそあるにもかかわらず、ウォルツァーは驚くほどのナイーヴさで、無条件に一方の側（それはつねにイスラエルの側なのであるが）に立ってしまう。

もう一つの例は、非戦争時における「報復攻撃」が正当化される場合があるという議論の箇所だ。ここでウォルツァーは、ユダヤ人組織ないしイスラエルが無際限に繰り返してきたアラブ・パレスチナ民間人に対する組織的な攻撃については一言も触れることなく、イスラエル国家・市民がパレスチナ「テロリスト」による攻撃にさらされてきた被害者であるという前提で議論を進めている。そこで挙げられる例のうちの最初のものは、一九五三年にロッド（リッダ）空港近くでユダヤ人三人が殺害された「報復」攻撃として、あるパレスチナ人の村を破壊し六〇人以上を殺害したケースである。これについてウォルツァーは、「たしかに殺害そのものは犯罪的かもしれないが」としつつ、「通常の軍事行動ではない」この報復攻撃において、民間人の死を付随的な偶発事として片付け、「報復」そのものを正当化してしまう。[14] だが、イスラエル軍による民間人殺害は、例外なくつねに行なわれている。ウォルツァーはそのすべてについて、「通常の軍事行動ではない」として正当化するつもりであろうか。

もちろんウォルツァーは、「無条件にイスラエルは正しい」などとは書いてはいない。論述のなかに留保らしきものは見られる。「国際社会からの非難はあったが」、「イスラエル側にも落ち度はあったが」、と。だがその次には、「しかし」と続き、必ずイスラエルの行為は正当化されるのだ。こうした事例から、サイードは、ウォルツァーの主張や理論が無意識にイスラエルの軍事行動の勝利に強く影響されていることを指摘する。[15]

結局のところ、西欧のメンバーシップを手にしているかどうかを基準に、「われわれ」と「よそ者」が区分され、「われわれ」の用いる暴力は「正義」となり、「よそ者」の暴力は「テロリズム」となる。パレスチナ解放闘争はテロリズムに分類されるために、それを叩くイスラエルの戦争はつねに「正義の戦争」に分類される。「味方／敵」＝「西欧／非西欧」というウォルツァーの暗黙の前提は、そのまま「イスラエル＝西欧＝味方」／「パレスチナ＝非西欧＝敵」という図式として了解されているかのようだ。

1－3　批判の立場とピース・ナウ

そうしてみると、『解釈と社会批判』で示されていたウォルツァーの「社会に根ざした」批判というものが、大きな疑問となってくる。ユダヤ人であるという一点でウォルツァーは、自らをイスラエル国家の側にいると捉えているのだろうか。あるいは、アメリカ移民としてアメリカ＝西欧の一員であるということであろうか。そして、ウォルツァーからすれば、サイードはパレスチナの側に属し、それはイスラエルの「敵」であるということになるのだろうか。その時、ウォルツァーからすれば、サイードの批判の言葉は、敵の陣営から叫ぶだけで「こちら側」には届かないということになるのだろうか。

サイードの最初の批判を受けて、同年ウォルツァーは同じ雑誌に反論を寄せる。そこでウォルツァーは、文章のいたるところに「敵」という言葉を多用し、サイードの論法を「敵の発見」と名づけている。サイードはウォルツァーを自らの恰好の「敵」としてしつらえており、またサイード自らは自分をイスラエルの「敵」として振る舞っているという。そして具体的にサイードが、彼にとっての「敵」であるシオニストはすべからくユダヤ教原理主義者であると単純化していること、逆に彼にとっての「味方」であるパレスチナ解放機構（ＰＬＯ）やアラファトをはじめとするその中心メンバーだけは批判対象としていないこと、パレスチナの「テロリズム」を批判していないことを強調する。そして最後にウォルツァーは、ユダヤ人がもつことのできたイスラエル国家はまだ脆弱で暫定的なものでしかなく、サイードのイスラエル像が誇大であること、そして自分はイスラエルの平和団体「ピース・ナウ」の支持者であることをつけ加えて終わっている。[16]

もちろんサイードはこの反論に対して、パレスチナに関わる当事者として自分こそはアラファト陣営の反対側に立っているという明白な事実関係の指摘などは当然のこととして、真っ向から再批判を行なう。「ウォルツァーは、『出エジプトの利用で』いくらでも思いつくままに論じ、適度にクリティカルでラディカルであるように装う一方で、エクソダスの政治が、イスラエルが非難を受けているのと同種の血なまぐさく排他的な政治とも共犯関係にあると認めることを拒絶している」として、変わることのないウォルツァーの脱政治的で中立的な装いを指弾する。そして、ウォルツァーが見ようとしていないのは、「抑圧する側の社会に根ざした批判者と、抑圧を受けている社会に根ざした批判者とのあいだには、倫理的な点においてかなりの差異があるということ」だというように、ウォルツァーの「ブランド概念」である「社会に根ざした批判者」をもじって、最初の論文で強調していたことを繰り返す[17]。

これらの論点そのものは双方で噛み合うことがなく、とくにサイードの再批判で同じことが繰り返されているのを見るかぎり、議論は「空回り」の様相を呈しているが、ウォルツァーの「批判の立場」の問題はよりはっきりと浮き彫りにされた。ウォルツァーが「社会に根ざした批判」を語るとき、批判者と社会との「繋がり」を重視するが、それぞれ単独の社会を形式的に論じるのみで、ある社会と別の社会とがどのように「繋がっている」のかという視点は抜け落ちている。批判者が圧倒的な強者の立場にあるがゆえに（イスラエルとパレスチナに関してはその差は絶望的なまでに大きい）、相方を同じ「社会」として形式化しうるのだが、それを可能にしているのがまさに力（軍事力、経済力、政治力）であるという非対称性についての自己批判はない。それをもっている側はそのことに無自覚でいることができるのだ。

また、ウォルツァーが「ピース・ナウの支持者である」と吐露したことからは、興味深い議論が見られた。ウォルツァーがあえてこう発言をしたのは、サイードが一括りに「シオニスト」批判をすることに対して、自分はシオニストであっても宗教的原理主義者とは異なると差異化をはかろうとしたためと、自らが「社会に根ざす批判者」であって、イスラエル社会を全面的に支持しているわけではないと示そうとしたためである。

ピース・ナウの基本姿勢は「小イスラエル主義」とでも言うべきもので、国際社会によって分割され承認されたイスラエル国家の範囲内では純粋なユダヤ性を絶対的に保持し、その外部との関係を断ち切ろうとするものだ（占領批判の形をとることもあれば、占領地からの一方的分離撤退の形をとることもある）。この政治的な立場をもつ勢力が、二国家案を原則とする「オスロ合意」や「和平プロセス」の枠組みをつくりだしていく。その意味でピース・ナウは、「左派」と見られているし、またそう自任している。だが、この耳触りのいい「二国家分割」の内実とは何か。サイードはこう言う。

いったんイスラエル国家が、しかもその市民の国家ではなく、ユダヤ民族の国家として創設され、ユダヤ人のみがそこに移住可能であるということになれば、先住の非ユダヤ人は隔離された低い階層へと委ねられる。このイデオロギーから分割という発想は発展してきたし、また分割は権利の平等とか真のコミュニティといったものとはまったく異なるものである。[18]

実際のところ、現在イスラエルがグリーンライン（中東戦争の停戦ラインであり国際的に承認されたイスラエル領を定める）から大きくはみ出す形で建設している「分離壁」と呼ばれるものは、もともと左派・労働党から提案されたものであったし、労働党の支持団体の一つともなっているピース・ナウは、この分離壁が実際には、ヨルダン川西岸地区内の主要なユダヤ人入植地を収奪するものであることや、パレスチナ社会の基盤を根本的に破壊するものであることに一言も触れずに、「一方的分離」を支持している（本書終章参照）。一部入植地の撤去という主張も、その基本にあるのは、イスラエル国家の純粋なユダヤ性を堅持するというものであり、その視点からはイスラエル国内のパレスチナ人・マイノリティの存在は完全に欠落している。

ウォルツァーは、分割こそが自分の信条であると言っているが、それはつまり「制圧と分断による排他主義」にちょっといい言葉で威厳づけをしたようなものだ。だが、神の命令と軍事力以外のいったい何が、住民の大多数の意思に反してパレスチナを分割することを奨める権利を彼に授けるのだろうか。二民族共存国家《バイナショナリズム》と多元主義《プルーラリズム》は勝ち取るべき目標としては、軽蔑にしか値しないようなものなのだろうか。[19]

こうしてサイードはウォルツァーを批判する形で、八六年の時点ですでに、分割二国家という発想そのものに根本的な疑念を呈しているが、ここで「バイナショナリズム」という言葉が用いられていることは注目に値する。この点については再度触れることにする。

2. ボヤーリン兄弟との論争

2-1 ウォルツァーとサイードの陥穽

このサイードとウォルツァーの論争に介入したのが、ユダヤ人のジョナサン・ボヤーリンであった。「エクソダスを歴史に読む」と題された文章で、ボヤーリンは、ヨーロッパ世界とシオニズムの伝統における、それぞれのエクソダスと「約束の地」の語りの関係について考察するに際して、ウォルツァー／サイード論争を重要な参照点とした。ボヤーリンの立場の特徴は、近代シオニズムに歪曲されない形でのユダヤ教思想の意義を肯定的に読みとろうという点にある。その立場からすると、サイードにせよウォルツァーにせよ、彼らのエクソダス読解は、世俗主義的解釈の限界を共有してしまっていることになる。サイードは、ウォルツァー批判という枠に規定されて出エジプトの物語を読んでいるために、それに引きずられる形でウォルツァーと同じ土俵上で議論を展開しているとボヤーリンは指摘する。

たとえばウォルツァーは、『エクソダスと革命』の結論部で、一九二〇年代のシオニズム運動を参照し、シオニズム右派がもっているメシアニズムが無際限な領土拡張主義になっているとして、逆にメシアニズムを否定する左派的な文化シオニストとされるアハド・ハアームとゲルショム・ショーレムに沿いつつ、歴史的・現実的制約を受け入れる世俗的なシオニズムを「出エジプト・シオニズム」と名づけ肯定している。[20] ウォルツァーはそこに、「ユダヤ教の教義が「進歩的」に発展し、排他的ではなく反対により普遍的になってきている証拠」を見るが、サイードはそこに「宗教的な偏見のかたまり」を見る。だが、ボヤーリンは、「サイードもウォルツァーもともに認めようとしないのは、シオニズムのエートスと、何世紀にもわたってユダヤ的と解されてきたものとの、深い差異である」[21]と言う。つまり「シオンへの帰還」によってユダヤ人は何を達成できるのかについて、初期のシオニストとそれに反対していたユダヤ人がそれぞれどのように認識していたのか、その差異にこそ注意を向けるべきであるとボヤーリンは指摘する。

たしかに、シオニズムが「宗教的でかつ帝国主義的である」というサイードの主張は否定できない面をもつ。選ばれた民、契約、贖い、約束の地、神といった諸概念がシオニズムの中心思想において語られているのだから、古代イスラエルの民の歴史とエレツ・イスラエルとの「宗教的な結びつき」が、一般的なシオニズム支持のなかにある程度は入りこんでいる。ボヤーリンはその点を認めつつも、テオドール・ヘルツルをはじめとする初期シオニストらの実際の著作には、それらが中心的主題としては書かれていないことを強調する[22]。

とすれば初期シオニズムの特徴は、サイードの言う「宗教的でかつ帝国主義的」でもなく、またウォルツァーの言う「世俗的でかつ非帝国主義的」なのでもなく、「世俗的でかつ帝国主義的」なのだ。「シオニズムの父」ヘルツルは、「選ばれた民」や「約束の地」よりも、むしろ一民族としてともかくどこかに国土を求めていた（アフリカであれ南米であれ）。大国の支援を求めたヘルツルのシオニズムは、出エジプトに訴えずとも、すでに近代国民国家思想のなかで強固な民族的アイデンティティをつくりあげ、ヨーロッパの非ユダヤ人からの支援を基盤としていた。[23]

もちろんボヤーリンも指摘するとおり、ウォルツァーの記述は、出エジプトの物語を、歴史のなかで自律的に機能していると見なしているのか、それとも効果的なレトリックとして利用可能なだけだと見ているのか、それを判然とさせていないという問題がある。サイードはそれをウォルツァーの戦略であるとして批判をしていたが、しかし、ボヤーリンからすれば、サイードもウォルツァーの世俗的なエクソダス読解を共有しているために、その意図に反してウォルツァーを補完するという皮肉な結果になっているように見える。[24]

エクソダスの語りには、ウォルツァーが強調するような「直線的進歩」という性格が認められるとしても、現実にそれがシオニズムの文脈で語られるときには、その他のさまざまな追放と帰還の記憶が混在していることをボヤーリンは指摘する。とりわけ、紀元前六世紀頃の王国滅亡とバビロン捕囚以降にならなければ、「エルサレムへの帰還」が語られることがないため、紀元前一三世紀頃とされる出エジプトよりもむしろバビロン捕囚のほうが要因として大きいはずだというのだ。したがって、バビロンへの追放と帰還というモデルが、シオニズムの目標と、とくに東欧のユダヤ人の想像力とのあいだで相互作用を及ぼしていたことを考慮する必要がある。また、この失われた国家とその回復というバビロン捕囚から生じる発想は、先住民カナン人の征服と殺害によって入植するという出エジプトの物語よりも、シオニズムのスローガン「土地なき民に、民なき土地を」に親和的であり、その具体的な入植活動や贖いの使命を果たすための組織的な運動への展開も説明がしやすくなる。[25]

この要素を考慮することのもう一つの利点は、ウォルツァーが「リベラルな」ユダヤ人を「西欧」と直結させるのとは異なり、ユダヤ人と西欧とのアンビヴァレントな関係を、世俗主義にも宗教原理主義にも分極化することなく考える視角を与えてくれることであるとボヤーリンは指摘する。兄ダニエル・ボヤーリンによる『間テクスト性とミドラシュ読解』[26]のテクスト読解戦略を参照しつつ、「世俗」か「神聖」か、「征服」か「解放」かという二項対立を逃れてエクソダスを読むことで、文化的境界を超えた翻訳を可能にする解釈のモデルを探求することが必要であり、また、むしろそのことによって、民族アイデンティティに関するサイードの問題提起にも応答できるはずだと示唆している。[27]

ジョナサン・ボヤーリンの、サイード／ウォルツァー論争への介入は、ユダヤ人の「閉ざされたアイデンティティ」と「西欧との一体化」の両方を批判することであり、その意味でこの問題提起は、のちになってサイードの『フロイトと非‐ヨーロッパ人』に呼応していくように思われる。

2‐2　イデオロギーと現実にはさまれた論争

ところで、ボヤーリン兄弟とサイードのあいだには直接的な論争があった。サイードの論考「差異のイデオロギー」をめぐってなされたものだ。一九八五年に出されたこの論考は、イスラエル国家のユダヤ的性格と、それに基づく「非ユダヤ人」たるアラブ・パレスチナ人への差別・弾圧について論じたものだが、以下で見ていくようにその重点は、イスラエル政府による具体的な政策的差別・軍事的弾圧について細かに記述しつつも、それを支えている根本的な思想である「差異のイデオロギー」

に切り込んだところにある。それに対して、その四年後の八九年に、同じ雑誌上に二つの応答が掲載された。イスラエル・テルアヴィヴ大学のロバート・グリフィンによるものと、ダニエル・ボヤーリン、ジョナサン・ボヤーリンの共筆によるものだ。前者は、上記サイードの論点のうち、思想的に切り込んだものではなく、臆面もなく「イスラエルには差別はない、パレスチナ側の暴力こそが問題だ」と反論したものであり、事実関係においてさえおよそ議論にも値しない（にもかかわらず、そういったものが掲載されるということには、イスラエルをめぐる言説の流通における深刻な問題がある）。ボヤーリン兄弟からのものが、やはりユダヤ思想の観点から、「差異のイデオロギー」に鋭く切り込む疑問を投げ掛けている。

サイードの論旨はこうだ。イスラエルが「ユダヤ人国家」として一九四八年に建国されたその文脈において、「ユダヤ人」は、「キリスト教徒」や「ムスリム」とも、「フランス人」や「中国人」とも、そして「アラブ人」とも、意味づけが異なるものとして説明されなければならなかった。そのイスラエルの意図する「ユダヤ性」なるものが、「差異のイデオロギー」として分析される。「ユダヤ人国家は、民族的、宗教的、文化的、法的、政治的な土台において、他のあらゆる国家と異なる」ような特殊性をもっているとされるのだ。[28] そのためユダヤ人国家イスラエルは、イスラエル人であろうとなかろうと世界中のあらゆるユダヤ人と関係をもつ国家となり、その国家においては、「ユダヤ人か非ユダヤ人か」という差異こそが決定的な重要性をもつことになる。イスラエル国籍のパレスチナ人も、「非ユダヤ人」という文字どおりに否定的な表象を与えられる。[29]

建国期においてそのような国家の性格づけがなされて以降、次に大きな転機が訪れたのは、パレスチナ人の民族解放運動が否定しがたいものとして生じたときであった。パレスチナ解放運動が提起した批判は、「強制的な分離や不平等な特権に依拠するのではない、知識や共存や正義といったものをつくりだす実質的な必要」を前提とするものであったため、それ対するシオニズム側の反動として、「ユダヤ人と非ユダヤ人の分離の実行が、分離そのものを目的としてものごとを強制的に分離するような認識論的枠組に基づいてなされた、複合的なイデオロギー形成と結びつくようになった」、とサイードは指摘する。[30]

そうしたイデオロギーは、ウォルツァーとともに、やはりピース・ナウを代弁する立場にあったアモス・オズや、ダヴィッド・グロスマンなどの「リベラル左派」のシオニストによって担われた。ウォルツァーは、「イスラエルは、ヴェトナムやインドシナに軍事介入したアメリカやフランスとは異なる」という論陣を張り、オズは、「パレスチナ問題は、対立する二つの陣営に属する右派どうしの闘争である」と位置づけた。[31]いずれもシオニズムを植民地主義から遠ざけようとする言説だ。これらの「左派」とされる知識人が、前章でも見たようにその「リベラルさ」によって、シオニズム批判をかわし、シオニズムをより巧妙なイデオロギーとして練り上げていった。

だからこそサイードは、問題を純粋なイデオロギーの水準でも考えなければならないと言う。パレスチナ問題は、つねに政治力学のなかでプラグマティックに解決すべき問題としてのみ語られ、そこではパレスチナの側に譲歩が足りない、和平推進派がいないとばかりされてきた。それに対してサイードは、そういう問題構図をつくりだしている「差異のイデオロギー」をこそ問うべきだとする。「イスラエルのユダヤ人とパレスチナの非ユダヤ人とのあいだの紛争は、決して理論的・哲学的な用語で議論がなされたことがない。それこそが、異なる住民つまりは非ユダヤ人の住民に押しつけられた差異のイデオロギーの核心を解明する議論であるはずなのに」と。[32]

これに対して、ボヤーリン兄弟は一一項目にわたって、やや細部にこだわる疑問を投じる。そこから以下の三点を抜粋整理する。[33]

- イスラエルが欧米世界でもっている特権的な地位についてサイードは論じるが、それはしかしユダヤ人独自の領域でなされたものではないし、とくにユダヤの伝統の外部で「同化」という代償を伴ってのことであったことに注意すべきである。
- サイードは、イスラエルのシオニズムが南アフリカのアパルトヘイトに比すべきものであるとしているが、しかしアパルトヘイトが植民地主義の正当化から生じたもので、それ自体が人種主義であるのに対して、シオニズムの場合はユダヤ人が抑圧されていたことに対する歪んだ反応として生じたものであり、現実の政策において人種主義の側面をもつとしても、全体として人種主義そのものなのではない。
- サイードは、ウォルツァーを批判する文脈で、イスラエルは欧米の帝国主義国家と同類であるとしたが、似ている面もそうでない面もあり、「同類」というのは過度な単純化である。［なおこの箇所でボヤーリンは、全文イタリックの強調をして、「イスラエルは、かなりの程度、植民地主義的な試みを代表しているが、それは［ヨーロッパの］内的植民地主義の犠牲となった民族のためなのだ。」と記す。］

ボヤーリン兄弟の見解に傾向的に見られるのは、サイードのシオニズム批判の趣旨にはおよそ賛同するものの、ユダヤ人の側の歴史的な背景と内部の多様さをもっと考慮すべきである、という姿勢だ。シオニズムの問題を相対化しようという意図では決してなく、批判するのであればシオニズムの内的な論理に沿うことで、より根本的な批判になるはずだからだ。一一項目の提示の後の結論部分で、ボヤーリン兄弟は次のような指摘をする。「サイードやその他パレスチナの知識人や占領地住民やPLOは、イスラエルの脇にパレスチナ国家を建設する方向にますます傾いているようであるが、（…）逆説的なことに、そのことがイスラエル領内に失われた一九四八年以前の故郷を取り戻すという希望を実質的に放棄することになってしまう」と。[34]

ユダヤ人の側から、しかも世俗的・非宗教的な反シオニストのユダヤ人ではなく、ユダヤ教文化を尊重するユダヤ人から、このような本質的な指摘がなされていることは重要だ。敬虔なユダヤ人でありながら反シオニストであること、むしろ敬虔なユダヤ人であるからこそ反シオニストであることの可能性が、ここに示されているからである。この問題についてはあとで検討しよう。

さて、このボヤーリン兄弟の批判に対して、サイードは同誌同号に応答を掲載している。だが、八五年の論考と八九年のこの応答のあいだに勃発した八七年のインティファーダ（民衆蜂起）という事態も手伝って、この議論はある意味で「空振り」に終わってしまう。重箱の隅をつつくような質問ととられかねないボヤーリンの提起した批判は、インティファーダの弾圧にやっきになり、その暴力性を存分に発揮しているイスラエル政府・軍の前では、ほとんど意味を失っている、とサイードは反論を書き始める。[35] 理論的にイデオロギーの水準で議論を深める必要性を説いていたサイードに沿うかたちで応答を試みたボヤーリン兄弟だが、インティファーダを弾圧する圧倒的なイスラエル軍の破壊活動の前で何を悠長なことをと言わんばかりに、サイードの激昂をかってしまう。ユダヤ人やシオニズムの「歴史的背景」をより細かに見ようというボヤーリンの提起は、インティファーダの歴史的意義の前では、かえって「非歴史的」だとサイードから切り返される。[36]

目の前で自分の家を爆破しようとしているイスラエル軍に抗議をするのに、「あなた方ユダヤ人が過去にヨーロッパで味わった苦しみは十分に理解しています」といちいちつけ加えろとか、イスラエル批判をするに際して、ありとあらゆる立場の異なるシオニストに言及をしろとか、そういったことはおよそ「的外れ」で「不適当」であるとサイードは皮肉たっぷりに言う。[37] もちろんボヤーリン兄弟の提起はそういう意図ではなく、サイードの言う「理論的水準」での議論であったことは、サイードも理解していただろうが、いかにも第一次インティファーダ時ならではの緊迫感がサイードの文章からは伝わってくる。ボヤーリンが全文イタリックで強調した前記の文章（「イスラエルは、かなりの程度、植民地主義的な試みを代表しているが……」）にいたっては、「土地と、場合によっては「家族らの」命を失ったパレスチナ人たちがこれを聞いても、少しはましな気分になるなんてことはなさそうだ！」と悪態を飛ばされてしまう。

こうして誌上での応答は、サイードの激しい反発で幕を閉じ、有意義な成果を生むことにはならなかった。

2-3　ボヤーリンの反省、そして「無国家解決」？

だがさらに、同八九年、ジョナサン・ボヤーリンは、このサイードとの論争を一定程度受ける形で、「パレスチナとユダヤ史」という文章を発表した。先に取り上げたボヤーリンの「エクソダスを歴史に読む」は、実はこの「パレスチナとユダヤ史」で扱った自らの検討課題を引き継ごうという明確な意図で書かれたものでもある。

ボヤーリンの論考のタイトルにある「パレスチナ」には、歴史的な地理範囲としての「パレスチナ」と、イスラエル領となった部分を除いた現在の政治的な、そして将来国家となるはずの「パレスチナ」という二重の意味がある。この論考の目的は、第一の意味のパレスチナが二次大戦後にユダヤ人の集合的アイデンティティの基盤となったことと、第二の意味でのパレスチナとインティファーダによって、その基盤に異議が向けられたこと、この二点を問うことであるという[38]。サイードからの応答はかなりの衝撃を与えたのか、サイードからの異議を深刻に受け止めていると記し、「インティファーダはシオニズムに対してだけでなく、西欧的な国家・領土・民族の概念に対する異議申し立て」であって、「インティファーダがユダヤ人の歴史について教えてくれる教訓は、パレスチナ人にとってのではなく、まずはユダヤ人にとっての教訓なのだ」とまでボヤーリンは言う。[39]

その得られた「教訓」とは、最初のサイードへの疑問において、シオニズムのもつヨーロッパでの抑圧からの解放運動的な側面への考慮が必要だと言ったことが、歴史的に見て誤りであったということだ。ボヤーリンは以下の点をまずは指摘する。戦後のイスラエルの建国が、他の第三世界のナショナリズムが脱植民地化の過程で民族自決権を獲得することで建国を成し遂げていったという民族解放とは異なること、帝国主義とのさまざまな関係のなかで明らかに「再構成」された「民族」が自発的にだけではなく強制的にも集められたこと、そしてその「国家建設」によるヨーロッパのユダヤ人問題の「解決」という方法が二次大戦後の帝国主義の後継者たちにとってはきわめて好都合であったこと。[40]つまりは、シオニズムはその起源から帝国主義であったのだ、という認識への転化だ。

次にボヤーリンは、そのシオニズム運動がもたらした深刻な「損害」を大きく二点挙げる。一つ目は、建国前後一九四七‐四九年の戦争で五〇〇にも達するパレスチナの村が組織的に破壊され住民が追放されたことと、それ以前の大戦間期においてすでにパレスチナの伝統的な土地所有制度や農業制度がユダヤ人国家創設の目的で潰されていったこと。「損害」の二つ目は、ディアスポラ・ユダヤ人のもつ活気に溢れた歴史と文化の多様性が、シオニズムによって否定され、イスラエル国家に政策的に「同化」されてしまったこと。これはとくに、のちの非ヨーロッパ圏出自の移民世代に大きな疎外感と差別をもたらすことにつながる。[41]

この二つの損害は、結果として生じたことではない。シオニズムの内部から必然的にもたらされたものだ。シオニズムという思想そのものが問題化されなければならないのであって、「小イスラエル主義」の左派シオニズムでは問題の解決にはなりえない。むしろシオニズムを洗練しその問題性を隠蔽しさえするだろう。このような批判的な立場は、ウォルツァーを批判したサイードによって強調されていたことであった。パレスチナ人への弾圧・破壊の認識については当然のこととして（ボヤーリンも「最重要」として真っ先に挙げている）、しかしディアスポラ主義者のボヤーリンの面目躍如は、むしろ上記の「損害」のうち二点目の「ディアスポラ文化の否定」の指摘にこそある。翻って言えば、ディアスポラの肯定を通してこそ、より徹底したシオニズム批判に至り着くとボヤーリンは考えている。

最後にボヤーリンは、ユダヤ人の集合的アイデンティティの問題に言及する。「文化的な均質性」によってつくりあげられた国民国家の上に集合的アイデンティティを基礎づけようというシオニズムの試みが、壊滅的な影響をもたらしたとボヤーリンは言う。「何千年と〔ディアスポラの〕ユダヤ人を支えてきた彼らの集合的な記憶、習慣、文化、サブカルチャーが剥ぎ取られて、それらすべてが世俗的進歩主義と土地のイデオロギーへと取って代わられてしまう」こと、つまりこれは逆説的な表現であるが、イスラエル人の「脱ユダヤ化」でありそれと同時にイスラエルの土地の「ユダヤ化」なのである。[42]パレスチナの土地は次々とユダヤ人に収奪され、ユダヤ化されていく一方で、「イスラエル国民」の創出は、世界中のユダヤ人のディアスポラ文化を、ユダヤ文化そのものを否定していく。しかし、「均質なイスラエル国民」などというものは、原理的に不可能なフィクションである。現実には、国民の二割に達するパレスチナ人（その内実もまた多様だ）が存在するだけでなく、中東世界からのユダヤ人や、ヨーロッパ出自でもいったん中南米など非ヨーロッパ圏を経由しているユダヤ人、エチオピアからのファラーシャ（本書序章参照）など、「エレッツ・イスラエルへの帰還」を世界規模で実行すればするほど、「均質な国民」は遠のく。にもかかわらずそれを追及するかぎりは、ヨーロッパ出自のユダヤ人によるその他の出自、階層のユダヤ人・非ユダヤ人への差別は複雑化、深刻化していく。

それに対してボヤーリンは、ユダヤ人とその他者らのもつ「多様性」と「稀少性」からこそ生まれる強さを認めるべきだと主張し、ユダヤ人もパレスチナ人も自決権をもつために、ほとんど夢想に聞こえる「無国家解決」という一言を漏らす。[43] もちろん、「現段階では国家要求をあきらめるということはできないが」ということは認めたうえでのことではある。とはいえ、双方の自決権を尊重するがための「無国家解決」という発想が、サイードの言う「一国家解決」と通底するものであることは、言うまでもない。

3.「非ユダヤ的ユダヤ人」とバイナショナリズム

3-1　フロイトの作業仮説

こうしたいくつかの論争から十数年を経て、サイードは最期に『フロイトと非‐ヨーロッパ人』を刊行した。一つの講演を基にしただけの短いこの本には、ウォルツァーの名前もボヤーリンの名前も登場しない。しかし、エクソダス＝出エジプトの物語を再解釈しユダヤ教とユダヤ人アイデンティティについても考察を加えたジークムント・フロイトの『モーセと一神教』を取り上げているサイードにあっては、論争はさまざまな形で繋がっているだろう。

このサイードの講演は、ロンドンのフロイト博物館で開かれたものだ。フロイトは、無神論者のユダヤ人として知られているが、晩年の一九三八年にナチスからの迫害を受けて、ウィーンからロンドンへと亡命し（四人の姉妹はウィーンに残り、のちに全員ナチスの収容所で殺される）、翌年その地で没している。その頃にいくつかの論文として書かれ、最後に死の直前に本としてまとめられたのが『モーセと一神教』であった。ユダヤ教の父祖モーセが実はエジプト人であったこと、モーセが二人存在し最初の一人が殺害されてもう一人がモーセになり代わったことが、一神教の起源であるということを、半ば仮説として、しかし一定の文献的考証をしたうえでの仮説として、フロイト独自の精神分析（「原父の殺害」や「抑圧とその回帰」）によって説明しようと試みたものだ。

無神論者を自任するユダヤ人フロイトが、人生の最期においてユダヤ教の起源を大胆に覆す仕事をしていたということ、しかも歴史家ではなくましてや宗教学者でもなく、精神分析医であるフロイトがその仕事をしたということは、ユダヤ人アイデンティティとシオニズムの問題を考えるうえで重要な意味をもつ。したがって、サイードがこのテーマで講演をもったことは、これまでのエクソダス論争からしても必然的と言える。

サイードも言うように、近代のユダヤ教やユダヤ人はアジアやアフリカよりはヨーロッパに属するものとして考えられてきたのであり、またシオニズムはこれまで見てきたようにヨーロッパのナショナリズムと帝国主義のなかから生まれてきた。一九一七年のバルフォア宣言でもって、来るべきユダヤ人国家（のちのイスラエル）は西欧世界に取り込まれ、準ヨーロッパ国家に組み込まれたのだ。[44]フロイトが『モーセと一神教』を書いた理由は、一神教の起源を探ることや、ユダヤ人とは何か、どうしてユダヤ人は差別されるのかを探ることなどいくつか挙げられるが、そのなかでもサイードが取りだすのは、ユダヤ＝ヨーロッパという共有された前提を突き崩そうという試みである。「フロイトが非ヨーロッパ人の過去を動員したのは、ユダヤ人アイデンティティを宗教的にであれ世俗的にであれ、しっかりとした基礎に据えつけようとする教条的な試みを覆すためであった[45]」。

フロイトは、「もしもモーセが一人のエジプト人であったとするならば……」という『モーセと一神教』の第二論文のなかで、一神教の成立にはエジプトの古代帝国世界が大きな要因としてあったこと、そこには帝国的な版図内でシリア地方やメソポタミア地方からの影響、アジアからの影響もあったであろうことに触れている。[46] さらにそのエジプトから「脱出」した部族が、「エジプトとカナンのあいだの地域で、そこに昔から定住していた別の近しい間柄にある諸部族と一体化」し、その一体化から「イスラエル民族が現れ」、そこで「すべての部族に共有された一つの新しい宗教、すなわちヤハウェの宗教」が成立したと述べている。[47] すなわち、古代イスラエルの最初の一神教にせよ、その起源にはすでに「他なるもの」があった、むしろそれによって初めてユダヤの民が成立したのだ、そうフロイトは仮説づけている。そのことの歴史的な検証作業、妥当性の議論はここではおく。

さらにフロイトは、最初のエジプト人モーセがその厳格さゆえに買った反発により民に殺害され、その部族の中から第二のモーセが出現し、「原父＝厳父」殺害の記憶が抑圧されるが、しかるのちに「抑圧の回帰」としてモーセ崇拝が生まれ、それがヤハウェ信仰と一体化しユダヤ教の原型が成立するというプロセスを、精神分析的に説明する。

このフロイトの仮説からサイードが読み取るのは、

フロイトが主張したのは、ユダヤ人アイデンティティはそれ自体から始まったのではなく、むしろ他なる（エジプトやアラブ的な）アイデンティティから始まったということだ。（…）アイデンティティは、それ自体では、思考したり作動することができない。根源にある抑えつけることのできない破損や亀裂なしには、アイデンティティは、自らを構成したり想起することはできないのだ。[48]

ということである。サイードがこうしたメッセージをフロイトから強く読み取るのは、ほかでもない、現代のイスラエル国家によるシオニズム的政策のことが念頭にあるからだ。シオニズム国家は、まさにフロイト的な作業の正反対のことを行なっているのであり、「ヨーロッパの反ユダヤ主義〔反セム主義〕の辛酸を経て、非ヨーロッパの領土に創設されたイスラエル国家は、政治的にユダヤ人アイデンティティを確立したが、それは非ユダヤ人からなるあらゆるアイデンティティを封じ込めるきわめて具体的な法的・政治的な立場をとることによってであった」とサイードが述べるとき、サイードにとってのフロイトの作業仮説は、このシオニズム的政策とちょうど表裏の関係にあると言える。[49]

3-2　ユダヤ人のアンビヴァレンス

ここでもまたサイードはユダヤ人の対話者を見いだす。この本にも収録されたジャクリーヌ・ローズの応答は、先のボヤーリン兄弟の議論とも深く呼応している。ローズはサイードが過度に単純化をしていると思われる部分については、とくに違和感を表明している。たとえば、フロイトが「ユダヤ人は異種族のアジア人などではなく、地中海地方の諸民族から構成されていると見て間違いなく、地中海文化の継承者である」[50]と言ってしまうときに、それが自身のモーセ＝エジプト人説と矛盾することをフロイトは気づいていただろうとサイードが述べた箇所[51]について、ローズは、それではたんにユダヤ人はヨーロッパ人ではないと断言しているようなものだと言う。そうではなく、「自らのユダヤ人アイデンティティに対してフロイトがもっていた複雑で両義的な関係を通して、フロイトはまさにアウトサイダーとして、ヨーロッパの完全性の外観を引き剥がすことができたのだ」として、ユダヤ人フロイトのもっていた「特殊性と普遍性」そのものに注意を促す。[52] あるいは、次の箇所。

フロイトはユダヤ人への帰属とその否定との狭間でより引き裂かれていたのではないか。あるいは、彼自身が顕著に描き出した非ヨーロッパ人によって創出されたものとしてのユダヤ人像と、最良のヨーロッパ精神をもっとも果敢に体現した者としてのユダヤ人への信頼との狭間で引き裂かれていた。すなわち、永遠の外国人としてのユダヤ人と、諸国民の世界へと加わりたがっている（欺瞞であろうとも故郷へ戻りたがっている）者としてのユダヤ人とのあいだで。[53]

フロイトの大胆さとそこから導き出すことのできる意義についてサイードは強調したが、ローズはむしろユダヤ人としてはフロイト本人がおかれていたであろう両義性、引き裂かれてあることにこそ注目する。より直接的にパレスチナ問題へのアプローチを念頭におくサイードに対し、ローズはボヤーリン兄弟と同様、ユダヤ人のもつ多義性に、つまりユダヤ人がシオニズムとヨーロッパとアラブとのあいだにそれぞれもつアンビヴァレントな関係について、より精緻に考えようとしている。

したがって、サイードとローズとは離れた場所に立っているのではない。二人がともにこの意味において好意的に参照するのが、アイザック・ドイッチャーの「非ユダヤ的ユダヤ人」という概念だ。[54]

ドイッチャー自身がフロイトをその代表的な一人に数える「非ユダヤ的ユダヤ人」（スピノザやハイネやマルクスらと並べられている）とは、「異なる文明、宗教、民族文化の境界線上に住まう例外的なユダヤ人」のことであり、「もっとも多様な文化的影響が互いに交差し豊かにしあう場所で、精神の成熟を遂げたユダヤ人」のことである。[55] 彼らは、現実を静的にではなく動的にとらえ、一つの社会や一つの国家に自閉することなく、さまざまな矛盾の前にもたじろがずに明晰に理解しようとする、そういう精神をもっている。

だからこそドイッチャーは、イスラエル建国の一〇年後の一九五八年に書かれたこのエッセーで、建国によってこうした非ユダヤ的ユダヤ人の精神が失われつつあることにも警句を発する。「世界はユダヤ人に国民国家をもたせてしまった。（…）だがユダヤ人らは、少なくともこの「ユダヤ人が国家をもってしまうことの」パラドクスに気づくべきであるし、「国家主権」への熱狂などは歴史的には時代遅れのものであることも自覚すべきだ」と。そしてこのエッセーを次のように締めくくる。「他の諸民族とともに、ユダヤ人は最終的には「国民国家」の不適切さに気づき、ユダヤ的なものを超越したユダヤ人の天才がわれわれに残した倫理的・政治的な遺産へと立ち戻る道を見いだすことを望む[56]」、と。

3-3　ディアスポラ再考

ドイッチャーが「非ユダヤ人的ユダヤ人」について論じる際に、本質的な要素についてドイッチャーが一つ言及し忘れているとサイードは指摘する。それは「ディアスポラ的な、故郷喪失的な性質」だと言う。[57] ところでサイードは、故郷喪失を表現するのに、ユダヤ的なニュアンスを多分に含む「ディアスポラ」という用語を避けて、もっぱら「エグザイル」を用いてきたはずだった。サイードはあるインタビューで、次のような受け答えをしていた。

インタビュアー　ユダヤ人は神話的な場に対する集団的ノスタルジアを記述するのに、「ディアスポラ」という言葉を使用しました。パレスチナ人のなかには、この言葉を流用して、パレスチナからの追放を記述するのに使う人たちもいました。パレスチナ人による、この言葉のそのような使い方が、他の意味を含むと思いますか？　とくに、パレスチナ人のエグザイルが地理上存在している、まったく現実の場所――彼らがいまだにその玄関の鍵をもっている家から追い出されたという現実の場所――からのものである場合に。パレスチナ人が使うために、「ディアスポラ」に代わる言葉の提案はありますか？

サイード　想像上の神話に基づいた多くの言葉に対して、つねに警告と批判を発しているにもかかわらず、私はアラビア語で、「シャタート（離散）」という単語を使っています。当然、「ディアスポラ」という言葉は拒んでいます。しかし、使われてしまっている言葉をおしとどめることはできません。ユダヤ人は自分たち自身の想像力を満たすためにその言葉を使いましたが、いま私たちはそれとは異なるパレスチナ人の状況について語っているのです。パレスチナの状況とパレスチナ人が望む社会とは、パレスチナ人独自のものなのです。[58]

ところが、『フロイトと非‐ヨーロッパ人』でサイードは、「ディアスポラ」という概念を積極的に広げて使う可能性について触れている。先の「ディアスポラ的な、故郷喪失的な性質」に続けて言う。

> これ［＝ディアスポラ的な、故郷喪失的な性質］はユダヤ人の特徴としてのみ見る必要はない。難民、亡命者、国外居住者、移民などの膨大な人口移動の時代においては、自らの共同体の内側と外側の両方に同時に生きる人びとの、ディアスポラ的な流浪と、一つところに定まらないコスモポリタンな意識としてもみなすこともできる。[59]

これは、用語としての「ディアスポラ」を拒否する姿勢を覆すものだ。どうしてサイードがこれまで「ディアスポラ」という用語を避けていたのか、そしてどうしてここで肯定的に語り始めたのか、その理由を考えてみたい。

示唆的な一つの論考がある。エフライム・ニムニによる「「ガルート」から「トゥフツォット」へ」の一節で概略的ながら示されていたのは、ギリシャ語の「ディアスポラ」が、「ユダヤ人の離散」を表現する言葉として翻訳されたのが近代シオニズム思想においてであり、しかもそこにはある重大な意味のすり替えがあったということだ[60]。もともとのギリシャ語の「ディアスポラ」は、「ある集団が何らかの境界線を越えて分散している（dispersion）」という意味だけであり、そもそもはユダヤ人の離散を指す言葉ではない。ユダヤ人の「ディアスポラ的な状況」を表す言葉は、ユダヤ教における時間的・終末論的な意味合いの強い「ガルート」（ヘブライ語）である。つまりメシアの到来までは、世俗的な国家とは無関係に「ガルート」としての離散が続くということになる（これに対してもともとのギリシャ語の「ディアスポラ」に該当するヘブライ語が「トゥフツォット」）。この言葉を、たんに地理的な意味での離散を表す外来語としての「ディアスポラ」に意味をずらして翻訳したのは、一九世紀末以降のヨーロッパの世俗的なシオニストであったというのがニムニの指摘だ。

つまり、「エレツ・イスラエル」を領土的な意味での現代ユダヤ人国家にスライドさせ、「ガルート」的な神による追放状態から、領土的な世俗国家に移住をすれば解消可能な地理的な離散状況としての「ディアスポラ」へと意味が変換された。したがって、「ユダヤ人ディアスポラ」という表象はそもそも、シオニズム運動によって解消されるべき状態として近代になって生み出されたものであることになる。

ここから推察するに、サイードが「ディアスポラ」の使用を避けていたのは、それがシオニズムと密接な関係をもっていたからではないか、逆にその概念の拡大的な転用可能性が考えられるようになるのは、そのシオニズム的バイアスを取り除いたときに、ギリシャ語の「ディアスポラ」の原義を活かすことができるようになるからではないか。そのように考えることは一定の妥当性をもつように思われる。

おわりに

サイードは『フロイトと非‐ヨーロッパ人』の最後でこう問いかける。「ディアスポラ的な生のための政治の条件に希望をもつことは可能だろうか。そしてそれは、ユダヤ人とパレスチナ人の土地における二民族共存の一国家の、さほど脆弱でもない基礎になりうるだろうか[61]」と。サイードは一九九三年のオスロ合意による二国家解決による和平案を批判するなかで、その対案として「一国家解決」を積極的に提示するようになっていた。『フロイトと非‐ヨーロッパ人』でも、「一九九三年以来のオスロ和平プロセスに描かれてきた分割が、相互に対立するナショナル・ナラティヴ間の抗争を消し去ることはできなかった。むしろ双方の両立不可能性を際立たせてしまうことになった[62]」としている。それぞれが別々に独立の確たるアイデンティティや物語に自閉することなど不可能だからだ。

サイードが初めて主題的にバイナショナリズムの思想を明示したのは、一九九九年の論考「一国家解決[63]」においてであったが、そこにしか解決を見いだしえない必然性が消極的に語られていたのではなく、歴史的な多様性の承認と、双方の民族自決権の同時的な尊重とによる、前向きで魅力的な思考としてそれは提示されていた。サイードは、最後の最後までそれを、現実的政治ビジョンとして提示すると同時に、思想史的にも深化させることの両方を、相補的に探求していたに違いない。「ディアスポラ的な生のための政治」と「バイナショナリズム」は可能かと自ら投げかけた問いに対して、最後にサイードは自らこう答えて講演を終える。「私自身は信じている。」

終章

イスラエル／パレスチナにおける国家理念の行方

はじめに

「ユダヤ人国家」の創設を目指す政治的なシオニズム運動が始まって一〇〇年強、またその一つの「実現」の形を見た一九四八年のイスラエル建国から数えて六〇年。それでもなお、「ユダヤ人国家」はいまだ自らを定義することができずにいる。他方、シオニズムの歴史とともに侵略と占領を被り続けているパレスチナにおいては、ユダヤ人国家と同時に約束されたはずの「アラブ人国家」(=パレスチナ国家)はいまだ実現せず、その見通しすら立っていないばかりか、その可能性を失おうとさえしている。

歴史的なパレスチナの地を「ユダヤ人国家」と「アラブ人国家」に分割することで民族問題の解決を目指すいわゆる「二国家案」は、イスラエル建国前のイギリス委任統治期から模索されてきた。いくつかの分割案が出され、オスロ合意でも確認され、そして和平プロセスが事実上破綻した現在でもなお、国際社会に共有された建前となっている。それにもかかわらず現状はむしろ逆方向へと流れていっている。

パレスチナが独立国家となることを望んでおり、イスラエルもそれを望んでおり、国際社会がそれを支持しているのだとしたら、なぜそれにもかかわらず実現しないのか。その問いは、「パレスチナ国家をどうすべきか」「ユダヤ人国家をどうすべきか」という、国家理念に関する本質的な問いにつながってくるだろう。

1. パレスチナ国家の行方

1-1　パレスチナ「自治」の現在

現在のパレスチナ自治政府は事実上、大統領を出している世俗的なファタハと、議会多数派をなしているイスラーム主義のハマスとの対立による「分裂政府」の状態をなしている。その混乱の原因は、ハマスが大勝した二〇〇六年のパレスチナ評議会選挙の結果を、選挙が国際的な監視団のもとで整然と行なわれたにもかかわらず、国際社会が受け入れなかったことにある。これまでパレスチナ解放機構（PLO）にもパレスチナ自治政府にも参加をしてこなかったハマスは、一九九三年のオスロ合意に基づく和平プロセスを、ひいてはイスラエル国家そのものを認めていない。[1]その点をもってイスラエル、アメリカ、日本などを含む国際社会は、ハマス内閣主導のパレスチナ自治政府との和平交渉を拒絶し、支援を停止し、民意としてハマスという選択を示したパレスチナ人に集団懲罰を科した。そして各国がこぞって、議会少数派ながら大統領を擁しPLOの中心をなすファタハに肩入れしてきたことが、二つの自治政府の分裂という事態を生み出した。

国際社会は、ハマス内閣に対して、オスロ合意とイスラエル国家を承認せよと迫っているが、ハマスは実のところ、建前としては「イスラエル殲滅」を叫ぶものの、現実的なところでは、オスロの最終目標である二国家分離そのものに反対しているわけではない。ただしそれは、イスラエルが東エルサレムも含めた占領地を完全に放棄し、ユダヤ人入植地と分離壁をすべて撤去し、国境管理や、水利権、領海権、領空権などをすべてパレスチナに認めるのであれば、ハマス側もイスラエルを承認する用意がある、という意味でだ。だが、オスロ合意は、そうした具体的内容をまったく伴っておらず、調印から一五年にもなるが、占領問題は悪化する一方で改善の兆しすら見せたことがない。

むしろ現実には、「パレスチナ人テロリストの侵入を防ぐ」という表向きの理由で主要入植地や水源地帯を事実上イスラエル側に併合するいわゆる「分離壁」（隔離壁）の建設が着々と進められ、自治区は削り取られ分断され、ひとつの連続する領土的実体をもった国家という理念はほぼ潰え去った。これまでのファタハ主導だった自治政府はこの事態に有効な対策を打てなかったばかりか、壁建設が進められていたある時期まで、その壁が「将来的な国境になる」、つまりパレスチナ国家の外縁ができるという空手形のために、壁建設を黙認していた節さえある。二〇〇一年に分離壁計画が発表され、〇二年初頭に着工されたが、自治政府が分離壁を批判し始めたのは、なんと〇三年半ばのことであった。その間、実際に壁建設で土地を奪われている地元住民の悲鳴を、自治政府は黙殺していた。こうした現状に対して、パレスチナ人たちが「ノー」を突きつけたのも当然のことであり、ハマスの大勝というのは、ファタハ政権に対する批判票であった。世俗的なファタハに対して宗教的なハマスに人気が出たということではない[2]。

1-2 「民主的世俗的一国家」から「二国家分割」へ

しかし同時に、ハマスの勝利とファタハの敗北が、イスラームへの傾斜を促し、ファタハ・PLOの政治理念としてあった「民主的世俗的パレスチナ国家」を骨抜きにしかねないことも事実だ。

そもそも「民主的世俗的国家」という理念が具体的に提起され発展していったのは、PLOによる一九六四年の国民憲章を六八年に改訂する過程においてであった。一方では、アラブ・ナショナリズムから相対的に独立したパレスチナ・ナショナリズムの表明として、他方では、ユダヤ人国家イスラエルの存在を当時まだ承認していなかったPLOが「四八年占領地（イスラエル領のこと）」とそこに住むユダヤ人を何らかの形で含み込む国家理念の創設として、「民主的世俗的国家」は謳われた。そこでは、「シオニズム運動以前からパレスチナにいるユダヤ人」を「パレスチナ・ユダヤ人（アラブ人のユダヤ教徒）」として「国民」と認めるということや、さらに進んで「宗教にかかわりなく望むものは誰でも平等な国民として生存権をもつ」といったことが議論された。その意味でこの当時の「民主的世俗的パレスチナ国家」は、同時にイスラエル領とされていた地域をも含み込んだ「一つのパレスチナ」という含意であり、ある種の二民族共存国家、いわゆるバイナショナル国家であった。

だが、この理念が現実味を帯びたことは一度もなく、圧倒的軍事力をもつイスラエル国家の存在を否定することはできず、二国家分割を前提とした独立論ばかりが公然と語られてきた。そして公式には、八八年のパレスチナ民族議会における「パレスチナ国家独立宣言」において「一九六七年占領地からの撤退」をイスラエルに求めたことが、同時に「四八年占領地のイスラエル領有」を認めたに等しく、その時点でパレスチナ側からの「一つのパレスチナ案」は終焉を迎える。オスロ合意による二国家分離政策は、その延長線上にある。

1-3 「シオニストの悪夢」

だが先に見たように、ハマス自治政府誕生は、そのオスロ路線を批判する民意ゆえであった。現状でのイスラエル国家を、つまりオスロ路線を承認しないハマスが、分裂状態になったとはいえパレスチナ自治政府の一端を担っているという事実は、二国家解決案に大きな疑問を突きつける。

オスロ合意当時から、これが形を変えた占領政策の延長にすぎないと一貫して鋭い批判を提起してきたイスラエル国内の反シオニスト組織「民主的行動機構」のヤコブ・ベン＝エフラットは、この現状を「シオニストの悪夢」と評している。「悪夢」とはこういうことだ。寸断され蝕まれた領土しかもたず、国境も領海も領空も管轄下におけないパレスチナは、経済的に自立できず、イスラエルに依存せざるをえない。イスラエルが占領を続ければ、つまりはアパルトヘイト体制にならざるをえず、いずれ占領下のパレスチナ人からは市民権の要求が出るし、民主主義を尊重する国際社会が、半数近い住民に市民権を与えない人種差別を永久に容認するはずがない、そのジレンマのことだ。[3]

しかもこの悪夢は、そうたやすくは終わらない。オスロ和平への幻滅を背景にした二〇〇〇年からの第二次インティファーダを弾圧するために、イスラエルは自らオスロ和平体制を放棄し、パレスチナ自治区を含む占領地を全面的な軍事支配下に収めた。だが上記のように、占領下のパレスチナ住民の生活に対して一切の責任をとりたくないイスラエルは、その反動として、〇四年頃から、パレスチナに国家としての独立も認めず、そうかといって占領統治下にもおかない、「一方的撤退・分離」という方針を打ち立てた。独立に向けても支配に向けても関与しないという、当時のアリエル・シャロン首相の政策であった。

だが、この「生殺し状態」でもたらされるパレスチナの困窮は、一方では分離壁によっても阻止しえないパレスチナ武装勢力によるロケット砲撃をいっそう誘発し、他方でオスロ体制への批判としてハマス政権を誕生させた。再度の軍事展開も、対抗勢力としてのファタハへの肩入れも、いずれにせよこうした武力・政治両面の抵抗運動を増長させてしまうことは明らかであった。手の打ちようのない「悪夢」だ。ヤコブ・ベン＝エフラットは、「「二つの民族のための二つの国家」という考え方は、かつてないほどに消え去ろうというところまできている」と言う。「双方の協定によって入植地を撤去し、一九六七年（第三次中東戦争）の軍事停戦ラインまで撤退することで二国家解決策を救う可能性は、いまではゼロに近い。（…）だが、六七年ラインまで撤退しなければ、民主主義的な一国家を求める勢力はこれまで以上に強くならざるをえない。パレスチナの完全な独立か、または一国家か、という困難な選択に直面するときがきた。[4]」

2. バイナショナリズムの諸相

2-1　バイナショナリズムの歴史

一国家二民族共存の理念と、単一民族国家の理念とのせめぎあいは、本書第一部から見てきたように、イスラエル建国の一九四八年以前のシオニズム運動のなかに前史をもつ。相互に矛盾と衝突を繰り返してきたさまざまなシオニズム運動の諸潮流・諸党派のなかに、「ユダヤ人だけの国家建設」を理想とする政治シオニズムと、ユダヤ人の排他的国家覇権を否定し、パレスチナの地とのユダヤ人の宗教的・精神的・文化的つながりおよびユダヤ人の居住権を重視する文化シオニズムとの対立があった。

政治シオニズムは、『ユダヤ人国家』[5]を著わし世界シオニスト会議を主導したテオドール・ヘルツルを祖とし、その後イスラエルの労働党とリクードの二大政党につながっていく党派をそれぞれ指導したダヴィッド・ベン＝グリオンとウラディミール・ジャボティンスキーの二人が思想的・政治的な柱をなす。政治シオニズム内のこの両派は、ユダヤ人国家を実現するための手段として、欧米大国の後ろ盾を重視する前者と、公然とした武力行使を重視した後者のあいだに力点の違いが認められたが、現実には相互にその手法を取り混ぜていたため、「ユダヤ人国家実現」という一点ではむしろ共闘／共犯関係にあった（本書第七章参照）。

その純粋な民族国家主義に対抗した文化シオニズムは、アハド・ハアーム[6]に思想的源泉をもち、その後ゲルショム・ショーレム、マルティン・ブーバーらによって担われた、先住アラブ民族との共存の形を模索するバイナショナリズム運動へと発展した（本書第二章参照）。人要を確認すると、バイナショナリストらは、一方でナチズムに頂点を極めるヨーロッパの反ユダヤ主義と対峙しつつ、他方でユダヤ人だけの民族国家をつくることがユダヤ人問題の解決になるとは考えなかった。ヨーロッパの純化志向の民族主義によってユダヤ人は他者化され排除・弾圧を受けた以上、そのユダヤ人たちが自分たちだけの民族国家を別につくることは、今度は自らが排斥をする側に立った新しい民族差別を引き起こすからだ。「ユダヤ人国家」は問題の解決ではなく、むしろ問題の反復といっそうの深刻化を招くと彼らは考えた。したがって、バイナショナリズムにおいて目指されたのは、いかにマジョリティ／マイノリティ概念をつくらずに共存できる政体を構想するかということであった。

だが、この政治シオニズムと文化シオニズムとの争いは、四七年の国連分割決議と四八年のイスラエル建国によって、前者の圧勝で終わりを迎え、政治運動としてのバイナショナリズムも事実上消滅した。

2-2　二国家分割案の死

興味深いのは、この思想的かつ政治的な対立が、いまなお繰り返し問われていることである。オスロ和平の破綻以降、いや先述のようにオスロ合意そのものが二国家解決を示唆しながらそれを不可能にする自己矛盾したものであったのが白日の下に晒されて以降、オスロ合意の枠組みを厳しく批判しながら、そのオルタナティヴとして再度バイナショナリズムに光を当て、そのアクチュアルな意義を説いたのは、エドワード・サイードであった。

一九九九年に「一国家解決」というタイトルで発表されたサイードの論考は[7]、歴史的にパレスチナの地が特定の宗教や民族によって独占されたことなどなく、つねに多民族・多宗教であったということと、イスラエル建国期に「ユダヤ人国家」という理念に反対をしたバイナショナリズムのグループが存在したこと、この二つの事実を足場に、パレスチナの地において「市民権思想」に基づく世俗的民主国家を打ち立てることの魅力を説いていた（本書第八章参照）。オスロ合意の枠組みに対する批判として現在のパレスチナ／イスラエルについてバイナショナリズムの可能性を探る試みとしては先駆的なものであり、その後の議論のなかでサイードの論考は重要な参照項となった。

実のところ、この論考が出された九九年頃というのは、オスロ合意以降も止まらないヨルダン川西岸地区への入植地建設がエスカレートし、西岸の要衝地を引き裂いていった時期でもある。サイードがバイナショナリズムを説くにあたっては、パレスチナ・ユダヤ両民族の自己決定権（民族自決権）のいっそうの実現のためというポジティヴな観点に比重がおかれたが、しかし、イスラエルの入植政策の現実から見れば、九〇年代末というのは、入植地の撤去が非現実的になっていった時期だ。

サイード論考以降、多くの「一国家解決」あるいは「バイナショナリズム国家」と題する文章が発表されているが、[8]それらの先行する議論の整理も含めた包括的な書物として、ヴァージニア・ティリーによる『一国家解決』[9]がある。そのティリーがまず議論の前提とするのが、やはり二国家分割の不可能性だ。一国家解決は、「魅力的な理念」ではなく、パレスチナの占領を終わらせるには現実的にもはやそれ以外に方法がない、不可避の選択肢となったという。ティリーが出発点とするのは、「和平の障害物」としてのユダヤ人入植地が規模と質において「もはや移動不可能な物体」へと変貌してしまったという事実認識だ。せめてオスロ合意直後なら、西岸地区のユダヤ人入植地は現在よりもはるかに規模が小さかったが、九〇年代末までには西岸のユダヤ人入植地は、たんなる「住宅地」を超えて、撤去不可能な「巨大都市」にまで発展してしまった。[10]

アリエル・シャロン（当時首相）の「一方的撤退」政策は、パレスチナ側との一切の協定なしに、主要入植地を一方的にイスラエル領に取り込み、そこで国境を画定させ、それ以外の残りのパレスチナを切り捨てる、というものであった。これは一国家解決でも二国家解決でもない。西岸地区から最大限のユダヤ人入植者と土地・資源を効率的に確保し、ユダヤ人国家にとっては「不純物・障害物」となるパレスチナ人を極小化するべく、不効率な部分（＝パレスチナ人の密集地）を分離壁で囲って監獄化しておくのに、和平も合意もない。

ハマス内閣発足直後の同二〇〇六年に行なわれたイスラエルの側の総選挙は、この「シャロン路線」が承認された選挙であった。[11]もちろん、そのような形で、水源地帯や農地を奪われ、人と物の移動も著しく制限されたパレスチナが、経済的・政治的に独立できる可能性はない。

ジャーナリストの小田切拓は、こうした実情から「誰が、いつまでパレスチナを食わせるのだろうか」という問いを立て、現地取材とパレスチナ／イスラエル経済の研究者へのインタヴューをもとに、その問いへのありうる答えを冷徹にレポートしている。[12]つまるところ、イスラエルかアラブ諸国か国際社会が支援を注入し続けるしか、パレスチナにはもはや生き残る道はない。というのも、先に見たように、パレスチナは国家としての政治・経済を保つ要件を一切欠いているからであり、しかも、西岸地区をヨルダンに、ガザ地区をエジプトに委ねることは、資材や武器の持ち込みを阻止したいイスラエルにとっては認め難い選択肢だからだ。つまり、パレスチナはイスラエルにとっての緩衝地帯として、まさにアパルトヘイト体制下のバンツースタン[13]のように、「パレスチナ人居住区」として孤立するしかない。

そこで残された道は、シオニズムを黙認する国際社会が、その埋め合わせ的にパレスチナに援助金を投入し続け「食わせてやる」というものだ。たとえばそれは、小田切のレポートに示されている、イスラエルと諸外国が「支援」の名のもとに占領地内に設置する工業団地だ。イスラエル企業が関与しながらパレスチナ人を安価に働かせるのに、国際的な援助金が投入されるという構図になる。日本政府も〇六年に発表した「平和と繁栄の回廊」構想によって、西岸地区内部のヨルダン渓谷地帯へ農業団地を設置する計画を進めているが、これもその典型例だ。これは、イスラエル政府とともに占領地の開発を行なうというものであり、占領者イスラエルに好都合なプロジェクトである。さらにはイスラエル政府の意向に沿うことを日本政府が意図したものであるとさえ言える。[14]

このように現時点においては、一国家解決案も二国家解決案も、国際的な枠組みのなかで無効化されてしまっている。

2-3 「知的ゲーム」としてのバイナショナリズム

先に触れた「民主的行動機構」のロニ・ベン＝エフラットは、あるインタヴューで、一国家解決案についての質問に、「私には一種の知的ゲームにしか見えません」と答えている。[15] この発言は、イスラエルの内部においてシオニズムと闘っている活動家の言葉として重みをもつ。

まずは、バイナショナリズム論が、そのなかでもっとも参照されるサイードの論考も含めて、その多くが欧米圏の学者・批評家によるものであることには留意を要する。パレスチナ／イスラエルの内部でも、一部の知識人や知識人グループは積極的に一国家論を支持しているが、地に根を張った政治運動としてバイナショナリズムが支持を得ているわけではない。

第二に、パレスチナ人に支持されない主要な理由として、先にイスラエル建国史を振り返ったとおり、バイナショナリズムがシオニスト左派（建国前の文化シオニストや共産主義諸政党）に起源をもつことも再度確認しておくべきことだろう。移民・入植者らであるユダヤ人が先住民であるパレスチナ人に対して対等な共存を呼びかけることと、パレスチナ人の側がそれを受け入れるのとでは、自ずと文脈が異なる。また、建国前に文化シオニストが主流派シオニストに対抗するなかで模索したバイナショナリズムと、現在パレスチナの独立が不可能になった時点でそれ以外に解決がないだろうという意味での一国家解決案とでも、もちろん文脈を異にする。そして実際には、先に確認したように、ポジティヴに一国家解決の理念を語れるような現状にはない。

加えて、とくに日本におけるバイナショナリズム認識は、欧米圏からの輸入という形で間接的になっているだけでなく、「あのサイードが言っていた」ということが根拠となってしまっている。もちろんサイード本人は、自らがルーツをもち深くコミットしていたパレスチナの現状に対する冷徹な認識のうえに立ち、かつ、思想史的な可能性を紡ぎ出そうとしていたのであり、その発言の意義の大きさには疑いはない。だが、サイードを語ることがパレスチナの現状を語ることと混同されがちな日本の知的消費構造のなかで、ナイーヴにバイナショナリズムを称揚することは、現実的コンテクストも歴史的コンテクストも欠いている。

ロニ・ベン＝エフラットによる「知的ゲーム」という批判は、こうした面からも的を射ていると言わざるをえない。

なお、先のヤコブ・ベン＝エフラットや本書第六章で触れたアスマ・アグバリーエらも同じくメンバーである「民主的行動機構」は、パレスチナ問題の解決についてはイスラエルの新自由主義的資本主義による支配要因を重視し（占領政策や移民政策もその観点から批判している）、それに対抗する国際的な労働者運動への取り組みを訴えている。単純に一国家か二国家かという問題ではないという。

3．内部矛盾を深めるイスラエル

パレスチナ問題は、つまるところ、パレスチナを利用しているシオニズムの問題だ。シオニズム国家としてのイスラエルが、あるいはイスラエルに住むユダヤ人が、なぜここまで「一方的に」（「一方的分離」に象徴されるように）振る舞うことができるのかが問題なのであって、それなしに「パレスチナの問題」だけを論じることはできない。ここで、そもそもイスラエル国家とは何で、そこに住むユダヤ人とは誰なのかを再確認しよう。というのも、イスラエルがパレスチナを「国家」にするにせよ、「占領地」にするにせよ、国家でも占領地でもない隔離された「バンツースタン」にするにせよ、イスラエルは「ユダヤ人国家としてのイスラエル」を線引きし確立するために、アラブ・パレスチナ人と断絶しようとしているからだ。

3-1　「不本意」な移民政策

そもそも一九四八年に建国されたイスラエル国家は、ヨーロッパ各地に住む一部のユダヤ人によるシオニズム運動によって進められ、そうしたユダヤ人だけのための国家となるべきものとして当初は構想された。「一部」としたのは、シオニズムを受容せず支持しなかったユダヤ人も数多く、イスラエル建国後もイスラエルへの移住を選ばずそのままヨーロッパに残るか、アメリカなどに移住したからだ。

またヨーロッパ世界のユダヤ人のなかに、ヨーロッパを離れるべき「非ヨーロッパ人としてのユダヤ人」という「民族意識」が明確にあったわけではないということも思い起こすべきであろう。一方で疑似科学で装われた人種理論も蔓延していたが、しかし、ユダヤ教を内面の信仰としてのみもつ「ユダヤ教徒のヨーロッパ人」と自らを規定している者や、形式上だけキリスト教徒に改宗をしていた者、あるいは相当程度に世俗化しており宗教による自己規定自体を受けつけない者もいた。それゆえ、ユダヤ人国家の存在が自動的にユダヤ人の移民を決定づけることにはならなかった。

さらに、第二次世界大戦中にナチスによるユダヤ人の虐殺が、新生イスラエルの「潜在的国民」の数を減じさせたという背景もある。

だが、新生イスラエルが「ユダヤ人国家」としての体裁を保つには、第一に、「国民」の資格はユダヤ人であることとするか、あるいは少なくともユダヤ人を特権的に扱うことが必要であり、第二に、対アラブ・パレスチナ人との人口比で最悪でも人口の過半数がユダヤ人でなければならない、理想的には圧倒的多数をユダヤ人が占めなくてはならない。このように主流派のシオニストらは考えた。「ユダヤ人国家」という理念が当然に導く論理的要請でもある。だがこれは、上記の事情から容易に達成できるものではなく、結果として現在にも及ぶ矛盾だらけのユダヤ人規定と移民政策と国家理念に結びついた。

早くも建国直後の一九五〇年前後には、ヨーロッパ地域からの移民が頭打ちとなり、アラブ世界（西はモロッコから東はイラクにいたるまで）から、アラブ文化圏に代々暮らしてきた「アラブ系ユダヤ人」を大規模に入れざるをえなくなる。手っ取り早くユダヤ人人口を増やすには、はじめから差別問題を引き起すことがわかっていながら、アラブ諸国で反ユダヤ主義を組織的に煽ることで強引にユダヤ人を移送してくるという手段に訴えたのだ。それと同時に、彼らの「アラブ性」は否定され、「非ヨーロッパ系」＝「非アシュケナジーム」としての他者表象「ミズラヒーム」＝「東方系のユダヤ人」として位置づけられるようになる。[16] また、ミズラヒームのユダヤ人は今度は、自分らよりもいっそう差別を受けるイスラエル国内外のパレスチナ人との類縁性[17]を自ら断ち切るために、強く自らのアラブ性を自己否定するばかりか、強硬な反パレスチナの立場を取る傾向をもった。[18]

一九八〇年代後半からは、本書序章でも見たように、「ユダヤ人」であるかどうかが根本的に疑わしい移民を、しかしやはり「ユダヤ人帰還法」に基づいて、組織的に大量に移民させるという事態が生じている。崩壊した旧ソ連邦からのロシア系移民とエチオピアからの移民だ。ロシア系については、半数近くがキリスト教徒と言われているが、移民後にユダヤ教へ改宗することが前提とされているにもかかわらず、多くがキリスト教のままである。エチオピア系についても、一部地域に住む旧約聖書（ないしトーラー＝モーセ五書）を重んじていた人びとが「ユダヤ教徒」だとされたが、彼らが歴史的にユダヤ人の系譜にあるという証明はなく、さらに膨大な数のキリスト教徒らが「かつては自分もユダヤ教徒だった」と言い出し、イスラエルへの帰還権を主張している。ロシア系の移民は一一〇万人を超えイスラエル最大のエスニック集団を形成し、またエチオピア系も一〇万人に達している。

いずれにも共通しているのが、出身国の政治的・経済的混乱が移民する側の動機としてあり、「ユダヤ人」の規定に関して疑わしかろうと一人でも「ユダヤ人」人口を増やしたいイスラエル政府との利害の一致により、移民受入政策が進められているということだ。もちろんこうした移民らにも、「二級市民」という差別が待ち構えているのだが。

このように、ヨーロッパ出自のユダヤ人らが欧米諸国の支援を受けてつくった、中東における「欧米の飛び地」を自任するイスラエルであるが、対パレスチナ人との人口比競争を意識するあまり、建国以来一貫して、ユダヤ人の多様化・多文化化を不本意ながらも進めてしまっている。

3-2　宗教対世俗の緊張関係

イスラエル・ユダヤ人の多様化・多文化化と世俗化は、しかしながら、超正統派（ハレディーム）と呼ばれる厳格に戒律を守るユダヤ教徒によってつねに監視されている。シオニズムは、基本的には世俗的（非宗教的）なユダヤ人による政治運動であったが、シオニズムが「ユダヤ・ナショナリズム」という特殊な内実をもっている以上は、ユダヤ教がシオニズムにとって不可欠なのは言うまでもない。だが他方で、純粋に宗教として考えた場合、ユダヤ教は現世での世俗権力に直結するものではなく、とりわけ超正統派は政治への参与を忌避する伝統をもっていた。とくにイスラエルという国家の実現、宗教的に言えばユダヤ人の離散を終焉させるイスラエル王国の再生は、メシアの到来によってもたらされるものであって、人為的にもたらすことはできないし、もし人為で行なえば神の意思に背くことになる。このように考えるユダヤ人も少なくはなく、彼らは敬虔であるがゆえにシオニズムと対立することになる。[19]

したがって、シオニズムとユダヤ教の関係は矛盾をはらむ錯綜したものとなる。その緊張関係が政治課題として表面化したのは、一九六七年の第三次中東戦争によって、イスラエルがパレスチナの土地を全面的に占領したことがきっかけで、七〇年代に入ってからであった。ヨルダン川西岸地区とガザ地区の占領により、占領地への入植活動が始まったが、宗教的右派勢力が政府以上に強硬な活動を展開し、同時期にやはり「大イスラエル主義」（占領地の併合とパレスチナ人の追放）を掲げる国家宗教党などの右派の宗教政党が議席数を大きく伸ばし政治的発言力を強めていった。一九七七年のイスラエル総選挙では、右派リクード連立政権が誕生したが（シャロンも重要な役割を果たした）、その一翼を国家宗教党が握り、宗教学校への予算配分や宗教的規定の社会制度化などにおいて大きな影響力を行使するようになった。だが同時にそのことは、世俗的な人びとからの強い反発を生み出すこととなった。それまでは超正統派は孤立主義的に政治的不干渉の立場をおもにとっていたため、矛盾が露呈することは少なかったが、宗教勢力とりわけ超正統派が政治の表舞台に登場したことで、イスラエルの国家理念が世俗的なのか宗教的なのかが鋭く問い直される結果となったのだ。[20]

「民主的ユダヤ国家」という公然と掲げられてきた国家理念は、定義から形容矛盾を引き起こしているように見えるが、基本的には大多数のイスラエルのユダヤ人にとっては「民主主義国家」と「ユダヤ人国家」とは両立する、両立させるべき、二つで一つの理念であった。また「民主的ユダヤ国家」は、形式的な国民国家（すべての成員を等しく国民とする）と、実体的な民族国家（国民に同質的民族を想定する）という、ヨーロッパ近代の国民国家に内在する二つの矛盾した方向性をも反映していた。だが、七〇年代以降現在にいたるまで、こうした国家理念が、ことあるごとに論争の種になっている。

3-3 制定不可能な憲法

この矛盾あるいは論争は、本書第一章で見たように、すでに一九四八年の「イスラエル独立宣言」から明示化され、憲法制定問題という形で、現在に至るまで継続されている。

イスラエルの独立宣言には、「ユダヤ人国家」というユダヤ人の特権性と、「宗教にかかわりのないすべての住民の平等」という特権性の否定と、相矛盾する二つの理念が盛り込まれている。これは、「国民国家」の「国民＝ネイション」をそのまま「（単一の）民族」という意味に置き換えたことと、しかし同時に、原理的に「国民」は「国籍所持者」という意味での市民に形式化可能であることが、そのまま二つながらに反映され明文化された結果でもある。

翌四九年に憲法制定議会が開かれたが、その翌年には、いくつかの理由から制定を「延期」することが決定された。[21] その主たる理由は、第一に、イスラエル建国後も人口比で二割前後を占め続けているイスラエル国籍を有するアラブ・パレスチナ人の存在を、「ユダヤ人とまったく平等な国民」と位置づけることもできず、さりとて「本来いるべきでない非国民」とあからさまに排除を宣言することもできないというジレンマに、イスラエルが対処できないでいることだ。完全な「民主国家」であればユダヤ人であろうとアラブ人であろうと一切の格差・差別を制度的に設けることはできない。だが他方で、世俗ナショナリストでもあったシオニストらは近代国民国家を欲したのであって、宗教共同体を望んだのではない。近代的民主国家でありたいと同時に排他的なユダヤ人国家でありたいという矛盾した欲望を、近代的憲法で体系化することは困難であった。

第二に、「民主的ユダヤ国家」の複合体としては、トーラー（モーセ五書）に基づくハラハー（ユダヤ教の生活規範[22]）つまりユダヤ法（宗教法）と、近代国家の法体系とのバランスを取らざるをえない。憲法はそのバランスを崩し、一挙に世俗的近代法体系へと比重をおくことになるため、宗教勢力が憲法制定に頑なに反対をしていたことが挙げられる。

第三に、「世界のユダヤ人の民族的郷土」であるべきイスラエルには、その時点で世界の総ユダヤ人人口の一割にも満たないユダヤ人しか集まっておらず、今後「ユダヤ人帰還法」でその数倍のユダヤ人を受け入れるつもりであるのに、少人数の現時点でユダヤ人国家の基本方針を決定するのは時期尚早とされたことだ。より直接的に言えば、イスラエルはイスラエル国内に住む国民のための国家なのではなく、世界に住むユダヤ人のための国家であるという、ひじょうに特殊な自己規定をしていることが、通常の国家のもつ憲法とは相容れない。

その後も、これら三つの事情は大きく改善することはなく、何度となく草案が各方面から出されたが、それから半世紀以上が過ぎた現在でも、憲法が現実化する見通しは立っていない。無理を押して世界中からユダヤ人をかき集めてもなお、イスラエル国内に住むユダヤ人は、世界のユダヤ人総人口とされる数に比して少数派であり、そのため現在でもイスラエルは世界中のディアスポラのユダヤ人と世界会議をもち、そこでの意向に配慮せざるをえない。イスラエルにとっては、イスラエル内のユダヤ人とディアスポラのユダヤ人のバランスを保つことがなお重要課題である。

また、国内のアラブ・パレスチナ人との比率にしても、どれだけ強引にユダヤ人移民を促進したところで、アラブ人の出生率の高さゆえに、ユダヤ人の人口比率を高めることができなかった。そして、一方で多様化・世俗化が進むなかで、宗教勢力が七〇年代以降むしろ露骨に政治の舞台に登場してきており（そのこと自体が超正統派の内部では一つの矛盾なのだが）、ユダヤ法と近代法との緊張関係は高まっている。「民主的ユダヤ国家」をめぐる問いは、答えの出ない論争なのだ[23]。

おわりに

イスラエルのシオニストには、アラブ・パレスチナ人との平等を、イスラエル国籍をもつアラブ系市民についてさえ認める意志がない[24]。いわんや、占領地のパレスチナ人については論外であり、宗教や民族に基づかない一国家解決／バイナショナリズムなどとうてい受け入れられない。その意志は、どこまでも「純然たるユダヤ人国家」を目指すものであり、移民政策や分離壁や「一方的撤退」などすべては、その意志を体現すべきものとして実行に移されている。だが他方で、二国家解決が完全に死に体となってしまったこともすでに確認してきたとおりだ。残されている現実は、一国家でも二国家でもなく、「ユダヤ人国家イスラエル」と「バンツースタン・パレスチナ」の主従関係だ。

だが、純粋さに取り憑かれたアパルトヘイト体制は、必ず自壊するということもわれわれは知っている。その徴候はすでに出ている。国家のユダヤ化を目指した「ユダヤ人」移民政策はますます多様性を持ち込み、「ユダヤ人」と「ユダヤ人国家」の定義を自らいっそう曖昧にしている。ヨルダン川西岸地区のユダヤ人入植者・入植地をイスラエル国内に取り込む分離壁は、パレスチナの主要都市を壁の外側に排除しつつ、同時に、壁の内側つまりイスラエル寄りに住む西岸地区のパレスチナ人数十万人も取り込んでしまう（その存在を国民化するのか、国内難民化するのか、または追放するのか）。加えて、イスラエル国家がユダヤ教の神に背いているという声が、ユダヤ教の核心をなす敬虔な超正統派のユダヤ人の一派からやむことはない。

こうしてユダヤ人国家は、ナショナル・アイデンティティの純化を目指しながら、必然的にその自己解体という逆効果をもたらしている。同時期（〇六年初頭）に行なわれた総選挙での、二国家を葬り去る「一方的撤退」を掲げたシャロン新党カディマの勝利と、イスラエル国家を承認してこなかったハマスの勝利もまた、そのことの徴候として読み取れる。それから二年を経てなおパレスチナ自治政府の一角を占めるハマス政権の存在は、ハマス自身に大義や実力が欠けていたとしても、オスロ和平プロセス下での従属的二国家解決に対する、民衆の拒絶を示している。

もしかりにハマスが、イスラーム治下にユダヤ人をも含み込む多文化・多宗教的な大パレスチナ国家（世俗的民主主義者のバイナショナリズムとは異なる一国家解決だ）を訴えようとも、あるいは、完全な二国家案（六七年の停戦ラインを国境とし、一つ残らずユダヤ人入植地を撤去し、国境管理や治安権や水利権を自らもつ完全な独立国家）を呼びかけようとも、いずれせよシオニストには受け入れられる余地はない。だが、「バンツースタン」がいかなる意味でも解決とはならないことは、誰の目からも明らかだ。

いまなお、そしていまこそ国家理念が問われている。本書で見てきたとおり、イスラエル建国前から、根本的に民族国家や国民国家のありようそのものを問い返す議論が絶えたことはなかった。そうしたなかで、シオニズムを批判するということは、排他的な領土主義にもとづく政治覇権と、それを正統化する政治神話とを批判することでもあった。アーレント、ボヤーリン兄弟、サイードなどは、ディアスポラを思想的に肯定することに、そうした批判の可能性を見いだしていた。アーレントにあっては、失われたセンスとしてのディアスポラへの憎慕として、ボヤーリン兄弟にあっては、伝統的ユダヤ教のディアスポラ思想の敷衍可能性として、サイードにあっては、国境を越える大規模な人口移動時代における新たな生の条件として。力点の違いはもちろんあるし、またそうした思想がどのように現実政治に関わることができるのかは、また別の問いとして残るだろう。

近代の国民国家思想やナショナリズム運動のいわば臨界点で誕生したイスラエル国家が、「シオニズムの悪夢」から覚醒するには、シオニズムと格闘した先人たちにならって、ディアスポラの思想と政治を探究するほかにはないように思われる。

註

＊日本語訳のある文献からの引用は、できるかぎり訳文を参照したが、文脈に応じて適宜変更した。

まえがき

1　このあたりの議論は、拙稿「ディアスポラと本来性――近代的時空間の編制と国民／非国民」（臼杵陽監修、赤尾光春・早尾貴紀編『ディアスポラから世界を読む』明石書店、二〇〇八年近刊）で詳しく展開される。

2　モーゼス・ヘス「ローマとエルサレム（抄訳）」（野村真里、篠原敏昭訳、良知力、廣松渉編『ヘーゲル左派論叢　第三巻――ユダヤ人問題』、御茶ノ水書房、一九八六年）、および、テオドール・ヘルツル『ユダヤ人国家』（佐藤康彦訳、法政大学出版局、一九九一年）、参照。

3　ガヤトリ・C・スピヴァク「アポリアを教えること――新世界秩序のなかのサバルタン」（崎山政毅、鵜飼哲＝インタヴュアー『現代思想』一九九九年七月号、青土社）七九頁

序章

1　スチュアート・ヘンリ『民族幻想論』（解放出版社、二〇〇二年）や、小坂井敏晶『民族という虚構』（東京大学出版会、二〇〇二年）など。

2　『旧約』というのはキリスト教の立場から『新約』との対比で使われる表現であるため、ヘブライ語聖書を意味する『タナハ』、あるいはそのな

かでもモーセ五書のみを指す『トーラー』が用いられることもある。

3　以上の伝説については、川又一英『エチオピアのキリスト教 思索の旅』（山川出版社、二〇〇五年）および蔀勇造『シェバの女王――伝説の変容と歴史の交錯』（山川出版社、二〇〇六年）参照。

4　この伝説をネタにした作品が、グラハム・ハンコック『神の刻印（上・下）』（田中真知訳、凱風社、一九九六年）やスティーヴン・スピルバーグ監督『レイダース 失われたアーク』（アメリカ、一九八一年公開）である。ハンコックのものは、ルポとして読む向きもあるだろうが、とうてい実証的ではない。

5　とりわけ後者については、アシェル・ナイム『エチオピアのユダヤ人――イスラエル大使のソロモン作戦回想記』（鈴木元子訳、明石書店、二〇〇五年）を参照。なお、前者のモーセ作戦を背景にした物語が、ラデュ・ミレイアニュ、アラン・デュグラン『約束の旅路』（小梁吉章訳、集英社文庫、二〇〇七年）であり、映画化もされた。

6　ファラーシャムラについては、さしあたり、Daniel Friedmann, "The Case of the Falas Mura", in Tudor Parfitt and Emanuela Trevisan Semi (ed.), *The Beta Israel in Ethiopia and Israel: Studies on the Ethiopian Jews*, Curzon Press, 1999

7　その申請数は六〇〇万人を越えているともされる（ナイム『エチオピアのユダヤ人』、二八七頁）。この数は、イスラエルのユダヤ人口五八〇万人（イスラエル国籍のアラブ人口が一三〇万人で総人口が七一〇万人）を凌駕する。

8　拙稿「数字は語る1　イスラエルの人口問題」（『月刊オルタ』二〇〇七年一月号）を参照。なお、ヨーロッパからのユダヤ人移民数は一九四八年の建国前後にピークを迎え、五〇年代と六〇年代はアラブ中東地域からの移民政策を推し進め、八〇年代後半からは旧ソ連地域からの移民が圧倒的多数を占めた。だが、それらすべての地域からの移民が一段落してしまい、そういった意味でもイスラエルがまとまった数で移民を期待できるのは、唯一エチオピアだけである、という事情がある。

9　ロデリック・グリエルソン、スチュアート・ムンロ＝ハイ『失われた聖櫃――アーク伝説のなぞを解く』（五十嵐洋子他訳、ニュートンプレス、二〇〇〇年）。ムンロ＝ハイがさらに研究を深めたものとして、Stuart Munro-Hay, *The Quest for the Ark of the Covenant : The True History of the Tablets of Moses*, I.B.Tauris, 2005 も参照。また、Steven Kaplan, *The Beta Israel (Falasha) in Ethiopia: From Earliest Times to the Twentieth Century*, New York University Press, 1992 や、Randall Price, *Searching for the Ark of the Covenant: Latest Discoveries and Research*, Harvest House Publishers, 2005 も重要。

10　グリエルソン、ムンロ＝ハイ『失われた聖櫃』、三四五頁

11　同書、三三一頁

12　同書、三四五頁

13　同書、三六二頁

14　ナイム『エチオピアのユダヤ人』、二七二頁

15　なお、二〇〇六年にはさらに改訂がなされ、三項と四項のそれぞれについて「実子（の実子）に係るもの」のあいだに「素行」についての条件が入れられ、「実子（の実子）で素行が善良であるものに係るもの」となった。素行の善し悪しというのは、「不法行為」などの具体的客観的記述ではなく、主観的判断を介在させる余地が大きく、差別と排除をいっそう助長しかねない。

16　「戸籍」は中国から来ているとか、韓国と台湾にもあるとする主張もあるが、中国に起源をもつ本来の「戸籍」は文字どおりに「戸」であり、一つの「戸」つまり門をもつ居住区画を単位とする住民登録にすぎない。日本の戸籍が住居でも出生地でもないのとはまったく異なる。また韓国と台湾における戸籍は、日本の植民地支配時代に持ち込まれたものであり、植民地支配を終えてからは、その機能は変更されたり停止されるなどしている。戸籍をめぐるさまざまな背景や問題については、佐藤文明の諸著作に詳しい。佐藤文明『戸籍って何だ――差別をつくりだすもの』（緑風出版、二〇〇二年）など参照。なお、現在の戸籍問題から視野を広げるものとして、早尾貴紀・皆川万葉「戸籍から見える世界」（『季刊前夜』四号、二〇〇五年）も参照。

17　佐藤文明『戸籍うらがえ史考――戸籍・外登制度の歴史と天皇制支配の差別構造』（明石書店、

一九八八年）、三五―三八頁

18 同書、三七頁

19 同書、五五頁、および佐藤『戸籍って何だ』、九四頁

20 テッサ・モーリス＝スズキ『批判的想像力のために――グローバル化時代の日本』（平凡社、二〇〇二年）、一四三―一四八頁

21 佐藤『戸籍って何だ』、九二―九三頁

22 渕上英二『日系人証明――南米移民、日本への出稼ぎの構図』（新評論、一九九五年）、第一章「偽日系人を生み出す社会」参照。なお、戸籍売買があまりに多いため、のちに事実関係証明書も定住者在留資格の取得に必要な書類に加えられたが、この偽造も防ぎようはない。

23 同書、一七頁。当時の在日ペルー大使の発言より。

24 高橋秀実『にせニッポン人探訪記――帰ってきた南米日系人たち』（草思社、一九九五年）、一九三―一九七頁

25 坂中英徳『入管戦記――「在日」差別、「日系人」問題、外国人犯罪と、日本の近未来』（講談社、二〇〇五年）、第四章「帰ってきた日系ブラジル人」参照。

26 同書、第五―八章、および坂中英徳『在日韓国・朝鮮人政策論の展開』（日本加除出版、一九九九年）、参照。

27 宋安鍾「「韓流ブーム」／「北朝鮮バッシング」／「嫌韓流」現象と、日本版ネオリベラル「多文化主義」の「文化政治」」（『現代の理論』二〇〇七年春号）、および、宋安鍾「「コリア系日本人」化プロジェクトの位相を探る」（『現代思想』二〇〇七年六月号）参照。

28 金泰明『マイノリティの権利と普遍的人権概念の研究――多文化的市民権と在日コリアン』（トランスビュー、二〇〇四年）の第六章、ならびに金泰明『共生のための二つの人権論』（トランスビュー、二〇〇六年）の第七章と第八章を参照。またこの二著はともに、近代西欧哲学の系譜から普遍的人権の展開を問い直しつつ、ウィル・キムリッカの『多文化時代の市民権』（角田猛之、石山文彦、山崎康仕監訳、晃洋書房、一九九八年）を手がかりに現代日本社会への批判的介入を試みている、射程の広い研究でもある。

29　前者は塩原良和『ネオ・リベラリズム時代の多文化主義――オーストラリアン・マルチカルチュラリズムの変容』（三元社、二〇〇五年）、後者はモーリス＝スズキ『批判的想像力のために』所収の「現代日本における移民と市民権――「コスメティック・マルチカルチュラリズム」を克服するために」から取られている。また、同系統の問題を扱っており、この二人が日本語の訳書に関わっている、ガッサン・ハージ『ホワイト・ネイション――ネオ・ナショナリズム批判』（保苅実、塩原良和訳、テッサ・モーリス＝スズキ、酒井直樹解説、平凡社、二〇〇三年）も挙げておくべきだろう。著者はレバノン出身でオーストラリアに移住をした移民であり、「アラブ人」としての経験や知見をふまえつつ、理論的・思想的な省察を深めている。寄せられた二本の解説も重要。

30　ハナ・アーレント『全体主義の起原2　帝国主義』（大島通義、大島かおり訳、みすず書房、一九七二年）、第五章「国民国家の没落と人権の終焉」参照。

31　セイラ・ベンハビブ『他者の権利――外国人・居留民・市民』（向山恭一訳、二〇〇六年、法政大学出版局）

32　同書、三頁、二〇四頁など。

33　このベンハビブの仕事に政治思想的に接続可能性のある研究として、ウィリアム・コノリーの『アイデンティティ／差異――他者性の政治』（杉田敦、齋藤純一、権左武志訳、岩波書店、一九九八年）の、とりわけ第七章「領土的なデモクラシーの政治」（への批判）も参照。

34　ジュリア・クリステヴァ『ハンナ・アーレント――〈生〉は一つのナラティヴである』（松葉祥一、椎名亮輔、勝賀瀬恵子訳、作品社、二〇〇六年）

35　ジュリア・クリステヴァ『外国人――我らの内なるもの』（池田和子訳、法政大学出版局、一九九〇年）、一一八頁

36　同書、四頁

37　テオドール・W・アドルノ『本来性という隠語――ドイツ的なイデオロギーについて』（笠原賢介訳、未来社、一九九二年）、二八頁

38　同書、一三三頁

第一章

1　イスラエル国家独立宣言の文章は各種史料集に収録されているが（英訳にはいくつかのバージョンがある）、イスラエルの国会「クネセト」のウェブ・サイト http://www.knesset.gov.il/ で公的なテクストが読める。日本語訳は、浦野起央編著『中東国際関係資料集〈1〉中東紛争とイスラエル』（東通社出版部、一九七四年）の二四―二六頁、および、『月刊みるとす』三五号』（一九九八年五月号、ミルトス）の二八―三三頁をそれぞれ参照した。
なお、この宣言文にある「パレスチナ」とは、いまで言う「パレスチナ自治区」ではなく、「パレスチナの地」つまりユダヤ人にとっての「エレツ・イスラエル（＝イスラエルの地）」を意味している。

2　本書で用いられるいくつかの問題含みな言葉の定義について触れておく。「イスラエル人」「ユダヤ人」「ユダヤ教徒」、あるいは「パレスチナ人」「アラブ人」「ムスリム」という用語の使用には困難な問題が含まれている。たとえば、一九四八年イスラエル建国以前には「イスラエル人」は当然存在しないし、またそれ以降も、イスラエル国内の人口のおよそ二割がイスラエル国籍をもつパレスチナ人であるため、「国籍保持者」という一般的な意味では単純に「イスラエル人」という名称も使いにくい。だからといって、「ユダヤ教徒」の意味で「ユダヤ人」という名称を用いたとしても、今度は世俗的な「ユダヤ系イスラエル人」が含まれないという問題が生ずる。そうした事情を考慮に入れたうえで、やはり「ユダヤ人」という呼称を用いざるをえないが、そうだとしても、それが人種的概念ではないことはもちろん、民族的概念としても留保が必要なのは、本書でとりわけ終章で示すとおりである。
他方、「パレスチナ人」は、いつから「パレスチナ人」という集団的アイデンティティをもつようになったかも一義的には決められない。オスマン帝国期からとする説、一九二〇年前後のイギリス委任統治初期とする説、三六年からのアラブ大反乱期とする説、四八年イスラエル建国期とする説、六七年第三次中東戦争による全面的被占領期とする説、八七年からのインティファーダ期とする説、さらにはイスラエル国内のイスラエル・アラブを含んだ二〇〇〇年九月からの第二次インティファーダ（アル＝アクサー・インティファーダ）期とする説まである。また、現在でも「アラブ人」や「ムスリム」としてのアイデンティティのほうがが強い人も少なくない。加えて、アラブ人にもキリスト教徒やユダヤ教徒もおり、土地への帰属、宗教への帰属、民族意識とは、相互にずれており、一つのカテゴリーで語るには困難が大きすぎる。

　したがって、本書で用いる上記の諸概念についても、複雑な問題をはらんでいることを承知の上で、便宜的なものとならざるをえない。

3　臼杵陽『見えざるユダヤ人――イスラエルの〈東洋〉』（平凡社、一九九八年）

4　臼杵陽「委任統治期パレスチナにおける民族問題の展開――パレスチナ共産党にみる「民族」の位相」（長沢栄治編、『東アラブ社会変容の構図』、アジア経済研究所、一九九〇年）

5　Edward W. Said, "Truth and Reconciliation"(*New York Magazine weekly* 初出タイトル "The One-State Solution"), The End of the Peace Process: *Cslo and After,* Pantheon, 2000（エドワード・サイード「一国家解決」、早尾貴紀訳、『批評空間』第三期第三号、批評空間社、二〇〇二年）

6　斎藤眞「「独立宣言」研究史素描――G・ウィルズとM・ホワイトの問題提起を機会に」（阿部斉、有賀弘、本間長世、五十嵐武士編『アメリカ独立革命』、東京大学出版会、一九八二年）、二五五頁では、一九四五年のヴェトナム独立が例として挙げられている。

7　Jacques Derrida, *Force de loi, Galilée,* 1994（ジャック・デリダ『法の力』、堅田研一訳、法政大学出版会、一九九九年）

8　Jacques Derrida, "Déclarations d'Indépendance", *Otobiographies: L'enseignement de Nietzsche et la politique du nom propre,* Galilée, 1984 以下のデリダの読解に関しては、高橋哲哉『デリダ――脱構築』（講談社、一九九八年）の一九四―二〇〇頁、および梅木達郎、『脱構築と公共性』（松籟社、二〇〇二年）の一五一―一六七頁を参照。

9 *ibid.* p.16

10 *ibid.*

11 *ibid.* pp.21-22

12 *ibid.* p.27

13 *ibid.*

14 アメリカ合衆国の「独立宣言」がその独立を正当化するために、いかに宗主国であるイギリスが不当なことをしてきたかという歴史的な羅列をし、他方では先住民の存在を黙殺・歪曲したのと同様に、イスラエルの「独立宣言」もまた、歴史的な説明と同時に、アラブ・パレスチナ人に対する黙殺・偏見に満ちている。さらに歴史的な説明において、大幅な捏造と歪曲がなされている点は、アメリカとは同列に論じられない問題をも含んでいる。しかしながら、ここではそうした実証的な歴史の検討はここでの主題の外にある。

15 この箇所は、宗教的なユダヤ人と非宗教的なユダヤ人とがそれぞれイスラエルの「神」とも「力」とも解釈できる、「イスラエルの岩」という妥協的な表現になっている。奈良本英佑『君はパレスチナを知っているか――パレスチナの一〇〇年』（ホルプ出版、一九九七年）、一一二頁参照。

16 これは、独立宣言とともにイスラエルの基本法体系をなす「ユダヤ人のイスラエル帰還法」で定められている。他方、強制的にあるいは避難のためにパレスチナを離れたパレスチナ人難民には、実際の生地、あるいは祖先の地であるにもかかわらず一切の帰還権が認められていない。

第二章

1 Bi-nationalism は、文字どおりに訳せばたんに「二民族国家論」であるが、あまり一般的な用語でないこともあり、その内容を汲んで、「二民族共存国家論」ないし「二民族一国家論」などと訳されることもある。

2 「ユダヤ人」や「アラブ人」という用語の使用については、本書第一章註2参照。

3 Hannah Arendt, "Zionism Reconsidered", *The Jew as*

Pariah: Jewish Identity and Politics in the Modern Age, edited by Ron H.Feldman, Grove Press, 1978, p.131（ハンナ・アレント「シオニズム再考」、『パーリアとしてのユダヤ人』、寺島俊穂・藤原隆裕宜訳、未来社、一九八九年、一三〇頁）。なお、委任統治下パレスチナの人口は、一九一七年時点では、全パレスチナ人口が約七〇万人で、そのうちユダヤ人（従来から住んでいるアラブ系のユダヤ教徒と近年にヨーロッパとロシアから移民してきたユダヤ教徒の合計）は約六万人で、ユダヤ人は全体の一〇分の一以下。一九四二年時点でも、全体が約一六八万人で、ユダヤ人が約五〇万人で、ユダヤ人は全体の三分の一以下である。

4 *ibid.*（同書、一三〇—一三一頁）

5 *ibid.* p.162（同書、一八四頁）

6 *ibid.* p.155（同書、一七一頁）

7 *ibid.* p.141（同書、一四八頁）

8 *ibid.* pp.141-2（同書、一四八—一四九頁）

9 *ibid.* p.148（同書、一六〇頁）。シオニズム運動と反ユダヤ主義との共謀については、Hannah Arendt, *Eichmann in Jerusalem: A Report on the Banality of Evil, Penguin Books*, 1963,1991 / *Eichmann in Jerusalem: Ein Bericht von der Banalität des Bösen*, Piper, 1964,1986（ハンナ・アーレント『イェルサレムのアイヒマン——悪の陳腐さについての報告』、大久保和郎訳、みすず書房、一九六九年）、および、Lenni Brenner, *Zionsm in the Age of Dictator*, Routledge, 1983（レニ・ブレンナー『ファシズム時代のシオニズム』、芝健介訳、法政大学出版局、二〇〇一年）を参照。

10 さらに運動の形態や、発展形態によっては、「実践シオニズム」「社会主義シオニズム」「労働シオニズム」などの分類がありうる。

11 Hannah Arendt, "Kann die jüdisch-arabisch Frage gelöst werden ?", *Vor Antisemitismus ist man nur noch auf dem Monde sicher*, Piper Verlag, 2000, p.119

12 *ibid.* p.122

13 Hannah Arendt, "To Save the Jewish Homeland: There Is Still Time", *The Jew as Pariah*, p.152（ハンナ・アーレント「ユダヤ人の郷土を救うために——まだ時間はある」、山田正行訳、『思想』二〇〇四年二月号、七三—七四頁）

14 ウクライナ出身のヘブライ語作家、シオニズム思想家。本名はアシェル・ツヴィ・ギンズベルクで、「アハド・ハアーム」は筆名。「イスラエルの民の一人」を意味する。

15 Mahatma Gandhi, "Zur Lage der Juden in Deutschland und Palästina", Martin Buber, *Ein Land und zwei Völker: Zur jüdisch-arabischen Frage*, Insel Verlag, 1983 / Jüdischer Verlag, 1993, p.151（マルティン・ブーバー『ひとつの土地にふたつの民』、合田正人訳、みすず書房、二〇〇六年、八八頁）。

16 *ibid.* p.155（同書、九一頁）

17 *ibid.* p.152（同書、八八頁）

18 Martin Buber, "Brief an Gandhi", *ibid.* pp.168-9（同書、一〇二—一〇三頁）

19 *ibid.* p.170（同書、一〇五頁）

20 *ibid.* p.167（同書、一〇二頁）

21 *ibid.*（同前）

22 *ibid.* p.171（同書、一〇五頁）

23 *ibid.* pp.164-5（同書、九九—一〇〇頁）

24 Martin Buber, "Zweierlei Zionismus", *ibid.* p.290（同書、二〇六頁）

25 *ibid.*（同書、二〇七頁）。なお、ブーバーのこの「再生」に関わる思想内容についての検討は次章で行なう。

26 *ibid.* p.291（同前）

27 *ibid.* pp.293-4（同書、二〇九頁）

28 Martin Buber, "Mehrheit oder so viele wie möglich ?", *ibid.* pp.223-228（同書、一五一—一五五頁）参照。

29 Martin Buber, "Eine Binationale Auffassung des Zionismus", *ibid.* p.278（同書、一九六—一九七頁）

30 鵜飼哲「法の砂漠——カントと国際法の〈トポス〉」（『抵抗への招待』、みすず書房、一九九七年）参照。

31 Elisabeth Young-Bruehl, *Hannah Arendt: For Love of the World*, Yale University Press, 1982（エリザベス・ヤング＝ブルーエル『ハンナ・アーレント伝』、荒川磯男、原一子、本間直子、宮内寿子訳、晶文社、一九九九年）、および、Maurice Friedman, *Encounter on the Narrow Ridge: A Life of Martin Buber*, Paragon House, 1991（モーリス・フリードマン『評伝マルティン・ブーバー——狭い尾根での出会い（上・下）』、黒沼凱夫、河合一充訳、ミルトス、

二〇〇〇年）

32　マグネスおよびイフード党、そしてそれを中心にその他の当時の二民族共存国家を主張したいくつかの政党や幾人かの論者については、今後の研究課題である。

33　鵜飼、前掲書、三三四頁

34　Edward W. Said, "The One-State Solution", *The New York Times*, January 10, 1999（エドワード・サイード「一国家解決」、早尾貴紀訳、『批評空間』第三期第三号、批評空間社、二〇〇二年）。のちにこの論考は "Truth and Reconciliation"（真実と和解）と改題して注34の単行本に収録。

35　Edward W. Said, "Truth and Reconciliation", *The End of the Peace Process: Oslo and After*, Pantheon, 2000, p.316

（サイード「一国家解決」、同前、九三―九四頁）

36　*ibid.* p.318（同書、九五―九八頁）

37　*ibid.* pp.318-9（同書、九六頁）

38　Edward W. Said, "An Ideology of Difference", *The Politics of Dispossession: The struggle for Palestinian Self-Determination, 1969-1994*, Vintage Books, 1995, p.95

39　Edward W. Said, "Defamation, Zionist-style", *Al-Ahram Weekly*,26 August-26 September 1999, No.444

40　Said, "Truth and Reconciliation", *op.cit.* p.312（サイード、前掲書、九一頁）

41　Arendt, "Zionism Reconsidered", *op.cit.* p.163（アーレント、前掲書、一八六―一八七頁）

42　Said, "The One-State Solution", *op.cit.*

第三章

1　平石善司、山本誠作編『ブーバーを学ぶ人のために』（世界思想社、二〇〇四年）および、斉藤啓一『ブーバーに学ぶ』（日本教文社、二〇〇三年）

2　Martin Buber, *Die Chassidische Botschaft*, Lambert Schneider, 1952, p.109（マルティン・ブーバー、『ハシディズム』、平石善司訳、みすず書房、一九六九年、一一四頁）

3 *ibid.* p.27（同書、二六頁）
4 *ibid.* p.12（同書、八頁）
5 *ibid.* p.18（同書、一五頁）
6 *ibid.* p.178（同書、一九二頁）
7 *ibid.* p.196（同書、二一三頁）
8 Martin Buber, *Pfade in Utopia*, Schneider, 1950, p.19（マルティン・ブーバー『もう一つの社会主義——ユートピアの途』、長谷川進訳、理想社、一九五九年、一五頁）
9 *ibid.* p.20（同書、一六—一七頁）
10 *ibid.* p.19（同書、一六頁）
11 *ibid.* p.32（同書、二八頁）
12 ランダウアーの思想や生涯については、小林政吉『ブーバー研究——思想の成立過程と情熱』（創文社、一九七八年）の第一部第三章「ランダウアーの社会主義」、および、グスタフ・ランダウアー『レボルツィオーン——再生の歴史哲学』（大窪一志訳、同時代社、二〇〇四年）の訳者解説を参照。
13 Buber, *Pfade in Utopia*, p.81（ブーバー、『もう一つの社会主義——ユートピアの途』、七七頁）
14 *ibid.* p.82（同書、七八頁）
15 *ibid.* pp.84-5（同書、八〇—八一頁）
16 *ibid.* p.86（同書、八一—八二頁）
17 *ibid.* p.87（同書、八二頁）
18 この「共同体の記憶」の問題については、拙論「パレスチナとイスラエルにおける記憶表象」（岩崎稔編『ムネモポリティカのために——〈集合的記憶〉とは何か』人文書院、近刊）において、具体的にかつ現在的な文脈で論じている。
19 Buber, *Pfade in Utopia*, pp.95-6（ブーバー、前掲書、九二頁）
20 *ibid.* p.88（同書、八四頁）
21 *ibid.* p.92（同書、八八頁）
22 *ibid.* p.95（同書、九一頁）
23 *ibid.* p. 221（同書、二一二—二一三頁）
24 一般的にイスラエルの入植村と言えばキブーツによって代表されるが、大きくいくつかに類型化でき、なかでもキブーツ型入植村とモシャーヴ型入植村とが代表的なものである。この二つの相違は、キブーツ型入植村が村落単位の協同組合のもとでの共同所有・共同経営という原則であるのに対して、モシャーヴ型入植村は、同じく村落単位の協同組合のもとでも個人所有・個人経営を原則としているという点である。いずれも「村落単位の協同組合」であること、シオニズム運動の入植政策の手段として創設されたことなどは共通している。時代を下るにつれて、前者から後者への移行が見られるが、キブーツの方が先行していたこと、個人所有を否定しているため共同体意識がより強固であることから、キブーツが少数になってからもなお、理念的に入植村を「キブーツ」で代表させる傾向がある。なおブーバーは「クヴツァー」と「キブーツ」を挙げているが、クヴツァーは規模の違いのみで、キブーツとほぼ同じである。

25　大岩川和正『現代イスラエルの社会経済構造——パレスチナにおけるユダヤ人入植村の研究』（東京大学出版会、一九八三年）。著者早逝のため、遺稿の死後編集である。

26　同書、一七頁

27　同書、一八頁

28　同書、四四頁

29　同書、七二―七三頁

30　Gershon Shafir, *Land Labor and the Origins of the Israeli-Palestinian Conflict, 1882-1914*, University of California Press, 1989, 1996. また同時期のユダヤ人の入植活動と土地所有の政策とシオニズム・イデオロギーとの関係については、Zvi Shilony, *Ideology and Settlement: The Jewish National Fund, 1897-1914*, The Magnes Press of the Hebrew University, 1998 を、同テーマに関してその後一九三〇年代から四八年までを焦点化したものとして、Yossi Katz, *The Battle for the Land: The History of the Jewish National Fund, Before the Establishment of the State of Israel*, The Magnes Press of the Hebrew University, 2005 を参照。

31　大岩川、前掲書、二四〇頁

32　モーリス・フリードマン『評伝マルティン・ブーバー——狭い尾根での出会い（上）』、黒沼凱夫・河合一充訳、ミルトス、二〇〇〇年、一三三―一三四頁

33　レニ・ブレンナー『ファシズム時代のシオニズム』（芝健介訳、法政大学出版局、二〇〇一年）三五―三六頁

34　前掲書、二四二頁

35　本書第一章、および、臼杵陽『見えざるユダヤ

人――イスラエルの〈東洋〉』（平凡社、一九九八年）、参照。

36 大岩川、前掲書、二〇四―二〇五頁

37 同書、二四四頁

38 同書、一八三頁

39 同書、二一四頁

40 Buber, *Die Chassidische Botschaft*, p.171（ブーバー『ハシディズム』、一八四頁）

41 鵜飼哲「法の砂漠――カントと国際法の〈トポス〉」（『抵抗への招待』、みすず書房、一九九七年）三一八頁

42 Buber, *Pfade in Utopia*, p.232（ブーバー『もう一つの社会主義』、二三三頁）

43 Jacques Derrida, "INTERPRETATIONS AT WAR: Kant, le Juif, l'Allemand' , *Phénoménologie et Politique: Mélanges Offerts à Jaques Taminiaux*, Ousia, 1989, pp.264-5（ジャック・デリダ「INTERPRETATIONS AT WAR――カント、ユダヤ人、ドイツ人」、鵜飼哲訳、『現代思想』　九九三年七月号、青土社、二九三―二九四頁）

第四章

1 Hannah Arendt, "Zionism Reconsidered", in *The Jew as Pariah: Jewish Identity and Politics in the Modern Age*, edited by Ron H.Feldman, Grove Press, 1978（「シオニズム再考」、ハンナ・アレント、『パーリアとしてのユダヤ人』、寺島俊穂、藤原隆裕宜訳、未来社、一九八九年）

2 Elisabeth Young-Bruehl, *Hannah Arendt: For Love of the World*, Yale University Press, 1982（エリザベス・ヤング＝ブルーエル、『ハンナ・アーレント伝』荒川磯男、原一子、本間直子、宮内寿子訳、晶文社、一九九九年）参照。

3 Hannah Arendt, "To Save the Jewish Homeland: There Is Still Time", "Peace or Armistice in the Near East?", in *The Jew as Pariah*. なお後者の論考は、一九五〇年に発表されているが、執筆は四八年である。

4 この詳細については、本書第二章参照。

5 "Peace or Armistice in the Near East?", *op.cit.* pp.198-202

6 *ibid.* p.205

7 *ibid.* p.212

8 *ibid.* p.213

9 アハド・ハアームについては、第二章註14参照。著作のエッセンスは、*Ahad Ha-'Am Selected Essays,* Sefer ve Sefel Publishing, Jerusalem, 2003. 日本語文献では、臼杵陽「民なき土地に土地なき民を――「占領」を否定する政治神学」(『現代思想』二〇〇三年九月号、青土社)参照。

10 この二民族共存の思想運動およびマグネスを挟んでのアーレントとブーバーの関係については、本書第二章参照。

11 Bill Readings, The *University in Ruins*, Harvard University Press, 1996, pp.14-15(ビル・レディングス『廃墟のなかの大学』青木健、斎藤信平訳、法政大学出版局、二〇〇〇年、二〇―二二頁)。なお、この著書の主眼は、近代的理念崩壊以降の大学のあり方にあるが、ここではその前段階のみを参照する。

12 *ibid.* p.56(同書、七六頁)

13 *ibid.* pp.56-57(同書、七七―七八頁)

14 *ibid.* p.60(同書、八二頁)

15 *ibid.* p.65(同書、八八頁)

16 Neve Gordon and Gabriel Motzkin, "Between Universalism and Particularism: The Origins of the Philosophy Department at Hebrew University and the Zionist Project", *Jewish Social Studies vol.9 no.2*, 2003, p.101, 107

17 *ibid.* p.108

18 *ibid.* p.110

19 *ibid.* p.111

20 *ibid.* p.113

21 *ibid.* p.114

22 Jacques Derrida, "Interpretations at War: Kant, le Juif, l'Allemand", *Phénoménologie et Politique*, Ousia, 1989, p.209(ジャック・デリダ、「Interpretations at War――カント、ユダヤ人、ドイツ人」、鵜飼哲訳、『現代思想』一九九三年五月号―八月号、翻訳箇所の参照は、五―八月号の別／頁で示す。五／四六頁)

23 *ibid.* p.212（同前、五／五五頁）

24 *ibid.* pp.225-226（同前、六／一六六頁）

25 *ibid.* pp.226-228（同前、六／一六六―一六七頁）

26 この点について、「ユダヤ教の源泉」を重視するか、「理性の宗教」を重視するかで、コーエンの二人の弟子、ローゼンツヴァイクとカッシーラーが立場を異にしたことを詳細に論じた、村岡晋一、「ヘルマン・コーエン（一八四二―一九一八年）――あるカント主義者のユダヤ主義」（『現代思想』総特集カント、青土社、一九九四年）参照。

27 Herman Cohen, *Religion der Vernunft aus den Quellen des Jüdentums*, 2 Auflage, Neudruck, 1966, S.36f. および、Karl Löwith, "Philosophie der Vernunft und Religion der Offenbarung in H.Cohens Religionsphilosophie", *Aufsatze und Vortrage, 1930-1970*, Kohlhammer philosophica, 1971（カール・レーヴィット「ヘルマン・コーエンの宗教哲学における理性の哲学と啓示の宗教」、村岡晋一訳、『ヘーゲルからハイデガーへ――現象学的存在論』、村岡他訳、作品社、二〇〇一年）参照。

28 Löwith, *ibid.* S.150（レーヴィット、前掲書、一八八頁）

29 Derrida, *op.cit.* p.268（デリダ、前掲論文、七／二九六頁）

30 ibid. p.271（同前、七／一九八頁）

31 *ibid.* p.234（同前、六／一七一―一七二頁）

32 *ibid.* pp.273-274（同前、七／二九九頁）

33 Martin Heidegger, *Der Selbstbehauptung der deutschen Universität*, Vittorio Klostermann, 1983, S.10（マルティン・ハイデッガー「ドイツ的大学の自己主張」菅谷規矩雄、矢代梓訳、E・フッサール、M・ハイデッガー、M・ホルクハイマー『30年代の危機と哲学』清水多吉、菅谷規矩雄他訳、イザラ書房、一九七六年、八九頁）。なお、『存在と時間』においては避けるべき用語とされていたはずの「精神」が、「ドイツ的大学の自己主張」で多用されていることについて分析を行なった、Jacques Derrida, *De l'esprit, Galilée*, 1987（ジャック・デリダ『精神について――ハイデガーと問い』港道隆訳、人文書院、一九九〇年）参照。

34 エルンスト・カッシーラー、マルティン・ハイデガー、トーニ・カッシーラー『ダヴォス討論（カッシーラー対ハイデガー）・カッシーラー夫人の回想抄』（岩尾龍太郎、岩尾真知子訳、《リキエスタ》の会、二〇〇一年）参照。

35　フランツ・ローゼンツヴァイク「取り替えられた前線」村岡晋一訳（『現代思想』総特集カント、青土社、一九九四年）、一八四頁。その意義についての検討は、村岡晋一、前掲書「ヘルマン・コーエン（一八四二―一九一八年）」参照。

36　Jacques Derrida, “La Main de Heidegger (Geschlecht II)”, *Heidegger et la Question: De l'esprit et autre essays*, Flammarion, 1990, p.177（ジャック・デリダ「ハイデガーの手（ゲシュレヒトⅡ）」藤本一勇訳、『現代思想』総特集ハイデガーの思想、一九九九年、一二七頁）

37　Jacques Derrida, *L'Autre Cap*, Minuit, 1991, pp.28-29（ジャック・デリダ『他の岬――ヨーロッパと民主主義』高橋哲哉、鵜飼哲訳、みすず書房、一九九三年、一九頁）

38　*ibid.* p.33（同書、二三―二四頁）

39　*ibid.* p.74（同書、五九頁）

40　Hannah Arendt, *On Revolution*, Penguin Books, 1963,1990, p.55, p.183（ハンナ・アーレント『革命について』志水速雄訳、ちくま学芸文庫、一九九五年、七七頁、二一〇頁）

41　高橋哲哉「《闇の奥》の記憶――アーレントと「人種」の幻影」（『記憶のエチカ――戦争・哲学・アウシュヴィッツ』岩波書店、一九九五年）。なお、高橋の指摘によると、この European mankind という言葉は日本語の既訳では、「ヨーロッパ人種」ないし「ヨーロッパの人びと」と訳されているが、race とも people とも異なるため、「人種」としても「人びと」としてもそのニュアンスは十分に捉えられているとは言い難い。同書、八二頁および二五三頁註五参照。

42　Hannah Arendt, “Über den Imperialismus”, *Die Verborgene Tradition: Essays*, Suhrkamp Verlag, 1976 /Jüdischer Verlag, 2000, p.34（ハンナ・アーレント「帝国主義について」、『パーリアとしてのユダヤ人』、二二六頁）

43　高橋、「《闇の奥》の記憶」、八五頁以下

44　同書、九七頁

45　同書、一一〇頁

46 Jonathan Boyarin, "From Derrida to Fichte ?: The New Europe, the Same Europe, and the Place of the Jews", *Thinking in Jewish*, The University of Chicago Press, 1996, p.115

47 *ibid.* p.118

48 *ibid.* p.127

49 *ibid.* p.129

50 Derrida, op.cit., pp.80-81（デリダ、前掲書、六五頁、傍点引用者）

51 Ernesto Laclau, "Universalism, Particularism, and the Question of Identity", *Emancipation(s)*, Verso, 1996, pp.26-28（エルネスト・ラクラウ「普遍主義、個別主義、そしてアイデンティティの問い」布施哲訳、『現代思想』一九九六年十二月号、青土社、二六三—二六四頁）

52 本書第五章参照。

53 Hannah Arendt, Essays in *Understanding 1930-1954, Harcourt Brace, 1994*, pp.17-18（ハンナ・アーレント『アーレント政治思想集成1』齋藤純一、山田政行、矢野久美子訳、みすず書房、二〇〇二年、二六頁）

54 Löwith, *op.cit.* S.154（レーヴィット、前掲書、一九三頁、傍点引用者）

第五章

1 Dagmar Barnouw, *Visible Spaces: Hannah Arendt and the German-Jewish Experience*, The Johns Hopkins University Press, 1990、あるいは、Richard J. Bernstein, *Hannah Arendt and the Jewish Question*, The MIT Press, 1996 など。

2 寺島俊穂『生と思想の政治学——ハンナ・アレントの思想形成』（芦書房、一九九〇年）および『ハンナ・アレントの政治理論——政治的な人間を求めて』（ミネルヴァ書房、二〇〇六年）にはアーレントの国家観に関わる論述が見られ、また伊藤洋典『ハンナ・アレントと国民国家の世紀』（木鐸社、二〇〇一年）は、アーレント思想と国民国家との関係を主題としているが、いずれにせよイスラエル国家との関係については四〇年代のコラム・論考に基づいて論じており、その後の主著との関連に議論は及んでいない。

3 千葉眞『アーレントと現代――自由の政治とその展望』、岩波書店、一九九六年

4 Hannah Arendt, *The Origins of Totalitarianism*, New Edition, Harcourt Brace & Company, 1951,1973, p.229（ハナ・アーレント『全体主義の起原２――帝国主義』、大島通義・大島かおり訳、みすず書房、一九七二年、一七四頁）

5 *ibid.* p.276（同書、二五一頁）

6 *Elemente und Ursprünge totaler Herrschaft*, Piper, 1955,1986. p.570（同書、二四四頁）

7 *The Origins of Totalitarianism*. p.290（同書、二六九―二七〇頁）

8 *ibid.* p.299（同書、二八五頁）

9 *ibid.*

10 実際、『革命について』では、「古代イスラエル」について一度言及されるだけで、現代イスラエル国家についてはいっさい触れられていない。Hannah Arendt, *On Revolution*, Penguin Books, 1963,1990, p.205（ハンナ・アレント『革命について』、志水速雄訳、ちくま学芸文庫、一九九五年、三二七―三二八頁）

11 *ibid.* p.142（同書、二二三頁）

12 *ibid.* p.29（同書、三九頁）

13 *ibid.* p.182（同書、二九五―二九六頁）

14 *ibid.* p.183（同書、二九七頁）

15 *ibid.* p.204（同書、三二六―三二七頁）

16 *ibid.* p.206（同書、三二九頁）

17 *ibid.* p.181（同書、二九四頁）

18 *ibid.* p.192（同書、三〇九頁）

19 *ibid.* p.194（同書、三一一―三一二頁）

20 *ibid.* p.195（同書、三一四頁）

21 *ibid.* p.139（同書、二二一頁）

22 とはいえ、アブラハムは、ユダヤ教成立の遥か以前の祖先であり、ユダヤ人のみならず、アラブ人にとっても祖先とされる（アラビア語ではイブラーヒーム）。それゆえ、ユダヤ教、キリスト教、

イスラームは、「アブラハムの宗教」とも言われる。

23 Elisabeth Young-Bruehl, *Hannah Arendt: For Love of the World,* Yale University Press, 1982（エリザベス・ヤング＝ブルーエル『ハンナ・アーレント伝』、荒川磯男、原一子、本間直子、宮内寿子訳、晶文社、一九九九年）を参照。

24 Hannah Arendt, *The Human Condition,* The University of Chicago Press, 1958, p.28（ハンナ・アレント、『人間の条件』、志水速雄訳、ちくま学芸文庫、一九九四年、四九頁）

25 *ibid.* p.7（同書、二〇頁）。「多数性」は「複数性」という訳語をあてることもある。

26 *ibid.* pp.175-6（同書、一八六―二八七頁）

27 *ibid.* p.179（同書、二九一頁）

28 *ibid.* pp.191-2（同書、三〇八―三〇九頁）

29 Hannah Arendt, *Crises of the Republic*, Harvest Books, 1972, p.143（ハンナ・アーレント、『暴力について――共和国の危機』、山田正行訳、二〇〇〇年、一三三頁）

30 *ibid.* p.150（同書、一四〇頁）

31 *ibid.* p.155（同書、一四五頁）

32 *ibid.* pp.89-90（同書、八二―八三頁）

33 *ibid.* pp.87-88（同書、八〇頁）

第六章

1 Judith Butler, *Bodies that Matter: On the Discursive Limits of "sex"*, Routledge, 1993

2 サラ・サリー『ジュディス・バトラー（シリーズ現代思想ガイドブック）』（竹村和子他訳、青土社、二〇〇五年）、一六三―一六九頁

3 Judith Butler, "No, it's not anti-semitic", *London Review of Books*, vol.25 no.16, August 21, 2003. のちに加筆され、「反セム主義という嫌疑――ユダヤ人、イスラエル、公共的批判のリスク」として翌〇四年に単行本に収録された。Judith Butler, "The Charge of Anti-Semitism: Jews, Israel and the Risks of Public Critique", in *Precarious Life: The Powers of Mourning and*

Violence, Verso, 2004（ジュディス・バトラー『生のあやうさ——哀悼と暴力の政治学』本橋哲也訳、以文社、二〇〇七年）

4　Judith Butler, "Jews and Bi-National Vision", *Logos*, vol.3, no.1, Winter 2004. なおこの原稿は、http://www.logosjournal.com/butler.htm で全文を読むことができる。引用の際のページ数も、このサイトの印刷用ページで示す。

5　*Haaretz*, January 7, 2004

6　この第二次インティファーダは、一九九三年のオスロ合意による和平プロセス以降もパレスチナにおけるユダヤ人入植地の拡大などの占領政策が改善されないことへの不満が、アリエル・シャロン（当時リクード党首）によるイスラームの聖地への挑発的訪問をきっかけに爆発したもの。シャロンが、エフード・バラク当時首相（労働党政権）の容認のもと、数百人の警官・兵士の護衛とともに、パレスチナ人たちの抗議活動を制圧し、東エルサレム旧市街にあるアル＝アクサー・モスクのあるハラム・アッ＝シャリーフ（神殿の丘）訪問を強行。抗議する人びとを軍事力で弾圧したことから、全土的なインティファーダ（民衆蜂起）へと発展し、それに対するイスラエル軍の攻撃も激化した。

7　イスラエルが、国家の正統性を補強するためにホロコーストを利用するようになったのは、一九六〇年のアイヒマン裁判以降、そしてその傾向がアメリカにおいていっそう強まったのは六七年の第三次中東戦争以降のことである。ロニー・ブローマン、エイアル・シヴァン『不服従を讃えて——「スペシャリスト」アイヒマンと現代』（高橋哲哉、堀潤之訳、産業図書、二〇〇〇年）およびノーマン・フィンケルスタイン『ホロコースト産業——同胞の苦しみを「売り物」にするユダヤ人エリートたち』（立木勝訳、三交社、二〇〇四年）を参照。

8　Butler, *Precarious life*, pp.104-111（バトラー『生のあやうさ』、一六五—一七九頁）

9　*ibid.* pp.111-121（同書、一七九—一九三頁）

10　「ピース・ナウ」は労働党の支持基盤の一つでもある穏健な現実的和平路線の市民団体であり、和平派のなかでは最大の団体である。「グッシュ・

シャローム」は、ウリ・アヴネリという急進的和平派の元国会（クネセト）議員が代表を務める市民団体であり、二国家共存を目指している。「イェッシュ・グヴール」は、ヘブライ語で「もう限界だ！」という叫びであると同時に「（越えてはならない）境界線がある」を意味する兵役拒否者の団体であり、領土的境界を越えた占領地での軍務が「国防」の枠を逸脱しているとして批判をしている。「ブツェレム」は、神の前での人間の平等を理念とした人権団体であり、政治色は出していないが、人権尊重の原則を貫くことで結果として根本的な占領政策批判をしている。「タアユーシュ」はアラビア語で「共存」を意味する平和団体だが、メンバーはユダヤ人とアラブ人の両方で構成しており、占領地でのデモ活動などを活発に行なっている。「ウィメン・イン・ブラック」による街頭でのビジル（平和の祈祷）は、今日では海外にも広がっているが、発祥は占領に反対するイスラエルの女性たちであった。

11 Butler, “Jews and Bi-National Vision”, p.2

12 ibid., pp.2-6

13 引用は、Hannah Arendt, *The Jew as Pariah*, Grove Press, 1978, pp.246-247.（ハンナ・アーレメント「イェルサレムのアイヒマン」矢野久美子訳、『現代思想』一九九七年七月号、七二頁）

14 Mahmoud Darwish, *Memory for Forgetfulness: August, Beirut, 1982*, University of California Press, 1995, pp.124-126

15 Butler, op.cit., pp.12-14

16 もちろんこれが、バトラーによる政治的配慮として、『ジェンダー・トラブル』に差し向けられたような「過度に先鋭的で難解」といった誤解をあらかじめ避けて、現実政治の水準でクリアな問題提起をするにとどめたためだという可能性もある。バトラーのガイドブックを著わしたサラ・サリー（およびその日本語訳者）が指摘するように、理論的先鋭が政治的コミットメントと乖離しているという非難を背景に、『触発する言葉』以降は議論が平易になっていく傾向が見られる。イスラエル批判の議論もまた、そうした流れで読むこともできる。サラ・サリー、前掲書、三一―三六頁（本文）および二九九頁―三〇六頁（訳者あとがき）を参照。

17　セムはノアの子どもであり、アブラハムの祖先。アブラハムについては、第五章注22を参照。

18　「アシュケナジーム」・「ミズラヒーム」・「スファラディーム」といった用語や区分については、臼杵陽『見えざるユダヤ人――イスラエルの〈東洋〉』（平凡社、一九九八年）を参照。この著作に詳しいが、アシュケナジームとスファラディームの区別は、本来律法解釈を異にする宗派の違いに基づくもので、厳密にはスファラディームとミズラヒームとは含意が異なる。アシュケナジーム中心主義＝ヨーロッパ中心主義のイスラエルにおいて、それ以外のユダヤ人を、スファラディームも含めて「他者」として一括りにした表象が「ミズラヒーム」である。

19　イスラエルにおいて近年、Yehouda Shenhav による『アラブ系ユダヤ人』［*HaYehudim-HaAravim*, Am-Oved Publishers, 2003］という端的なタイトルの本が刊行され、著者シェンハーヴが新聞やテレビで多くのインタヴューを受けるなど反響を呼んだ。同じく「アラブ人」であることを重要な争点と見る論者に Sami Shalom Chetrit がいる。"Mizrahi Politics in Israel", *Journal of Palestine Studies* 116, 2000 を参照。

20　Jonathan Boyarin and Daniel Boyarin, *Powers of Diaspora*, University of Minnesota Press, 2002 日本語訳は、『ディアスポラの力』（赤尾光春・早尾貴紀訳、平凡社、二〇〇八年）。なおこの日本語版には、原書全体をなす三論文（赤尾氏担当）に加えて、関連性の高い二人の二論文（早尾担当）が独自編集により収録されている。本文で触れたジョナサン・ボヤーリン「ユダヤ人問題と国家理性」はその追加論文のうちの一つである。この論文は、ジョン・ストラットン『ユダヤ人だとカミングアウトする――両義的アイデンティティの構築』（日本語訳なし、原書は John Stratton, *Coming Out Jewish: Constructing Ambivalent Identities*, Routledge, 2000）を徹底的に分析したものである。

21　Jonathan Boyarin, *Thinking In Jewish*, The University of Chicago Press, 1996 の第四章参照。

22　Daniel Boyarin, *A Radical Jew: Paul and the Politics of Identity*, University of California Press, 1994 の第八章

参照。

23 Daniel Boyarin, Daniel Itzkovitz, Ann Pellegrini ed., *Queer Theory and the Jewish Question*, Columbia University Press, 2003

24 「クィア queer」は、辞書的には「奇妙な（人）」を意味したが、男性同性愛者への蔑称、さらにその他のセクシャル・マイノリティに対する蔑称として使われてきた。しかし現在では、強制的異性愛という規範への批判的立場から、むしろ肯定的に、あるいは理論的に使われるようになってきている。

25 Alisa Solomon, “Viva la Diva Citizenship: Post-Zionism and Gay Rights”, *ibid.*, pp.151-158

26 Daniel Boyarin, Unheroic Conduct: *The Rise of Heterosexuality and the Invention on Jewish Man*, University of California Press, 1997

27 *ibid.*, pp.229-231

28 *ibid.*, p.222（傍点引用者）

29 Asma Agbarieh, “Spreading the Stain: Anti-Semitism or Anti-Zionism?”, *Challenge*, no.87, Sept.-Oct. 2004, Tel Aviv

30 *ibid.*, p.6

31 *ibid.*, p.7

32 なお、この「民主的行動機構」は、一九六〇―七〇年代に活動していた反シオニスト団体「マッペン」を継承するものであり、分裂したマッペンのもう一方も、オルタナティヴ・インフォメーション・センターとして活動を継続させている。また、同センターで刊行している雑誌 *News From Within* の編集顧問には、ダニエル・ボヤーリンも名前を連ねている。

33 池内恵『現代アラブの社会思想――終末論とイスラーム主義』（講談社現代新書、二〇〇二年）、および、同氏によるイラク戦争期の『諸君！』や『文藝春秋』や『正論』などといった保守系論壇誌での小文や発言を参照。

34 池内恵『アラブ政治の今を読む』（中央公論新社、二〇〇四年）、一三〇頁。なお、池内恵への批判としては、栗田禎子「加害者は被害者を恐れる――「イスラモフォビア」とその周辺」（『現代思想』二〇〇六年五月号）を参照。

35 Hannah Arendt, *Essays in Understanding 1930-1954*,

Harcourt Brace, 1994, pp.17-18（ハンナ・アーレント『アーレント政治思想集成1』斎藤純一、山田正行、矢野久美子訳、みすず書房、二〇〇二年、

第七章

1 Isaiah Berlin, "Herder and the Enlightenment", in *Vico and Herder: Two Studies in the History of Ideas*, The Kings Press, 1976（アイザィア・バーリン、「ヘルダーと十八世紀啓蒙思潮」、『ヴィーコとヘルダー――理念の歴史：二つの試論』、小池銈訳、みすず書房、一九八一年）、および、Nathan Gardels, "Two Concepts of Nationalism: An Interview with Isaiah Berlin", in *New York Review of Books*, November 21, 1991（アイザイア・バーリン、聞き手＝N・ガーデルズ「ナショナリズムの二つの概念」、斎藤純一訳、『みすず』一九九二年七号）

2 Isaiah Berlin, "Two Concepts of Liberty", in *Four Essays on Liberty*, Oxford University Press, 1969（アイザィア・バーリン「二つの自由概念」、『自由論』福田歓一他訳、みすず書房、一九七一年）

二六頁）

36 Butler, "Jews and Bi-National Vision", p.2

3 Berlin, "Herder and the Enlightenment", p.165, pp.165-171（バーリン「ヘルダーと十八世紀啓蒙思潮」、三一六―三二六頁の言語に関する考察を参照）。こうした考え方は、晩年のインタヴューのなかでも一貫して繰り返されている。Isaiah Berlin and Ramin Jahanbegloo, *Recollections of a Historian of Ideas: Conversations with Isaiah Berlin*, Charles Scribner's Sons, 1991（I・バーリン／R・ジャハンベグロー『ある思想史家の回想――アイザィア・バーリンとの対話』、河合秀和訳、みすず書房、一九九三年）を参照。

4 アイザィア・バーリン『北方の博士 J・G・ハーマン――近代合理主義批判の先駆』（奥波一秀訳、みすず書房、一九九六年）の「言語」の章（一〇二―三頁）を参照。

5 Berlin, "Herder and the Enlightenment", p.159（バーリン「ヘルダーと十八世紀啓蒙思潮」、三〇四―三〇五頁）

6 *ibid.*, p.165（同書、三一七頁）

7 Isaiah Berlin, "The Life and Opinions of Moses Hess", in *Against the Current: Essays in the History of Ideas*, Oxford University, 1981（アイザイア・バーリン、「モーゼス・ヘスの生涯と意見」、『ロマン主義と政治――バーリン選集3』、福田歓一／河合秀和編、岩波書店、一九八四年）

8 *ibid.*, p.239（同書、一六五頁）

9 バーリン／ジャハンベグロー『ある思想史家の回想』、三一一―二頁

10 同書、一五四頁

11 同書、一五二頁

12 同書、一三三頁

13 アイザイア・バーリン「カイム・ワイツマン」（『時代と回想――バーリン選集2』、福田歓一、河合秀和編、岩波書店、一九八三年）

14 Michael Ignatieff, *Isaiah Berlin*, Metropolitan Books, 1998, pp.106-108, p.237（マイケル・イグナティエフ『アイザイア・バーリン』、石塚雅彦／藤田雄二訳、みすず書房、二〇〇四年、一一八―一二〇頁、二五七頁）

15 Isaiah Berlin, "Israel and the Palestinians", The Isaiah Berlin Virtual Library, 16 October 1997

16 逆に言えば、相互承認と二国家の理念以外のことは、具体的には何も決められてはいない。つまり、パレスチナの内部につくられたユダヤ人入植地の撤去の問題や東西エルサレムの地位の問題、そして最終的な国境画定の問題などは棚上げにされたままである。それゆえバーリンも、わざわざここでエルサレムについて言及を加えたと言える。

17 Yael Tamir, *Liberal Nationalism* (3d), Princeton University Press,1995（『リベラルなナショナリズムとは』、押村高他訳、夏目書房、二〇〇六年）

18 Michel Walzer, "Liberalism, Nationalism, Reform", M.Lilla, R.Dworkin, R.B.Silvers(ed.), *The Legacy of Isaiah Berlin*, New York Review Books, 2001, pp.173-176

19 ウォルツァーとシオニズムの関係については、本書第八章参照。

20 Gardels, "Two Concepts of Nationalism: An Interview

with Isaiah Berlin", p.19, p.21（バーリン、「ナショナリズムの二つの概念」、一四頁および一八頁）

21　Berlin, "Herder and the Enlightenment", p.163（バーリン「ヘルダーと十八世紀啓蒙思潮」、三一一頁）や、バーリン、ジャハンベグロー、『ある思想史家の回想』、一四九頁など。

22　同上、『ある思想史家の回想』、一二七—九頁

23　*Haaretz*, November 6, 2006

24　グロスマンは、イスラエルのユダヤ性の基盤となるユダヤ人の「帰還法」（世界のユダヤ人のイスラエルへの移民を認める）をなんら疑問に附すことなく、他方でイスラエルのユダヤ性を不可侵とする立場からパレスチナ人難民の帰還権を一貫して明確に否定している。デイヴィッド・グロスマン、『死を生きながら——イスラエル 1993-2003』、二木麻里訳、みすず書房、二〇〇四年、一三七—一四三頁参照。

25　Isaiah Berlin, "The Bent Twig: On the Rise of Nationalism", in *The Crooked Timber of Humanity: Chapters in the History of Ideas*, ed. by Henry Hardy, Pimlico, 2003, p.252（アイザイア・バーリン、「曲げられた小枝——ナショナリズムの勃興について」、『理想の追求——バーリン選集4』、福田歓一／河合秀和／田中治男／松本礼二訳、岩波書店、一九九二年、三〇六頁）

26　Isaiah Berlin, "Benjamin Disraeli, Karl Marx and the Search for Identity", in *Against the Current*, p.252（アイザイア・バーリン、「ベンジャミン・ディズレーリとカール・マルクス——自我の探究」、『思想と思想家——バーリン選集1』、福田歓一、河合秀和編、岩波書店、一九八三年、二六一頁）

27　本書第六章および、Jonathan Boyarin and Daniel Boyarin, *Powers of Diaspora*, University of Minnesota Press, 2002（『ディアスポラの力』、赤尾光春、早尾貴紀訳、平凡社、二〇〇八年）を参照。

28　バーリンおよびタミールが、占領批判をしても、建国問題そのものには沈黙していることについては、イラン・パペも日本講演で強調していた。『イラン・パペ、パレスチナを語る——「民族浄化」から「橋渡しのナラティヴ」へ』、ミーダーン編訳、柘植書房新社、二〇〇八年、第三章質疑部分を参照。

29 バーリン／ジャハンベグロー、『ある思想史家の回想』、一三三頁

30 Ignatieff, *op.cit.*, p.181（イグナティエフ、前掲書、一九七—八頁）

31 *ibid.*, p.184（同上、二〇一頁）。

32 Isaiah Berlin, "Jewish Slavery and Emancipation", in *Jewish Chronicle*, 1951, p.9

第八章

1 Edward W. Said, *Freud and the Non-European* (introduction by Christopher Bollas, response by Jaqueline Rose), Verso, 2003.（エドワード・サイード『フロイトと非‐ヨーロッパ人』長原豊訳、平凡社、二〇〇三年）。

2 Michael Walzer, *Exodus and Revolution*, Basic Books, 1985（マイケル・ウォーザー『出エジプトと解放の政治学』荒井章三訳、新教出版社、一九八七年）

3 Edward W. Said, "An Ideology of Difference", *Critical Inquiry* 12, 1985

33 第四章参照。引用は、Hannah Arendt, Essays in *Understanding 1930-1954*, Harcourt Brace, 1994, pp.17-18（ハンナ・アーレント『アーレント政治思想集成1』、斎藤純一、山田正行、矢野久美子訳、みすず書房、二〇〇二年、二六頁）。

4 Robert J. Griffin, "Ideology and Misrepresentation: A Response to Edward Said" および Daniel Boyarin and Jonathan Boyarin, "Toward a Dialogue with Edward Said" および Edward W. Said, "An Exchange on Edward Said and Difference: Response"。いずれも *Critical Inquiry* 15, 1989 所収。

5 Walzer, *Exodus and Revolution*, p.7（ウォーザー、前掲書、二〇頁）

6 *ibid.*, p.76, p.84（同書、一〇四頁、一一四頁）

7 Edward W. Said, "Michael Walzer's *Exodus and Revolution*: A Canaanite Reading", *Grand Street*, vol.5

no.2, 1986（後にE. Said and Christopher Hichens ed. *Blaming the Victims: Spurious Scholarship and the Palestinian Question*, Verso, 1988に収録）。以下引用に際しては、*Blaming the Victims* のページで示す。p.165

8 *ibid.*, p.170

9 Michael Walzer, *Interpretation and Social Criticism*, Harvard University Press, 1987, p.39, pp.57-60（マイケル・ウォルツァー『解釈としての社会批判――暮らしに根ざした批判の流儀』大川正彦、川本隆史訳、風行社、一九九六年、四七―四八頁／七五―七八頁）

10 Said, *Blaming the Victims*, pp.166-167

11 *ibid.*, pp.172-173

12 *ibid.*, pp.175-176

13 Michael Walzer, *Just and Unjust War: A Moral Argument with Historical Illustrations*, Basic Books, 1977 (3rd Edition, 2000), pp.82-85

14 *ibid.* pp.216-218

15 Said, *Blaming the Victims*, p.173

16 Michael Walzer and Edward W. Said, "An Exchange: 'Exodus and Revolution'", *Grand Street*, vol.5 no.4, 1986, pp.246-252

17 *ibid.*, p.253

18 *ibid.*, p.255

19 *ibid.*, p.254

20 Walzer, *Exodus and Revolution*, pp.138-143（ウォーザー『出エジプトと解放の政治学』一七八―一八六頁）

21 Jonathan Boyarin, "Reading Exodus into History", *Palestine and Jewish History: Criticism at the Borders of Ethnography*, University of Minnesota Press, 1996, pp.48-49

22 *ibid.*

23 *ibid.*, p.49

24 *ibid.*, p.51

25 *ibid.*, pp.60-63

26 Daniel Boyarin, *Intertextuality and the Reading of Midrash*, Indiana University Press, 1990. 「ミドラシュ」は旧約聖書の注釈書。

27 Jonathan Boyarin, "Reading Exodus into History", pp.64-67

28 Said, "An Ideology of Difference", pp.39-40

29 *ibid.*, pp.40-41
30 *ibid.*, p.43
31 *ibid.*, pp.47-49
32 *ibid.*, p.51
33 Boyarin and Boyarin, "Toward a Dialogue with Edward Said", pp.628-632
34 *ibid.* p.632 なお、サイードについてもそう言えるかは微妙であり、サイードが具体的に二民族共存一国家をはっきりと提起し始めたのは、オスロ合意による二国家解決案に対する批判としてだから、九三年以降のことになる。だが先にも見たとおり、そしてこの「差異のイデオロギー」にもそれに類する記述が見られるが、八五—八六年の時点ですでにバイナショナリズムという用語や発想を公にしている。
35 Said, "An Exchange on Edward Said and Difference: Response", p.634
36 *ibid.*, p.635
37 *ibid.*, pp.635-637
38 Jonathan Boyarin, "Palestine and Jewish History", *Storm of Paradise: The Politics of Jewish Memory*, University of Minnesota Press, 1992, p.116
39 *ibid.*, pp.116-117
40 *ibid.*, p.121
41 *ibid.*, p.122
42 *ibid.*, p.126
43 *ibid.*, p.126, 129
44 Said, *Freud and the Non-European*, p.50, p.41（サイード『フロイトと非-ヨーロッパ人』六七頁、および五五—五六頁）
45 *ibid.*, p.45（同書、六〇頁）
46 Sigmund Freud, "Der Mann Moses und die monotheistische Religion", *Sigm. Freud Gesammelte Werke 16, Werke aus den Jahren 1932-1939*, Imago Publishing, 1950, S.119（ジークムント・フロイト『モーセと一神教』渡辺哲夫訳、ちくま学芸文庫、二〇〇三年、三九—四〇頁）
47 *ibid.* S.137（同書、六七頁）
48 *Said, Freud and the Non-European*, p.44, p.54（サイード、前掲書、五九—六〇頁、七二頁）
49 *ibid.*, p.43（同書、五八頁）。なお、マイケル・ウォルツァーは『解釈と社会批判』において、批判者としてのフロイトをやはり「脱社会的な」批判者として、つまり「社会に根ざさない」批判者として反発を示しているが、ウォルツァーの持論からすれば当然のことであるだろう。Walzer, *Interpretation and Social Criticism*, p.65（ウォルツァー『解釈としての社会批判』、八五頁）参照。

50 Freud, *op.cit.*, S.197（フロイト、前掲書、一五五頁）

51 Said, *Freud and the Non-European*, p.40（サイード、前掲書、五三―五四頁）

52 *ibid.*, pp.69-72（同書、八九―九三頁）

53 *ibid.*, p.77（同書、一〇〇頁）

54 ibid., p.52/p.71（同書、六九頁、九二頁）

55 Isaac Deutscher, *The Non-Jewish Jew and Other Essays*, Oxford University Press, 1968, p.27（アイザック・ドイッチャー『非ユダヤ人的ユダヤ人』鈴木一郎訳、岩波新書、一九七〇年、三五頁）

56 Deutscher, *op.cit.*, p. 41（ドイッチャー、前掲書、五四頁）

57 Said, *Freud and the Non-European*, p.53（サイード、前掲書、七〇頁）。サイードは「ドイッチャーは言及し忘れている」と言うが、必ずしもそうではない。ドイッチャーの前掲書収録の別論考「イスラエルの精神風土」において、次のような記述がある。「（ユダヤ人国家を建設しそこに移民をすること）が含意するのは、ディアスポラを、つまり何千年ものエグザイルの記憶と習慣と味覚と香りを排除することだ。つまりそれは、多くの国々の風土と風景とメロディーと言語を忘却することを意味する。ポーランド、ロシア、リトアニア、オーストリア、モロッコ、トルコ、イラク等々の」。Deutscher, *op.cit.*, p.93（一一九頁）

58 Edward W. Said, "Orientalism, Arab Intellectuals, Marxism, and Myth in Palestinian History", *Power, Politics, and Culture: Interviews with Edward W. Said* (edited by Gauri Viswanathan), Pantheon Books, 2001, p. 442（エドワード・サイード「『オリエンタリズム』、アラブ知識人マルクス主義、そしてパレスチナ史の再検討」、河野真太郎訳、『権力、政治、文化（下）』大橋洋一他訳、太田出版、二〇〇七年、二七四頁）

59 *Said, Freud and the Non-European*, p.53（サイード『フ

ロイトと非 - ヨーロッパ人』、七〇―七一頁)

60 Ephraim Nimni, "From "galut" to "t'futsoth"; post-Zionism and dis><location of Jewish diasporas", edited by E. Nimni, *The Challenge of Post-Zionism: Alternatives to Israeli Fundamentalist Politics*, Zed Books, 2003 の pp.131-134 を参照。また、このニムニ以上に徹底して語源や概念の変遷を検証した、赤尾光春「追放《ガルート》から離散《ディアスポラ》へ――現代ユダヤ教における反シオニズムの系譜」(臼杵陽監修、赤尾光春・早尾貴紀編集、『ディアスポラから世界を読む』、明石書店、二〇〇八年)を参照。

61 Said, *Freud and the Non-European*, p.55 (同書、七三

頁)

62 *ibid.*, p.50 (同書、六七頁)

63 Edward Said, "One State Solution", *New York Magazine Weekly*, Jan. 1999 (増補改題して "Truth and Reconciliation" として Edward W. Said, *The End of the Peace Process: Oslo and the After*, Pantheon, 2000 に集録)(エドワード・サイード「一国家解決」早尾貴紀訳、『批評空間』第三期第三号、批評空間社、二〇〇二年、九五―九六頁)なお、バイナショナリズムの思想史的背景については本書第二章を、その現代的意味については終章を参照。

終章

1 オスロ合意におけるPLOとイスラエルの相互承認は、PLO内部にも反対する党派があり、PLO総会での承認を受けていない。そして反対党派は自治政府にも参加していない。なお、PLOは国外難民も含めたパレスチナ人全体を代表する機関であり、自治政府はガザ地区とヨルダン川西岸

地区のパレスチナ人のみを代表する。

2 イスラエル政府がオスロ合意の前までは、ファタハなどパレスチナの世俗ナショナリズムの発展を牽制するために、宗教勢力としてのハマスを半ば公然と支援していたことは指摘されなくてはならない。

3　Yacob Ben Efrat, The Fading of the Two-State Solution, *Challenge*, Issue 107, Jan./Feb. 2008, p.3

4　*ibid*., p.5

5　Theodor Herzl, *Der Judenstaat*, 1896（テオドール・ヘルツル『ユダヤ人国家――ユダヤ人問題の現代的解決の試み』、佐藤康彦訳、法政大学出版局、一九九一年）

6　本書第二章註14および第四章註9を参照。

7　Edward W. Said, "The One State Solution"（「一国家解決」早尾貴紀訳、『批評空間』Ⅲ期第三号、二〇〇二年）。

8　たとえば二〇〇七年七月と一一月に、それぞれマドリードとロンドンで開催された一国家解決に関する国際会議で発表された「一国家宣言（The One State Declaration）」には、英米およびイスラエル／パレスチナの知識人ら一四人が署名に名前を連ねている。

9　Virginia Tilley, *The One-State Solution*, The University of Michigan Press, 2005. なおその後も、一国家解決を主題とする本の刊行が相次いでいる。Ali Abunimah, One Country: *A Bold Proposal to End the Israeli-Palestinian Impasse*, Metropolitan Books, 2006 および、Joel Kovel, *Overcoming Zionism: Creating a Single Democratic State in Israel/Palestine*, Pluto Press, 2007 など。

10　入植者の数では、まず東エルサレムを除く西岸地区の入植者だけでも、九〇年代初頭の一〇万人から、九〇年代末には二〇万人と倍増し、現在では二五万人に達している。他に東エルサレムだけで入植者数は約二〇万人いると見られているが、これも九〇年代を通して倍増した結果だ。また九〇年代後半に、大規模入植地が拡張されつつ周辺入植地とブロックを形成し、またショッピングモールなどの巨大施設が多く建てられていった。

11　シャロンは、当時の与党で右派のリクードを自ら離党し、新党カディマを立ち上げた直後に病に倒れた。シャロン不在にもかかわらずカディマは第一党となり、左派を自任している労働党が、カディマと「一方的撤退」や「分離壁」について主張を一致させ連立内閣参加を確約し、第二党となった。

12　小田切拓「アリエル・シャロン――かくして、彼は絶大になった」（『世界』二〇〇六年四月号）

13 人種隔離政策（アパルトヘイト）下にあった南アフリカ共和国でつくられた隔離用の自治区で、「バンツー語系アフリカ人の土地」の意。

14 この問題については、『月刊オルタ』特集：パレスチナ――「平和と反映の回廊」構想（二〇〇七年一二月号）を参照。同特集号では、現地パレスチナ人活動家からの批判が掲載されている他、拙論「運命づけられた失敗――オスロ和平合意を反復する「回廊構想」」が全体の構図を概説しつつ批判を加えている。

15 ロニ・ベン＝エフラット「イスラエル左翼、アメリカ帝国主義、そして二国家解決方式の破産」（武藤一羊訳、『季刊ピープルズ・プラン24号』二〇〇三年）、一一四―一一五頁。原文は、"The Jewish Israeli Left, US Empire and the End of Two-State Solution", *Middle East Report Online*, August 21, 2003

16 臼杵陽『見えざるユダヤ人――イスラエルのなかの〈東洋〉』（平凡社、一九九八年）に詳しい。本書第六章註18も参照。

17 「アラブ人」のなかにムスリムとキリスト教徒とユダヤ教徒がいるのだが、シオニズム以降あるいはイスラエル建国以降は、「アラブ人のユダヤ教徒」という言い方が否定され、アラブ人とは絶対に異なる者としての「ユダヤ人」という概念がつくられた。

18 本書第六章註19参照。

19 「ネトゥレイ・カルタ」の活動がよく知られている。彼らは、占領を批判し、イスラエル国家を否定するだけでなく、ＰＬＯのアドバイザーにもなってきた。また、ユダヤ教の伝統とシオニズムとの関係については、Jonathan Boyarin and Daniel Boyarin, *Powers of Diaspora*, University of Minnesota Press, 2002（『ディアスポラの力』、赤尾光春、早尾貴紀訳、平凡社、二〇〇八年）を参照。ボヤーリン兄弟については、本書第六章、第八章も参照。

20 Noah J. Efron, *Real Jews: Secular VS. Ultra-Orthodox and the Struggle for Jewish Identity in Israel*, Basic Books, 2003 など参照。なお、近年の世論調査などでは、イスラエルのユダヤ人のうち約半数が自らを「世俗的」と見なし、約一割が自らを「超正統派」であると考えているとされる（他は「どちらかと言えば宗教的」など）。

21 Emanuel Rackman, *Israel's Emerging Constitution 1948-1950*, Columbia University Press, 1955 など参照。

22 このハラハーが実際に何なのかを包括的に示すのが口伝律法のミシュナーであり、それに対するラビの膨大な解釈群の集大成がタルムードである。

23 Joseph E. David (ed.), *The State of Israel: Between Judaism and Democracy*, The Israel Democracy Institute, Jerusalem, 2003 など参照。

24 イスラエル国籍のパレスチナ人人口の多い地域を西岸地区に併合させてでも、アラブ・パレスチナ人を「国民」から排除することを主張している政党や政治家が、二〇〇六年の選挙で一定の支持を得た。

新装版あとがき

本書の初版が刊行されたのは二〇〇八年のことであり、それから一五年が経過した。どんな書物であれ、かりに哲学理論書であっても、刊行された日付を持っており、時代制約性を帯びつつも、しかし時の試練に耐え読み直される可能性に開かれてもいる。本書が新装版として新たな読者を得られることに感謝したい。

パレスチナ／イスラエルの文脈において二〇〇八年というのは、パレスチナ人による第二次インティファーダ（民衆蜂起）とそれに対するイスラエル軍・警察による猛烈な弾圧の爪痕が深く残っている時期であった。二〇〇〇年に始まる第二次インティファーダに対してイスラエルは集団懲罰の論理で占領地全体を徹底的に破壊した。無力さを露呈したパレスチナ自治政府への批判票が作用して、〇六年のパレスチナ議会選挙では、自治政府を握ってきたファタハが敗北し、自治政府に参加してこなかったハマスが勝利したが、その政権交代を認めないファタハとイスラエルと国際社会がパレスチナの内戦を煽り立て、パレスチナ社会は外部からだけでなく内部からも破壊されていった。本書を構成する論考はすべて、二年間にわたる私のエルサレム在住経験を挟んだこの第二次インティファーダから内戦にいたる期間に書かれたものである。そのため本書をいま読み返しても、長期的な視野に立った思想史的な研究でありながら、この時期独特の緊迫が随所に滲み出ている。

本書刊行後からこれまで一五年間のパレスチナ／イスラエルの動きを概観しておくと、パレスチナ議会選挙で勝利したハマス勢力は、二〇〇八年の時点ですでにイスラエルとファタハとで共謀した軍事攻撃によってガザ地区に強制送還・隔離され、パレスチナ自治区がファタハ支配のヨルダン川西岸地区とハマス支配のガザ地区とで、地理的のみならず政治的にも分断されていたが（本書終章）、その封鎖された狭隘なガザ地区に対するイスラエル軍の武力侵攻が熾烈を極めていった。〇八年一二月末から〇九年一月半ばにかけての陸海空からの軍事攻撃によって、短期間にガザ地区住民一三〇〇人以上が殺害されるという大規模かつ残虐な侵攻についての緻密な分析は、その時期に来日講演をしたガザ地区研究者のサラ・ロイ氏による『ホロコーストからガザへ――パレスチナの政治経済学』（岡真理、小田切拓、早尾貴紀編訳、青土社、二〇〇九年）で読むことができる。イスラエル軍によるガザ地区攻撃はこのときの大侵攻以前からそれ以降現在にいたるまで断続的に繰り返されており、一二年一一月にも一五〇人以上、一四年七月から八月にかけては過去最大の二一〇〇人以上の死者を出す、集中的かつ破壊的なものも含まれている。一四年の攻撃は、明らかにその直前にあったパレスチナにおけるファタハとハマスによる統一内閣発足に対する妨害活動であり、ガザ地区攻撃がたんにガザ地区を標的としたものではなく、それを見せしめとしながら西岸地区・ファタハを囲い込んで従順に飼い慣らすための手法であることを露骨に示した。最近では昨年二二年八月にも約五〇人、今年二三年五月にも三〇人以上のガザ地区住民の死者が出る空爆作戦が行なわれているが、恒常化したイスラエル軍の暴力に世界はすでに麻痺してしまっている。そしてそのガザ空爆の陰で、西岸地区ではイスラエルによるパレスチナ人の家屋破壊・農地破壊・土地収用とユダヤ人の入植地建設が絶え間なく同時進行し、西岸地区の事実上のイスラエル併合が画策されているのだが、ファタハ自治政府にはそれに抵抗する意志も力ももはやない。(なお、サラ・ロイ氏による近年のガザ地区分析に関する書籍の続編を、青土社より編訳刊行する予定である。)

これらの出来事と並行するように、イスラエル国内において二〇一八年に論争的な「ユダヤ人の国民国家法」が制定されたことが、「ユダヤ」と「イスラエル」のあいだにある民族/国民のアポリアを象徴する出来事であった。この法律は、一九四八年の独立宣言に含まれていた「世界のユダヤ人の国家」と「アラブ人も含むすべての住民の国家」という相矛盾した国家規定を、表面的には前者の「ユダヤ民族国家」へと傾斜させるように見える。というのも、この国民国家法の特徴として、第一には、ヘブライ語と並んで従来「公用語」の地位を与えられていたアラビア語をあえて公用語から除外し、総人口の約二割を占めつづけている先住アラブ人の民族的・文化的な権利を否定することが含まれていたからである。さらに同法の重大な特徴として、「ヨルダン川西岸地区へのユダヤ人入植地の拡大強化に努めること」を民族的に重要な目標と定めたことが指摘できる。これまでイスラエル政府の立場としても、東エルサレムの「併合」は宣言してきたが(もちろん国際法違反だ)、それ以外のヨルダン川西岸地区の入植地については、正規のイスラエル領として併合したとは明言してこなかった。しかし事実上は、西岸地区へのユダヤ人用の住宅団地・農業団地・工業団地・専用ハイウェイ・隔離壁などによって入植地を領土の延長上に位置づけてきたのだが、とうとう法的に西岸地区を「国土」として、しかも「ユダヤ民族の郷土」として位置づけようとし始めたのだ。

これは「ユダヤ民族国家」のみを一元的に国是としていく大きな転換点だ。しかし、事はそう単純には進まない。イスラエル国籍を有するパレスチナ人（いわゆるアラブ系市民）は約二〇〇万人、西岸地区に居住するパレスチナ人は難民（建国期にイスラエル領になった地域から避難してきた）も含めて約四〇〇万人に達する。この生身の六〇〇万人を文字どおりに「民族浄化」（虐殺・追放）するのでなければ、あとはより徹底的な隔離、つまりはアパルトヘイト体制の厳格な確立以外に「ユダヤ民族国家」実現の方法はない。そして現実的にはその両方の手段の組み合わせがすでに進行しているのだ。「ユダヤ人の国民国家法」は、アポリアを解消するのではなくより深化させることに帰結せざるをえない。

今年二〇二三年は一九九三年のオスロ和平合意から三〇年に当たる。本書終章でも強調したように、オスロ和平プロセスは、イスラエルが東エルサレム併合も入植拡大政策も維持・強化することを放任しながら、占領制度にパレスチナ自治政府を組み込んで共犯に仕立てるものであった。世界がオスロ合意を画期的中東和平と賞賛するなかで当初より厳しい批判を向けていたのは、第八章で論じたパレスチナ人思想家エドワード・サイードであった。今年はそのサイードが二〇〇三年に死去してからちょうど二〇年でもある。この惨状に対してサイードならどのような批判の言葉を紡いだだろうか。

ひるがえって日本社会を見たときに、オスロ「和平」プロセスの三〇年間は「平成」の三〇年間（一九八九－二〇一九年）にほぼ重なる。本書序章で触れた一九九〇年改訂入管法は「血の思想」でもって「日系二世・三世」に限定した移住労働政策であったが、それからまもなくの九三年には「外国人技能実習制度」という名称での、つまり「移民労働ではない」と弁解できる労働政策もスタートした。それらが、「イスラエルの国民国家法」制定と同じ二〇一八年に同時に大きな転換点を迎え、日系人ビザは「日系四世」に拡大され、また「特定技能制度」が導入された。四世ビザはなおも「血統主義」への固執であり、「特定技能」は事実上労働移民への移行であってもなお「移民は認めない」というタテマエへの固執である。移民に依存しながらその事実を否認する姿勢は、生身の人間を「本来的国民」と「たんなる労働手段」に分類し後者を貶める人種主義そのものである。

しかもその血統主義の象徴は「万世一系」の天皇制だ。加えてそれは男性中心主義・異性愛主義の象徴でもある。「戦犯」だった昭和天皇の時代には、反戦および戦後民主主義の観点から反天皇制の思想運動がなおも強く残っていたが、「平和主義者」たる平成天皇の三〇年間を経て天皇制批判はすっかり退潮してしまった。その「平成」の時代に国旗国歌法が制定されたことで（一九九九年）、ナショナル・シンボルは強化され、安保関連法が制定されたことで（二〇一五年）、軍事同盟に基づく自衛隊の海外派兵が承認された。同時期にイスラエルで「和平プロセス」の名の下に、人種主義的シオニズムも軍事的占領も強化されていったのと同様に、「平和主義的な平成天皇」の時代に、血統主義と男尊女卑の天皇制は深く根づき、かつ軍事大国化も進められていった。

日本にせよ、イスラエルにせよ、根源的な批判力が弱まってきている。それは思想における厳密な批判の欠落でもある。

＊　＊　＊

ところで本書は思想書である。パレスチナ／イスラエル情勢とともに、本書刊行から一五年間の思想研究の動向にも触れておかなければならない。

本書と深く響きあう研究書として、本書第六章でも論じたジュディス・バトラーによる著書『分かれ道――ユダヤ性とシオニズム批判』が、二〇一二年に刊行された（日本語訳は、大橋洋一と岸まどかの共訳で、二〇一九年に青土社より刊行）。バトラーは二〇世紀のユダヤ人思想家たちを次々と取り上げては、ユダヤ教が、そしてより広義の「ユダヤ性」が、シオニズムとは必ずしも相容れるものではないことを詳細に論じていった。そこで検討されたのは、エマニュエル・レヴィナス、ヴァルター・ベンヤミン、ハンナ・アーレント、プリーモ・レーヴィであるが、最終の第8章だけはエドワード・サイードによるバイナショナリズム論を取り上げてパレスチナ人側からの視点でのシオニズム批判を紹介している点も含めて、全体の構成が本書と類似している。

私は本書第六章「ジュディス・バトラーの「躊躇」においてバトラーのイスラエル批判にバトラーらしさが欠けていると指摘した。それは主に、シオニズムの本質にあるマッチョ性つまり近代的国民を縛る異性愛主義的ジェンダー規範（ディアスポラ・ユダヤ人に付せられたクィア性の否定）に対する批判へと踏み込まない点、および、「アラブ系ユダヤ人／ユダヤ教徒アラブ人」という実体的人種区分を脱臼させる攪乱的アイデンティティに切り込まない点であった。これこそ『ジェンダー・トラブル――フェミニズムとアイデンティティの攪乱』（竹村和子訳、青土社、一九九九年）の著者の真骨頂ではないか。それゆえいよいよ『分かれ道』でバトラーが本格的にシオニズム思想批判を全面展開するかと期待したが、前記二点についての議論はまたも深められなかった。シオニズムの植民地主義に対する批判およびレヴィナスやアーレントも免れなかったヨーロッパ中心主義に対する批判は真っ当であったが、やはりバトラーの本領は発揮されていなかった。

ところで、本書では展開できなかったレヴィナス批判だが、私自身のその後の課題としているうちに、ひじょうに多くのレヴィナス研究書が日本語圏でも刊行された。しかし、レヴィナスにおけるシオニズム問題への意識は総じて稀薄であり、新しい研究層においてもなおレヴィナスの倫理思想や政治哲学からさえも生々しいシオニズムは払拭されている。仮にイスラエルへの言及があっても、それがあたかも此方にある現実の国家ではなく彼方にある精神的な拠り所であるかのように聖化されがちなのだ。本書で論じた政治シオニストと文化シオニストの対比で言えば、後者だというわけだ。しかし、イスラエル建国を受けて「イスラエル国の重要性は、ユダヤ教の社会法を実現するためにようやく与えられた機会にある」（一九五〇年）と語り、アイヒマン裁判の時期に「イスラエル国は、正義の世界を実現することで歴史を越えるための初めての機会である」（一九六一年）と語り、エジプトのサダト大統領がイスラエルを承認し和平条約を結んだときに「この国家を築き、防衛しようとする努力は、すべての近隣諸国の異議と脅威にさらされている。土地はイスラエルとって掛け金であり袋小路であることから、サダトの偉大さと重要さが帰結する」（一九七九年）と語り、イスラエルがレバノン侵攻でパレスチナ難民を虐殺したことに批判が集まったのに反論して「シオニズムは倫理的な正当性をもった政治的理念であり、ユダヤ人が多数を占める政治的単位がどこでもよい場所にではなく存在することが必要だ」(一九八二年)と語ったように、そのキャリアにおいてレヴィナスは徹頭徹尾、政治シオニストとして現世のイスラエル国家を擁護し続けた。

ジャック・デリダ研究についても、このかん何冊もの研究書が刊行されたが、「地中海の対岸」つまり北アフリカ・アルジェリア出身のセファルディーム・ユダヤ人の立場からレヴィナスのヨーロッパ中心主義を厳しく批判したデリダが、「イスラーム－イブラーヒーム的なもの」に注目しつつシオニズムおよびイスラエルにどのような思想的立場をとっていたのかについての研究は皆無である。すなわち、デリダをヨーロッパ思想でしか見ない立場からは、「アブラハムの一神教」についてもアシュケナジーム・ユダヤ教とキリスト教の紐帯のみを強調し、アブラハムがアラビア語の「イブラーヒーム」で同一の預言者であるということを忘却してしまう。しかもデリダは、「政治的転回」をしたとされる後期デリダにおいてのみならず、最初期の『エクリチュールと差異』(とくにエジプト出身の亡命ユダヤ人詩人エドモン・ジャベスを論じた二論考)のときからずっとそのことを語っていたという点は、すっかり読み落とされてしまったままである。

ユダヤとイスラエルのあいだで思想史的に分析し論じていくべき課題はまだまだ残っている。

なお本書刊行後に同じ問題意識で私が書き継いでいった諸論考を元にしてもう一冊の単行本を出している。『パレスチナ／イスラエル論』(有志舎、二〇二〇年)である。本書刊行を契機としてその延長線上で編まれた一冊であり、ぜひ併せて読んでいただきたい。

本書の元となる一〇本の論考の初出は以下のとおりであるが、すべて大幅に加筆を行ないタイトルも変更し、体系性を持たせた一冊の書物にまとめ上げた。

＊　＊　＊

序　章　「「偽日本人」と「偽ユダヤ人」、そして「本来的国民」」（『現代思想』二〇〇七年六月号）
第一章　「思想史の中のイスラエル１　ヨーロッパ型国民国家の限界――二つの独立宣言」（『現代思想』二〇〇二年四月号）
第二章　「思想史の中のイスラエル３　二民族共存国家――アーレントとブーバーのあいだ」（『現代思想』二〇〇二年六月号）
第三章　「思想史の中のイスラエル４　ブーバーの共同体論――普遍性と特異性のアポリア」（『現代思想』二〇〇二年七月号）
第四章　「国家創設の普遍性と特異性のアポリア――アーレントにおける「ヘブライ（的）大学の自己主張」」（『思想』二〇〇四年二月号）
第五章　「思想史の中のイスラエル２　アーレントの〈沈黙〉――イスラエル共和国の危機」（『現代思想』二〇〇二年五月号）
第六章　「ジュディス・バトラーの（不十分な）イスラエル批判／シオニズム批判――性的価値規範と国民化

がもたらすユダヤ人アイデンティティをめぐって」　（『現代思想』二〇〇六年一〇月臨時増刊号）

第七章　「アイザイア・バーリンにおけるシオニズムとイスラエル――「リベラル・ナショナリズム」の理念と現実」　（『UTCP研究論集』第　〇号、二〇〇七年）

第八章　「エクソダスの政治学――サイードと「非ユダヤ的ユダヤ人」」　（『現代思想』二〇〇三年一一月臨時増刊号）

終　章　「「民主的世俗的パレスチナ」・「民主的ユダヤ国家イスラエル」・「二民族共存国家」――パレスチナ／イスラエルにおける国家理念の行方」　（『現代思想』二〇〇六年五月号）

一見して分かるように、一〇本中八本までが青土社の『現代思想』で発表されたものであり、その時期に執筆機会を与えてくださったのは池上善彦さん（元・編集長）と押川淳さん（現・岩波書店編集者）である。また、それらの論考のうち初期の連載をもとに青土社で単行本にすることを最初に提案してくださったのは岡本由希子さん（現・『けーし風』編集者）であり、その後に蓄積していった論考も加えてあらためて単行本を企画し直して実現してくださったのは今岡雅依子さん（元・青土社編集者）である。そして刊行から一五年を経て、このたび本書を新装版として再び世に送り出してくださった編集者は菱沼達也さんである。関わってくださった編集者のみなさまに深く感謝したい。

二〇二三年八月一日　　早尾貴紀

索引

＊以下のワードは本書全体にかかわり頻出するため、索引からは除外している。イスラエル／パレスチナ／ユダヤ／アラブ／シオニズム／ナショナリズム／バイナショナリズム／ヨーロッパ／アメリカ／国家／国民／民族／アーレント／ブーバー／バトラー／バーリン／サイード、など。

人名

アグバリーエ、アスマ　201-3, 290
アドルノ、テオドール　39
アハド・ハアーム　80, 117, 126, 252, 285
イグナティエフ、マイケル　234
ヴァレリー、ポール　142, 148
ウォルツァー、マイケル　219, 239-49, 251-5, 257-8, 263, 265
鵜飼哲　87, 90, 118
大岩川和正　110, 112, 114, 116, 117
オズ、アモス　257
小田切拓　288
ガーンディー、マハトマ　80-2, 89
カント　37, 99, 127-8, 131-41
金泰明　35
キルケゴール、ゼーレン　99, 101
クリステヴァ、ジュリア　38
グロスマン、ダヴィッド　226-8, 257
クロポトキン、ピョートル　99, 102, 104-5
コーエン、ヘルマン　133-41, 151
坂中英徳　35-6
佐藤文明　26-7
サマーズ、ローレンス　187-9, 195, 204
サルトル、J・P　242-3, 245
ジャボティンスキー、ウラディミール　213, 221, 285
シャロン、アリエル　213-4, 225-6, 283, 287-8, 295, 299
シャミル、イツハク　213-4
ショーレム、ゲルショム　47-8, 126, 191, 252, 285
スピヴァック、ガーヤットリー　10
宋安鍾　35
高橋哲哉　145-6
タミール・ヤエル　218-9
ダルウィーシュ、マフムード　192, 205
デリダ、ジャック　54-58, 87, 119- 20, 133-49, 166-8, 178, 180-1
ドイッチャー、アイザック　269-71
ハイデガー、マルティン　39, 133, 139-41
ハーマン、ヨハン・ゲオルグ　210, 231
ファノン、フランツ　242
フィヒテ、J・G　128-9, 131-4, 136-41, 147
フリードマン、モーリス　113, 117- 8

ブレンナー、レニ　114, 117
フロイト、ジークムント　200, 265-70
ベギン、メナヘム　213-4
ヘス、モーゼス　7, 10, 211
ヘルダー、ヨハン・ゴットフリート　210-2, 222-3, 231-2, 235
ヘルツル、テオドール　8, 10, 74-5, 80, 126, 190, 199, 200, 253, 284
ベン＝グリオン、ダヴィッド　8, 44, 51, 59, 126, 190, 213-4, 221, 285
ベンハビブ、セイラ　37-8
ベンヤミン、ヴァルター　48, 120, 178
ボヤーリン、ジョナサン／ダニエル　147-9, 197-200, 205, 232-3, 239, 252-65, 268-9, 300
マグネス、ユダ　48, 88, 90, 92-3, 126, 130, 132-3, 221-2
マルクス、カール　7, 99, 102, 104, 178, 270
ムンロ＝ハイ、スチュアート　22-3
モーリス＝スズキ、テッサ　28
ラビン、イツハク　216-7, 224-6, 228
ランダウアー、グスターフ　104-5, 107-9
レーヴィット、カール　135-6, 151
レヴィナス、エマニュエル　99
レディングス、ビル　127, 130
ローゼンツヴァイク、フランツ　119, 133-4, 136, 140
ローズ、ジャクリーヌ　268-9
ワイツマン、ハイム　8, 213-4, 221, 234

事項

アシュケナジーム　21, 46, 195, 293
アパルトヘイト　92, 258, 283, 288, 299
イディッシュ語　151, 232
イフード党　48, 86, 88
インティファーダ　94, 185, 202, 260-2, 283
エチオピア　19-23, 26, 264, 293-4
オスロ和平合意／オスロ合意　49-50, 69, 91, 202, 216-7, 224-5, 227-9, 250, 274, 278, 280, 282-3, 286-7, 300
外国人　27, 28, 36-8, 269
帰還法／帰還権　16-8, 20-1, 24, 28, 92, 115, 199, 293-4, 297
キブーツ　73, 102, 109-13, 115, 117-8, 120, 124-5, 151
郷土　45-6, 48, 70-2, 75, 78, 80-1, 89, 124-6, 129, 144, 297
キリスト教（徒）　18-23, 80, 99, 134-5, 195, 256, 292-4
啓蒙主義／啓蒙思想　53, 132, 142
血統主義　24, 28-30, 36, 40
憲法　17, 44, 296-8
コスモポリタニズム　37, 141, 211, 272
戸籍（制度）　25-35, 39-40
市民権　7, 15, 37, 63-4, 86-7, 92, 177, 190, 199, 206, 245, 283, 286
社会主義　63, 73, 99, 100, 102-4, 106-9, 111, 124, 211
植民地／植民地主義　10, 15, 40, 53, 55, 57, 71, 124-5, 164, 169, 196, 203, 231, 242-5, 257-9, 262
人種主義／人種差別　8, 17, 21, 23, 29,

30, 34, 114, 144-5, 160, 162, 186, 196, 258, 283
神話(建国神話／政治神話) 14-5, 17-9, 21-3, 26, 238, 271, 300
政治シオニズム／政治シオニスト 76, 80, 85, 111-2, 117, 126, 133, 142, 149, 190, 200, 220-3, 226, 230-1, 284-5
世俗(化／的) 17, 92, 223, 227, 240-1, 252-5, 259, 263, 266, 273, 279, 281-2, 286, 292, 294-5, 297-8, 300
先住民 27-8, 47, 59-60, 62-5, 81, 179, 244, 254, 290
多文化／多文化主義 15, 34-6, 47, 92, 294, 300
多民族／多民族国家 34-5, 47, 49, 92, 115, 175, 286
中東戦争(第一次―第四次) 10, 70, 86, 122-3, 157, 173, 245, 251, 284, 295
ディアスポラ 192, 197, 200, 205, 206, 232-5, 262-4, 270-5, 298, 300-1
帝国主義 71, 143, 159, 253, 258, 262, 266
天皇(制) 24, 26-7, 35
同化 16, 36, 45, 74, 76, 85, 160, 234, 258, 262
独立宣言 9, 44-66, 68-9, 78, 119, 165-9, 176, 180, 234, 282, 296
ナチス／ナチズム 8, 18, 37, 39-40, 46, 48, 53, 70, 75-6, 81, 114, 138-41, 152, 161, 265, 285, 292
難民／避難民 25, 37, 45, 47, 65, 91-2, 160, 162, 171, 185, 230, 272, 294
日本人／日系人 7, 9-10, 16, 24-36, 40
入管法 24-5, 29-30, 35
ハシディズム 99-102, 104, 117-8
ハマス 227-8, 279-83, 288, 300
反セム主義 185-7, 195-6, 201, 268
バンツースタン 288, 291, 299-300
反ユダヤ主義 8, 40, 45-6, 51-2, 71, 73-6, 81, 126, 159-61, 186-9, 192, 195, 199-203, 268, 285, 293
ピース・ナウ 189, 194, 214, 217-9, 223, 225-6, 228, 247-51, 257
ファラーシャ／ファラーシャムラ 20-1, 23-4, 264
フランス革命 7, 50, 163-4, 169-70, 240
文化シオニズム／文化シオニスト 75, 80, 84-6, 89, 111-2, 117, 126-7, 129, 133, 138, 140-2, 144, 190, 220-3, 230-1, 252, 284-5, 289-90
ヘブライ語 131-2, 151, 232-3, 273
ヘブライ大学 88, 123-34, 138-41, 144, 147
ホロコースト 8, 40, 46, 53, 186
本来性／本来的 15-8, 34, 36-40, 65, 125, 195, 297
マイノリティ 35, 38, 64, 71, 143, 190, 231, 251, 285
ミズラヒーム 46, 143, 195, 199, 293
民主的行動機構 201, 282, 289-90
無国籍(者) 37, 160-3, 171
約束の地 169-71, 240, 244, 252-3
ユートピア 102-4, 109, 111, 124
リクード 213-4, 224-5, 284, 295
リベラリズム／リベラル 9, 36, 129, 132, 141, 147, 208-10, 217-9, 226-30, 255, 257
労働党 213-4, 217-8, 223-5, 250, 284
分離壁 225, 227, 250-1, 280-1, 283, 287, 299

ユダヤとイスラエルのあいだ
民族／国民のアポリア
新装版

2023年8月31日　第1刷印刷
2023年9月20日　第1刷発行

著者◉早尾貴紀

発行人◉清水一人
発行所◉青土社
東京都千代田区神田神保町1-29　市瀬ビル　〒101-0051
電話　03-3291-9831（編集）、03-3294-7829（営業）
振替　00190-7-192955

印刷・製本◉ディグ

装丁◉今垣知沙子

ISBN978-4-7917-7585-9　Printed in Japan